BIBLIOGRAPHIE DE L'ILE DE LA REUNION

DE LA REUNION

1973-1992

Groupement de recherches Océan Indien du CNRS

Centre d'Etudes et de Recherches sur les Sociétés
de l'Océan Indien (Université d'Aix-Marseille III)

BIBLIOGRAPHIE
DE L'ILE
DE LA REUNION

1973-1992

compilation par

Monique Girardin

PRESSES UNIVERSITAIRES D'AIX-MARSEILLE
3, avenue Robert Schuman - 13628 AIX EN PROVENCE

1994

© Presses universitaires d'Aix-Marseille, 1994

ISBN   2-7314-0069-2

AVANT-PROPOS

Bien que de conception différente, la présente bibliographie s'inscrit dans la continuité des recensements publiés par l'*Annuaire des pays de l'océan Indien* depuis son premier volume (1974). Les "Informations bibliographiques" proposées par Jacqueline Cadoux du volume 1974 au volume 1982/1983 portaient sur l'aire géographique définie comme objet d'étude de l'*Annuaire* : les pays "de la bordure occidentale" de l'océan Indien et "les îles qui, jusqu'au méridien des Maldives et des Chagos, s'y rencontrent". Au seul plan bibliographique l'entreprise était ambitieuse car l'étendue et la diversité de la zone considérée impliquaient des sources elles-mêmes nombreuses et variées. Il est donc remarquable que la gageure ait été tenue au long de neufs volumes. Le volume 1984/1985 marqua une courte pause, la bibliographie ayant été exceptionnellement remplacée par des index généraux des dix volumes parus, index thématique et géographique, index des noms, index des études et chroniques, établis par Marie-France Gerbeau. La tradition des rubriques bibliographiques fut reprise dès le volume suivant (volume XI, 1986/1989). Afin d'éviter une coupure chronologique, il fut décidé d'élargir la bibliographie annuelle (ou biennale) à une période de six ans, 1984-1989, avec en contrepartie inévitable la limitation du champ géographique. Furent donc traités dans le volume XI : l'océan Indien (en tant qu'espace maritime et espace régional), Madagascar, la Réunion (avec en complément, quelques références sur les DOM-TOM). La section bibliographique du volume XII (1990-1991), en portant sur Maurice et les Comores, compléta les listes précédentes. Au moins pour les îles ces mises à jour permettront la reprise, dans les prochains volumes de l'*Annuaire*, de chroniques de bibliographie "courante"

Ce qui est présenté ici à la fois diffère des bibliographies de l'*Annuaire* et sy rattache étroitement.

Le lien avec les bibliographies précédentes de l'*Annuaire* est clair : il est tout naturellement apparu qu'aux bibliographies courantes portant sur une aire géographique large pourraient être associés leurs contraires c'est-à-dire des relevés couvrant une période longue mais ne concernant qu'un champ restreint, la base du travail étant la cumulation des informations bibliographiques présentées dans les volumes de l'*Annuaire*, avec une mise à jour jusqu'en 1992. C'est ainsi que furent choisis un premier champ, l'île de la Réunion et une période de deux décennies, 1973-1992.

On remarquera que ces limites chronologiques ont été quelquefois transgressées : il nous a semblé utile de retenir quelques titres de 1972, voire de 1971, ainsi que, à l'opposé, des publications de l'année 1993 dont nous avions connaissance.

Quant au champ géographique il a été étendu aux contacts entre l'île et le monde exérieur. La Réunion est une île de l'océan Indien et cet environnement a joué dans l'Histoire, comme il joue dans le monde présent un rôle qui ne saurait être négligé. La Réunion est actuellement régie par le statut de département d'outre-mer et les dispositions concernant l'ensemble des départements d'outre-mer la concernent. La Réunion est une région où la langue créole est largement parlée, elle est à ce titre sujet d'études pour ses similitudes et ses différences à l'intérieur de l'ensemble des créoles à base lexicale française.

Ces rapports à des ensembles plus larges, notamment l'appartenance à un espace régional et concuremment le ratta-chement à un pays de l'Union européenne, éloigné de 10 000 km, montrent combien est plus complexe qu'il ne le semble à première vue le domaine des études relatives à une petite île de 2 500 km². Nous avons essayé d'en tenir compte en présentant, conjointement aux références strictement réunionnaises, des entrées relatives à l'océan Indien, lorsque l'étude y faisait une place à la Réunion, des entrées relatives aux DOM en général, et des entrées relatives aux langues créoles lorsque le réunionnais y était abordé.

Dans un même souci, non d'exhaustivité que nous n'ambitionnons pas, mais de large ouverture, nous avons voulu ne négliger aucune discipline. Si, comme il était de tradition dans l'*Annuaire*, les références portent essentiellement sur les sciences de l'homme et de la société, nous avons admis également des entrées sur les sciences naturelles et les sciences de la terre. La Réunion, île tropicale, la Réunion île volcanique : comment ne pas faire état de ces caractéristiques du milieu naturel qui sous-tendent la vie économique et culturelle de l'île ? Si pour les spécialistes ces disciplines sont encore insuffisamment représentées - d'autant que nous avons surtout retenu les études qui éclairent les problèmes des sociétés humaines, de leur environnement, de leur économie, de leur histoire - nous espérons qu'au moins les noms cités ouvriront des pistes aux futurs chercheurs.

Par comparaison avec les informations bibliographiques des différents volumes de l'*Annuaire*, on peut noter quelques suppressions et des ajouts. Outre l'élargissement, signalé ci-dessus, à des disciplines non abordées précédemment, et la mise à jour pour la période 1990-1992/93, l'information bibliographique s'est enrichie de nouvelles références dues à l'accès à des sources d'information qui n'avaient pas pu être consultées au moment des premiers recensements de l'*Annuaire*. En revanche des suppressions ont été effectuées : nous avons renoncé à signaler les mémoires de maîtrise, D.E.A, D.E.S.S. dont l'intérêt est inégal et dont la liste serait trop fragmentaire et limitée à quelques universités (notons d'ailleurs que le Service commun de la documentation de l'Université de la Réunion a publié un *Inventaire des thèses, D.E.A, D.E.S.S., mémoires soutenus à l'Université de la Réunion*) ; également éliminés certains rapports administratifs au contenu insuffisamment précisé ; enfin sont exclues les œuvres de fiction qu'on retrouvera dans différents ouvrages spécialisés.

Mais la nouveauté essentielle réside dans une présentation thématique rendue nécessaire par le grand nombre des notices (2275). Le schéma de classement comprend dix subdivisions :

[0] Références,
[1] Généralités,
[2] Milieu naturel,
[3] Société,
[4] Aménagement de l'espace,
[5] Economie,
[6] Institutions,
[7] Relations extérieures,
[8] Expression,
[9] Histoire,

dont en fait seules les sections [2] à [8] sont proprement thématiques, la section [0] regroupant divers instruments de référence, la section [1] des généralités et la section [9] se situant sur un autre plan, diachronique.

Les sections thématiques ne procèdent pas d'un classement par disciplines : c'est l'objet de l'étude qui est considéré, non le mode d'approche. Bien que certaines références eussent pu figurer dans plusieurs sections nous avons voulu éviter répétitions et renvois ; chaque notice ne fait donc l'objet que d'une seule entrée.

A l'exception de la section [0] sous-classée par types d'ouvrages (atlas, bibliographies,...) le sous-classement est chronologique et, à l'intérieur d'une année, alphabétique, thèses, ouvrages et articles figurant dans une même suite.

Deux index complètent la bibliographie : index des noms de personnes, index des collectivites-auteurs et des titres (titres des ouvrages anonymes ou collectifs, titres des ouvrages de collectivités-auteurs et titres d'ouvrages de référence entrés sous un nom de personne physique).

Pour conclure cette présentation il convient de souligner que ce travail a été élaboré dans une très large mesure à partir des sources, directes et indirectes du centre de documentation du CERSOI :
    - sources directes, c'est-à-dire catalogues des ouvrages, brochures, tirés à part, collection de microfiches du CENADDOM, et d'autre part dépouillement des articles de périodiques ainsi que des contributions d'ouvrages collectifs ;
    - sources indirectes : dépouillement des informations fournies par les périodiques reçus (revue des livres, bibliographies) et par les divers instruments bibliographiques dont le centre de documentation a pu s'enrichir. A ce titre doivent particulièrement être mentionnés les excellents catalogues du fonds Océan Indien de la bibliothèque de l'université de la Réunion, dus à la responsable de ce fonds, Roucaya Safla.
    L'interrogation de la base de données Téléthèses a par ailleurs très utilement complété notre information.

M.G

Sommaire

Signes utilisés

⇒   signale les rééditions mentionnées à la suite de la notice initiale

→   suit la mention de date des ouvrages à mise à jour périodique

↔   remplace la mention de date des ouvrages à mise à jour périodique, dont la première édition est antérieure à 1973

*   signale les éditions récentes d'auteurs antérieurs au xxe siècle

REFERENCES
atlas, catalogues et bibliogaphies, dictionnaires informations diverses

Atlas

0-1   *Atlas des départements français d'outre-mer* (éd. par le Centre d'études de géographie tropicale du C.N.R.S. et l'Institut géographique national). 1, *La Réunion* (sous la dir. de Jean Defos du Rau, Jean-François Dupon, Daniel Lefèvre, Wilfrid Bertile), C.N.R.S. (Paris) ; I.G.N., 1975, pagination multiple [108 p.]-37 f. de cartes.

0-2   BERTILE Wilfrid : *La Réunion : atlas thématique et régional*, Ed. A.G.M. (Saint-Denis, Réunion), 1987, 162 p., cartes et ill. en coul.

0-3   BUREAU DE RECHERCHES GEOLOGIQUES ET MINIERES. Service géologique régional de l'océan Indien, Saint-Denis : *Atlas hydrogéologique de la Réunion* (sous la dir. de L. Stieltjes), Conseil général de la Réunion, 1986, 24 p.-24 p. de cartes en coul.

0-4   CARAYOL Michel, CHAUDENSON Robert, BARAT Christian : *Atlas linguistique et ethnographique de la Réunion.* , Ed. du C.N.R.S. (Paris), 1984-   (Atlas linguistique de la France par régions).
        Vol.1, 1984, 247 p.
        • C.R. par Daniel Baggioni, *Etudes créoles*, vol.8, n°1/2, p. 266-268.
        Vol. 2, 1989, non paginé.
        • C.R. par Dominique Fattier, *Etudes créoles*, vol.12, n°2, p. 122-126.

0-5   *World atlas of agriculture*. Vol. 4, *Africa*, Istituto geografico De Agostini (Italie), 1976. [Traite les îles du sud-ouest de l'océan Indien, dont la Réunion.]

Catalogues et bibliographies

0-6   ALLARD François : "Bibliographie des Comores, des Mascareignes et des Seychelles : 1960-1975", V-43 p.
        (Mém. : Ecole de bibliothéconomie, Université de Montréal : 1975.)
        [Réunion : p.30-39.]

0-7   ASSOCIATION DES INSTITUTIONS DE RECHERCHE ET DE DEVELOPPEMENT DE L'OCEAN INDIEN : *Inventaire des périodiques disponibles aux Mascareignes = Union list of periodicals available in the Mascarenes*, (Maurice), 1978, 175 p.

0-8   BAKER Philip, STEIN Peter : "A supplementary bibliography of French-based Indian Ocean Creoles within the framework of a bibliography of Pidgin and Creole languages", *Journal of Creole Studies* (Kepellen, Belgique), vol. 1, n°2, 1977, p. 237-280.

0-9   BIBLIOTHEQUE DU CENTRE UNIVERSITAIRE DE LA REUNION (1981) : *Catalogue du fonds Océan Indien*, C.U.R., 1981, IV-126-14-19 p., index.

0-10   BIBLIOTHEQUE DU CENTRE UNIVERSITAIRE DE LA REUNION (1982) : *Périodiques en cours* ; (suivi de) *Périodiques des bibliothèques et laboratoires de la Faculté des lettres*, C.U.R., 1982, 49-12 p. [Pour les périodiques édités à la Réunion voir *passim*.]

0-11   BIBLIOTHEQUE NATIONALE, Paris (1984) : *Littératures africaines à la Bibliothèque nationale : catalogue des ouvrages d'écrivains africains et de la littérature critique s'y rapportant entrés à la Bibliothèque nationale, 1973-1983* (établi par Paulette Lordereau), 1984, 199 p. [Afrique et îles de l'océan Indien occidental - Réunion p.154-160.]

0-12   BIBLIOTHEQUE NATIONALE, Paris (1991) : *Littératures africaines à la Bibliothèque nationale : 1920-1972* (catalogue établi par Paulette Lordereau avec la collab. de Luadim L. Ntambwe), 1991, 234 p. [Afrique et îles de l'océan Indien occidental - Réunion p. 173-186.]

0-13   BONNET Bernard : *Introduction bibliographique à la physiologie de la tortue verte Chelonia Mydas (L) : avec références complémentaires récentes, 1974 à 1979 sur l'écologie, l'exploitation et la protection de l'espèce*, Centre universitaire de la Réunion, 1980, 31 p. (Collection Travaux et documents / U.E.R. Sciences ; 4).

0-14   CAUDRON Olivier : *Catalogue des périodiques réunionnais de 1794 à 1900, précédé d'un Aperçu historique sur la presse réunionnaise au XIXe siècle*, Université de la Réunion, 1990, 87 p., ill. [114 notices classées alphabétiquement, table chronologique, index.]

0-15   CENTRE NATIONAL DE DOCUMENTATION DES DEPARTEMENTS D'OUTRE-MER : *Bibliographie*, CENADDOM (Talence), [1987], 61 fasc. [Catalogue des microfiches éditées par le CENADDOM.]

0-16   CONSEIL INTERNATIONAL DE RECHERCHE ET D'ETUDE EN LINGUISTIQUE FONDAMENTALE ET APPLIQUEE : *Bibliographie des études créoles, langues et littératures*, (réd.par Albert Valdman, Robert Chaudenson, Marie-Christine Hazaël-Massieux), Indiana University (Bloomington) ; A.C.C.T. (Paris), 1983, 153 p., index (Bulletins signalétiques /CIRELFA).

0-17   CONSEIL INTERNATIONAL DES ARCHIVES : *Guide des sources de l'histoire de l'Afrique*, Inter Documentation Company (Zug), 1970-1983, 9 vol. (Guide des sources de l'histoire des nations. B, Afrique). [Concerne l'Afrique subsaharienne et les îles de l'océan Indien occidental ; on trouvera des références à la Réunion dans les index du t. 2 (Espana) [3 réf.], dans le vol. d'index des t. 3-4 (archives et bibliothèques françaises) et dans l'index du t. 7 (archivi della Santa Sede, archivi ecclesistici d'Italia).]

0-18   DOUMENGE François, HUETZ de LEMPS Alain, CHAPUIS Odile : *Contribution française à la connaissance géographique des mers du Sud : bibliographie des principaux travaux scientifiques français traitant des océans Pacifique et Indien, des mers australes et de leurs îles,* Centre de recherches sur les espaces tropicaux ; Centre d'études de géographie tropicale (Talence), 1988, 312 p. (Iles et archipels ; 9). [Réunion p. 244-260.]

0-19   "Etat des recherches sur les sujets locaux", *Cahiers du Centre universitaire de la Réunion,* n°1, [1972], p. 1-93. [Informations sur les recherches en cours ou les projets de recherche sur les îles du sud-ouest de l'océan Indien et informations bibliographiques (1960-1971). Disciplines traitées : Biologie végétale, Droit et institutions de la Réunion, Géographie, Histoire, Linguistique et dialectologie, Océanographie, géologie, Recherche pluridisciplinaire, étude socio-économique.]

0-20   FLORENT J. : "Bibliographie de travaux médicaux concernant la Réunion : chirurgie et psychiatrie", *Cahiers du Centre universitaire de la Réunion,* n°2, 1972, p. 89-91.

0-21   GAUTHIER R. : "Bibliographie de travaux médicaux concernant la Réunion : médecine", *Cahiers du Centre universitaire de la Réunion,* n°2, 1972, p. 91-92.

0-22   GERBEAU Hubert, WANQUET Claude : "Publications récentes et recherches en cours sur les Mascareignes et les Seychelles. II, Les Iles Maurice, Rodrigues et Seychelles", *Cahiers du Centre universitaire de la Réunion,* n°2, 1972, p. 65-87. [Voir p. 85-86, suppl. sur la Réunion qui avait fait l'objet de la première partie de l'étude in "Etat des recherches sur les sujets locaux", p. 28-52, *Cahiers du Centre universitaire de la Réunion,* n°1.]

0-23   GOTTHOLD Julia, GOTTHOLD Donald W. : *Indian Ocean : [a bibliography],* Clio Press (Oxford ; Santa Barbara ; Denver), 1988, XXIX-329 p., index (The World bibliographical series ; 85). [Pour la Réunion consulter l'index.]

0-24   *Guide des sources documentaires sur l'océan Indien* (publié par le CERSOI, GRECO Océan Indien), Presses universitaires d'Aix-Marseille, 1985.

0-25   HUE Pascal : *Les Iles de l'océan Indien, Comores, Madagascar, Maurice, Réunion, Seychelles : bibliographie réalisée à partir de la banque de données IBISCUS triée par grands domaines*, Ministère de la coopération et du développement (Paris), 1991, VII-278 p. (Réseaux documentaires sur le développement. Références bibliographiques). [Réunion : p. 179-203.]

0-26   INSTITUT D'AMENAGEMENT REGIONAL, Aix-en-Provence : *L'I.A.R. dans l'océan Indien : 1982-1992*, 1992, 143 p. [Contient la liste des travaux de l'I.A.R. sur l'océan Indien (pour la Réunion voir index géographique p. 15) et diverses études.]

0-27   JARDEL Jean-Pierre : "Bibliographie des contes, fables et proverbes créoles : Amérique, océan Indien", p. 25-37, in JARDEL Jean-Pierre : *Le Conte créole*, Centre de recherches caraïbes (Sainte-Marie, Martinique), 1977, 37 p.

0-28   JOUBERT Jean-Louis : *Littérature des îles de l'océan Indien : bibliographie sélective*, CLEF (Paris), 1985, 15 p.

0-29   KESWANI D.G. : "Archival documentation on the Indian emigration to Indian Ocean countries in the 19th and 20th century", p. 129-148, in *Mouvements de population dans l'océan Indien* (actes du 4e congrès de l'Association historique internationale de l'océan Indien et du 14e colloque de la Commission internationale d'histoire maritime, tenu à Saint-Denis de la Réunion du 4 au 9 septembre 1972), H. Champion (Paris), 1979, 459 p. (Bibliothèque de l'Ecole pratique des Hautes Etudes, IVe section ; 327). [Pour la Réunion voir particulièrement p. 133-135.]

0-30   LAISSUS Yves : "Catalogue des manuscrits de Philibert Commerson (1727-1773) conservés à la bibliothèque centrale du Museum national d'histoire naturelle (Paris)", *Cahiers du Centre universitaire de la Réunion*, n° spécial "Colloque Commerson", [1974], p. 76-101. [Voir § V "Ile de France et île Bourbon (1768-1773), p. 94-99.]

0-31   LA RONCIERE (de) Monique : "Les Sources cartographiques de l'histoire des Mascareignes et des Seychelles à la Bibliothèque nationale (Paris)", p. 337-346, in *Mouvements de population dans l'océan Indien* (actes du 4e congrès de l'Association historique internationale de l'océan Indien et du 14e colloque de la Commission internationale d'histoire maritime, tenu à Saint-Denis de la Réunion du 4 au 9 septembre 1972), H. Champion (Paris), 1979, 459 p. (Bibliothèque de l'Ecole pratique des Hautes Etudes, IVe section ; 327).

0-32   LAURET Aurore (1977) : "Bibliographie", 49 p., in ENDA : *L'Environnement des îles "surpeuplées" de l'ouest de l'océan Indien* (session de formation, Maurice, 9-21 mai 1977), Ministry of agriculture and natural resources (Port-Louis) ; ENDA (Dakar),

1977, pagination multiple. [Bibliographie composée à l'occasion du séminaire, à partir de documents disponibles à la Fondation pour la recherche et le développement dans l'océan Indien.]
⇒ Egalement publié, p. 214-249, in : *L'Environnement dans les îles surpeuplées du sud-ouest de l'océan Indien : Maurice, Réunion, Seychelles, Comores*, Fondation pour la recherche et le développement dans l'océan Indien (Saint-Denis), 1978, 261 p. (Documents et recherches / F.R.D.O.I. ; 5).

0-33   LAURET Aurore (1982) : *Arts et traditions populaires : essai de recensement bibliographique*, Fondation pour la recherche et le développement de l'océan Indien (Saint-Denis, Réunion), 1982, 30 p. (Inventaires bibliographiques ; 3).

0-34   LAURET Aurore (1985): "Arts et traditions populaires à la Réunion : essai de recensement bibliographique", p.139-188, in *Le Mouvement des idées dans l'océan Indien occidental* (actes de la table ronde de Saint-Denis, 23-28 juin 1982, Association historique internationale de l'océan Indien.), AHIOI, (Saint-Denis, Réunion), 1985, 436 p.

0-35   LE BOURDIEC Paul : "Matériaux pour l'étude géographique de la façade orientale africaine, de Madagascar et des îles de l'océan Indien", *Annales de géographie*, n°533, 1987, p. 115-128. [Réunion p. 127-128.]

0-36   LY-TIO-FANE Madeleine : "Sources for the study of natural history, South Indian Ocean, eighteenth and early nineteenth centuries", 12 p. (Communication, International Conference on Indian Ocean Sudies "The Indian Ocean in focus", Perth, 15-22 August 1979.)

0-37   MEHAUD Catherine : *Mer et outre-mer : bibliographie des travaux intéressant l'histoire maritime publiés en France de 1962 à 1975*, Les Ed. de l'Erudit (Paris), 1984, 376 p., index. (Gens de terre, gens de mer). [2571 notices, classement thématique ; pour la Réunion consulter l'index.]

0-38   MENAUGE Jacques (1973) : "Inventaire des travaux universitaires de langue française consacrés aux départements d'outre-mer", 44 p., *Bulletin d'information* / CENADDOM, n°14 (n°spécial), 1973. [Voir la section générale "Départements d'outre-mer", p. 5-6 et la section "Réunion, p. 29-38.]

0-39   MENAUGE Jacques (1978) : "Inventaire des travaux universitaires de langue française consacrés à l'outre-mer français : 1970-1977", 80 p., *Bulletin d'information du CENADDOM*, suppl. au n°41, 1978. [Mise à jour de l'inventaire publié en 1973. Pour la Réunion, voir les sections "International", p. 12-13, Océan Indien, p. 20-22, "Départements et territoires d'outre-mer", p. 24-25, "Départements d'outre-mer", p. 31-32 et la section "Réunion", p. 53-61.]

0-40   MENIER Marie-Antoinette, POULIQUEN M., FORGES (de) G.
        (1977) : "Principales sources relatives à l'océan Indien [aux Archives
        nationales, section outre-mer]", p. 19-32, in Mer Rouge, océan
        Indien : tables rondes 1975-1976, IHPOM, CHEAM, ACOI, Institut
        d'histoire des pays d'outre-mer (Aix-en Provence), 1977, 106 p.
        (Etudes et documents / IHPOM ; 8).

0-41   MENIER Marie-Antoinette (1982) : "Les Archives de la Section
        outre-mer et les ports de l'océan Indien, XIXe - XXe siècles", p. 78-
        91, in Les Ports de l'océan Indien, XIXe et XXe s. (table ronde
        IHPOM, CHEAM, CERSOI, Sénanque, juin 1981), Institut d'histoire
        des pays d'outre-mer (Aix-en Provence), 1982, 159 p. (Etudes et
        documents / IHPOM ; 15).

0-42   MIEGE Jean-Louis : "Note sur les sources de l'histoire de la
        Réunion au XIXe siècle aux Archives de la Chambre de commerce
        de Marseille", p. 6-9, in : Etudes sur l'océan Indien, Institut
        d'histoire des pays d'outre-mer (Aix-en Provence), [1973], 72 p.
        (Etudes et documents / IHPOM ; 6).

0-43   1900 [Mille neuf cents] titres : Afrique, océan Indien (bibliographie
        établie par Alix Daufresne-Mignot avec la collab. de Monique
        Hugon), CLEF (Paris), 1983, 143 p. (n°70/71 de Notre librairie).
        [Réunion p. 108-109.]

0-44   MOLLAT Michel : "Les Pays de l'océan Indien dans les archives
        romaines de la Congrégation pour l'évangélisation des peuples",
        Bulletin de l'Institut historique belge de Rome, vol. XLIV, 1974, p.
        437-451.
        ⇒ Résumé, p. 217, in Mouvements de population dans l'océan
        Indien (actes du 4e congrès de l'Association historique internatio-
        nale de l'océan Indien et du 14e colloque de la Commission interna-
        tionale d'histoire maritime, tenu à Saint-Denis de la Réunion du 4 au
        9 septembre 1972), H. Champion (Paris), 1979, 459 p. (Bibliothèque
        de l'Ecole pratique des Hautes Etudes, IVe section ; 327).

0-45   PINFOLD John R. : African population census reports : a
        bibliography and cheklist, H. Zell (Oxford) ; K.G. Saur (München ;
        New York ; London ; Paris), 1985, XII-100 p. [Afrique et îles de
        l'océan Indien occidental ; Réunion p. 58-59.]

0-46   REUNION. Archives départementales (1974) : Répertoire numérique
        de la série K : période coloniale : lois et actes du pouvoir central,
        1789-1947, arrêtés et décisions des gouverneurs, archives des
        conseils, 1815-1947 (établi par Urbain Lartin), 1974, 62 p.

0-47   REUNION. Archives départementales (1979) : Répertoire numérique
        de la série O : administration et comptabilité communales,
        vicinalité, dons et legs, 1825-1947 (établi par Michel Chabin et
        Urbain Lartin), 1979, 67 p.

0-48   REUNION. Archives départementales (1981) : *Répertoire numérique de la sous-série 3 E : minutes et archives notariales XVIIe-XIXe siècles* (établi par Michel Chabin et M. Akhoun), 1981, 156 p.

0-49   RODA Jean-Claude (1974) : *Bourbon littéraire*, Bibliothèque universitaire de la Réunion (Saint-Denis), 1974-1975, 2 vol. I - *Guide bibliographique des poètes créoles*, 1974, 74-7 p. II. *Guide bibliographique des prosateurs créoles*, 1975, p. 75-184. [Addenda au fasc. I, p. 164-175.]

0-50   RODA Jean-Claude (1976) : *Bibliographie de l'histoire des grandes routes maritimes : 1932-1974, océan Indien*, Bibliothèque universitaire de la Réunion (Saint-Denis), 1976, 91 p. (Bibliographie de l'histoire des grandes routes maritimes ; 5). [5e t. d'une bibliographie dont les 4 premiers t., portant sur la période 1932-1962, ont été publiés dans le *Boletim internacional de bibliogrfia luso-brasileira*. - Pour la Réunion voir *passim*.]

0-51   RODA Jean-Claude (1982) : *Bibliographie de la Réunion des origines à 1975*, Association historique internationale de l'océan Indien, 1982-   . [En cours de publication, par fascicules ; classement C.D.U.; mq les sections 8 et 9 et l'index ; très importante contribution bibliographique malheureusement publiée incomplètement.]

0-52   SAFLA Roucaya : *Bibliographie de la littérature réunionnaise d'expression française : 1950-1990*, Université de la Réunion, 1991? 41 p.

0-53   SAM-LONG Jean-François (1989) : *Guide bibliographique du roman réunionnais d'expression française et créole (1844-1989)*, UDIR (Saint-Denis, Réunion), 1989, 104 p. (Anchaing).

0-54   SAM-LONG Jean-François (1990) : *Guide bibliographique de la poésie réunionnaise d'expression française et créole : 1976-1989*, Ed. du Tramail (Saint-Denis, Réunion), 1990, 102 p.

0-55   SCHERER André : *Guide des archives de la Réunion*, Impr. Cazal (Saint-Denis, Réunion), 1974, 84 p.

0-56   SCHEVEN Yvette : *Bibliographies for African studies : 1980-1983*, H. Zell (Oxford) ; K.G. Saur (München ; New York ; London : Paris),1984, XIII-300 p., index. [Pour la Réunion voir index.]

0-57   UNIVERSITE DE LA REUNION. Faculté des lettres et sciences humaines : *Maîtrises, D.E.A., thèses*, 1989, 25 p.

0-58   UNIVERSITE DE LA REUNION. Service commun de la documentation (1989) : *Catalogue du fonds Iles de l'océan Indien* (réd. Roucaya Safla), 3e éd., 1989, VII-321 p., index auteurs; index matières. [Remplace les éd. antérieures de 1981 et 1986.]

0-59   UNIVERSITE DE LA REUNION. Service commun de la
            documentation (1989) : *Fonds Iles de l'océan Indien : catalogue des
            microfiches* (réd. Roucaya Safla), 1989, 42 p.

0-60   UNIVERSITE DE LA REUNION. Service commun de la
            documentation (1991) : *Iles du sud-ouest de l'océan Indien :
            catalogue des monographies* (réd. Roucaya Safla), 4e éd. rev. et
            augm., diff. Azalées Ed. (Réunion) ; L'Harmattan (Paris), 1991, VII-
            349 p., index auteurs; index matières, index titres. [Fusionne et
            complète les catalogues de 1989 (ouvrages et microfiches).]

0-61   UNIVERSITE DE LA REUNION. Service commun de la
            documentation (1991) : *Inventaire des thèses, D.E.A., D.E.S.S.,
            maîtrises soutenus à l'Université de la Réunion*, Université de la
            Réunion ; ARTER, 1991, 38 p.

Dictionnaires

0-62   ALBANY Jean (1974) : *P'tit glossaire : le piment des mots créoles*, J.
            Albany (Paris), 1974, 116 p., ill.

0-63   ALBANY Jean (1983) : *Supplément au "P'tit glossaire : le piment
            des mots créoles"*, J. Albany (Paris), 1983, 68 p., ill.

0-64   ARMAND Alain : *Dictionnaire kréol rénioné - français*, Océan
            Editions (Saint-André, Réunion), 1987, LXIV-399-XXXVII p.

0-65   BAGGIONI Daniel : *Petit dictionnaire créole réunionnais-français*,
            Université de la Réunion, 1987, 359 p.

0-66   RICQUEBOURG L.J. Camille (1976) : *Dictionnaire généalogique
            des familles de l'Ile Bourbon pendant la régie de la Compagnie des
            Indes : 1665-1767* (publié par l'Association des chercheurs de
            l'océan Indien et l'Institut d'histoire des pays d'outre-mer), ACOI
            (Aix-en-Provence), 1976, XXXI-892 p. (coll. Peuples et pays de
            l'océan Indien).

0-67   RICQUEBOURG L.J. Camille (1983) : *Dictionnaire généalogique
            des familles de l'île Bourbon (la Réunion) : 1665-1810*, L.J. C.
            Ricquebourg (Rosny sur Seine), 1983, 3 vol., LIX-2881 p.

Indormations diverses

0-68   *Annuaire des associations d'originaires d'outre-mer* (éd. Agence
            nationale pour l'insertion et la promotion des travailleurs d'outre-
            mer), A.N.T. (Paris), 1985, 119 p.

0-69   BAKER Philip : *International guide to African studies research =
          Etudes africaines : guide international de recherches* (2nd fully
          revised and expanded ed.), H. Zell ; K.G. Saur (London ; München ;
          New York ; Paris), 1987, 264 p., index. [Afrique et îles de l'océan
          Indien occidental (voir "Thematic index by area / country").]

0-70   BIBLIOTHEQUE UNIVERSITAIRE DE LA REUNION :
          *Répertoire des bibliothèques, des centres et des services de
          documentation de la Réunion,* 1984, 151 p.

0-71   BOURRE Christian : "L'Action de recherche du C.N.R.S. dans les
          DOM", *Les Dossiers de l'outre-mer,* n°80, 1985, p. 62-65.

0-72   CENTRE UNIVERSITAIRE DE LA REUNION : *Présentation du
          Centre de formation et de promotion professionnelle,* C.U.R.,1977,
          7 f.

0-73   CENTRE UNIVERSITAIRE DE LA REUNION : *La Recherche au
          Centre universitaire de la Réunion, 1976-1977,* C.U.R., 1977, 58 p.
          [Informations bibliogr. 1974-1977.]

0-74   CENTRE UNIVERSITAIRE DE LA REUNION. Institut de
          linguistique et d'anthropologie sociale et culturelle : *Institut de
          linguistique et d'anthropologie sociale et culturelle,* C.U.R., 1978,
          39 p.

0-75   CHAMBRE D'AGRICULTURE DE LA REUNION : *La Chambre
          d'agriculture,* 1981, [53] p. [Plaquette de présentation.]

0-76   CHAMBRE DE COMMERCE ET D'INDUSTRIE DE LA
          REUNION, Saint-Denis : *Investir à la Réunion,* C.C.I.R., Bureau de
          développement économique de la Réunion, 1984, 13 p.

0-77   CHAMBRE DE METIERS DE LA RÉUNION, Saint-Denis :*Guide
          annuaire officiel de l'artisanat et des métiers,* ↔

0-78   CHAUDENSON Robert : "La Recherche sur l'océan Indien à
          l'Université de la Réunion", *Recherche, pédagogie et culture,* n°67,
          1984, p. 75-78

0-79   CRECHET Michel : *Vivre en métropole : guide des droits des
          Antillais, Guyanais, Réunionnais,* Ed. Caribéennes (Paris) ; diff.
          L'Harmattan (Paris), 1989.

0-80   *Ile de la Réunion : annuaire départemental privé,* [éd. divers].
          [Publié de 1962 à ?]
          et : *La Réunion : annuaire international privé,* H.D.L. → [Publié
          depuis ? (364 p. dans l'éd. de 1989).]

0-81   "Observatoire (L') économique de la Réunion", *L'Economie de la
          Réunion,* n°2, juin 1982, p. 15-19.

0-82   *Répertoire [des] institutions, organisations, et des personnes physiques des îles du sud-ouest de l'océan Indien et des pays, régions, francophones de l'océan Indien = Directory [of] institutions, organisations and individuals in the South West Indian Ocean islands and other French speaking countries, areas, bordering the Indian Ocean* (éd. Centre de documentation, de recherches et de formation indianocéaniques), CEDREFI (Maurice), 1988, 261 p. [Comores, Madagascar, Maurice, Réunion, Seychelles, Pondichéry.- Réunion : p. 158-214.]

0-83   REUNION. Délégation régionale à l'emploi et à la formation professionnelle : *Répertoire des structures de formation professionnelle : année 1982-1983*, 1983, 154 p.

0-84   REUNION. Institut national de la statistique et des études économiques : *L'Institut national de la statistique et des études économiques et le recensement général de la population de 1974 à la Réunion*, INSEE-Réunion, 1974, 16 p.

0-85   REUNION. Météorologie nationale (Service de la Réunion) : *Fichiers informatiques*, 1981, 36 p. [Inventaire des fichiers disponibles au 1er janvier 1980.]

0-86   REUNION. Office national d'information sur les enseignements et les professions. ONISEP D.D. Réunion, Saint-Denis : *Guide des ressources scolaires et professionnelles à la Réunion : année 1983-1984*, 1983, 240 p.

0-87   REUNION. Préfecture. Bureau de promotion industrielle, commerciale et artisanale : *Guide de l'investisseur.* ↔ .

0-88   RODA Jean-Claude : "Bibliothèques des îles francophones de l'océan Indien", *Bulletin de l'UNESCO à l'intention des bibliothèques*, vol. 28, n°2, 1974, p. 103-109. [Réunion p. 105-106, 108-109.] ⇒ Egalement publié par le *Bulletin d'information du CENADDOM*, n°21, 1974, p. 27-33. [Réunion p. 29-30, 31.]

0-89   RODA Jean-Claude : "La Documentation dans les îles créoles de l'océan Indien : problèmes et perspectives", 15 p. (Communication, International Conference on Indian Ocean Sudies "The Indian Ocean in focus", Perth, 15-22 August 1979.)

0-90   SILLARD Yves : "L'IFREMER dans les DOM", *Les Dossiers de l'outre-mer,* n°80, 1985, p. 40-46.

0-91   UNIVERSITE DE LA REUNION (1984) : *Bilan de la recherche : 1981-1984,* Université de la Réunion, 1984, 161 p., ill.

0-92   UNIVERSITE DE LA REUNION (1985) : "Bilan et perspectives de la recherche à l'Université de la Réunion (1981-1984)", *Les Dossiers de l'outre-mer,* n°80, 1985, p. 106-109.

0-93   UNIVERSITE DE LA REUNION. Faculté des lettres et sciences humaines. : *Etat de la recherche*, 1982, 81 p.

0-94   WANQUET Claude : "Perspectives de la recherche à la Réunion", *Bulletin d'information du CENADDOM*, n°72 ("Dossier Réunion"), 1983, p. 41-48.

0-95   WANQUET Claude : "Région Réunion, Assises régionales de la recherche des 5 et 6 novembre 1981 : document de synthèse", *Annuaire des pays de l'océan Indien*, vol. 8, 1981 (paru en 1984), p. 389-413.

GENERALITES
approche générale, approches locales
vie pratique

1-1   DEFOS DU RAU Jean : "Réunion (Ile de la)", vol. 14, 1972, p. 186-188, in *Encyclopædia universalis,* 1ère éd., 1968-1975.

1-2   FRANCE. Institut national de la statistique et des études économiques : *Annuaire statistique de la Réunion :1969-1972,* INSEE (Paris), 1973, 179 p. [A paru de 1956 (sur les années 1952-1955) à 1973. Ensuite mises à jour par : REUNION. Institut national de la statistique et des études économiques (Service départemental).]

1-3   LAVAUX Catherine : *La Réunion,* Ed. Cible (Paris), 1973, 2 vol., ill.
       1: Du battant des lames..., 265 p.
       2: Au sommet des montagnes, 482 p.
       ⇒ Rééd. en 1975 : *La Réunion : du battant des lames au sommet des montagnes,* 2e éd., diff. Librairie Marceau, 493 p. [24] p. de pl., ill., index.
       ⇒ Rééd. en 1986 :*La Réunion : du battant des lames au sommet des montagnes* (3e éd.), Ed. Cormorans (Paris), 370 p.-[32] p. de pl., ill.

1-4   "Réunion (La)", *Vivant univers* (Namur), 1973 (?), p. 38-45. [Réunit un article de Gilbert Aubry "Un Diocèse, un monde" et un article de René Robert ."Sous l'égide de la France".]

1-5   *BERNARDIN de SAINT-PIERRE, Jacques-Henri : "*Voyage à l'île de France : extraits concernant l'île Bourbon*" (présentés par Claude Wanquet), *Cahiers du Centre universitaire de la Réunion,* n° spécial "Colloque Commerson", [1974], p. 9-13.

1-6   BIANCHI Johanna, SCHORNBOCK Peter : *Iles de l'océan Indien* (texte de Johanna Bianchi, photos de Peter Schornbock), Ed. Silva (Zurich), 1974, 118 p., ill. en coul. [Réunion p. 61-66.]

1-7   BOSSE Claire : *Bourbon, terre française,* (Impr. Alençonnaise, Alençon), 1974, 123 p., ill.

1-8 CRACKNELL Basil : "Two faces of a similar coin", *Geographical magazine* (London), vol. 46, n°11, 1974, p. 641-646, carte. [Maurice et Réunion.]

1-9 DEFOS DU RAU Jean : *La Réunion*, Larousse (Paris), 1974, p. 81-100 (Découvrir la France ; 101).

1-10 *Réunion (La)*, Assemblée permanente des Chambres de commerce et d'industrie (Paris), [1974 ?], 42 p. (n°spécial [s.d.] de *France régions)*.

1976

1-11 ALEXANDER Douglas : *Holidays in the islands: a guide to Comores, Madagascar, Reunion and Rodrigues*, Purnell (Cape Town, London ;...), 1976, VIII-251-24 p., ill., cartes, bibliogr.

1-12 CADOUX Charles : "Esquisse d'un panorama politique des pays de l'océan Indien", *Annuaire des pays de l'océan Indien*, vol. 1, 1974 (paru en 1976), p. 47-77. [Réunion : p. 58-59.]

1-13 CHAMBRE D'AGRICULTURE DE LA REUNION. Service d'utilité agricole de développement : *Comment cultiver son jardin : guide pratique de la conduite d'un jardin potager scolaire à la Réunion*, 14-32 p. multigr.

1-14 DUPON Jean-François : "L'Océan Indien et sa bordure : présentation géographique", *Annuaire des pays de l'océan Indien*, vol. 1, 1974 (paru en 1976), p. 19-46. [Réunion : p. 27-29.]

1-15 INSTITUT D'EMISSION DES DEPARTEMENTS D'OUTRE MER, Paris : *Renseignements généraux sur la Réunion ; renseignements généraux sur l'île Maurice*, IEDOM (Paris), 1976, pagination multiple. [12 notices sur la Réunion et 1 notice annexe sur Maurice.]

1-16 LOUGNON Jacques : *Quinze années d'actualités locales : la Réunion de 1960 à 1975*, Impr. Cazal (Saint-Denis), 1976-1977, 3 vol., 342 p., 330 p., 287 p. [Recueil d'articles parus dans divers journaux réunionnais entre 1960 et 1977.]

1-17 ROBERT René, SALVAT Robert, FOLCO M. [photos] : *La Réunion*, Ed. du Pacifique (Papeete), 1976, 128 p. ⇒ Rééd. en 1982.

1977

1-18 HORDER Mervyn : "Tormented island", *Contemporary review* (London), vol. 230, juin 1977, p. 306-310.

1978

1-19   ASSOCIATION RÉUNION DEPARTEMENT FRANÇAIS : *La Réunion : 30 années de départementalisation*, Ed. Orric (Saint-Denis), 1978, 66 p.

1-20   TROTET Albert : *Guide touristique de la Réunion*, (N.I.D. , Saint-Denis), 1978, 47 p., cartes, plans.

1979

1-21   DESILES Clarisse, SALVADE G. Carlo : *A la Réunion, à l'île Maurice, aux Seychelles*, Hachette, 1979, 192 p. (Guides bleus A). [Réunion p. 35-90 et *passim* p. 6-34.]

1-22   DUBOURG Marie : *Recettes réunionnaises de Marie Dubourg*, (C.K.C. Impr., Saint-Joseph), 1979, 23 p.

1-23   GUENEAU Agnès : *La Réunion : une île, un silence*, Impr. A.G.M. (Saint-Denis), 1979, 94 p.

1-24   LANDOUZY Bernard, *Préfet de la Réunion* : "Notre Réunion", *Bulletin d'information du CENADDOM*, n°48 ("Dossier Réunion"), 1979, p. 2-9.

1-25   *Mémorial (Le) de la Réunion* (dir. Henri Maurin, Jacques Lentge), Australe Ed., 1979, 7 vol., 512, 511, 512, 512, 312, 512, 496 p., ill.
        1 - Des origines à 1767
        2 - 1768-1848
        3 - 1849-1882
        4 - 1883-1913
        5 - 1914-1939
        6 - 1940-1963
        7 - 1964-1979

1-26   *Réunion (La) à table : recettes réunionnaises,* Librairie Lebon (Saint-Pierre), 1979, 69 p., ill.`

1-27   SAM-LONG Jean-François : *Visages de mon île*, Nouvelle Impr. Dionysienne, 1979, [58] p. [Photos commentées et poèmes.]

1980

1-28   *BORY de SAINT-VINCENT J.B.G.M. : *Voyage dans les quatre principales îles des mers d'Afrique, fait par ordre du Gouvernement pendant les années neuf et dix de la République. avec l'histoire de la traversée du Capitaine Baudoin jusqu'au Port Louis de l'île Maurice*, J. Laffite (Marseille) ; diff. H. Champion, 1980, 2 vol., 855 p., 1 atlas, 474 p.[Réimpr. de l'éd. de Paris 1804.]

1-29   *Encyclopédie de la Réunion* (dir. par Robert Chaudenson) 1980-
        1982, Livres-Réunion (Saint-Denis), 8 vol. + diapositives.
        1 - Histoire et vie quotidienne, 1980, 109 p.
        2 - La Géographie de la Réunion, 1982, 133 p.
        3 - La Vie rurale, 1980, 145 p.
        4 - La Vie économique, 1980, 151 p.
        5 - Les Modes de vie, 1981, 149 p.
        6 - Cultures er traditions, 1980, 139 p.
        7 - La Littérature réunionnaise, 1980, 139 p.
        8 - La Faune et la flore, 1981, 141 p.

1-30   LA RHODIERE (Petit de) Victor : *Guide touristique de Salazie*,
        (N.I.D., Saint-Denis), 1980, 43 p., ill.

1-31   *Océan Indien : Comores, Madagascar, Maurice, la Réunion, les
        Seychelles*, Marcus ; diff. Vilo, 1980, 64 p., cartes (Guide poche-
        voyage ; n° 37).

1-32   "Réunion (La) 1980 : dossier", 97 p., *Revue de la Chambre de
        commerce et d'industrie de la Réunion*, n°38, 1980.

1981

1-33   GOYET Patrick : *Un Eden nommé la Réunion : guide touristique*,
        Impr. A.G.M. (Saint-Denis), 1981, 354 p., ill.

1-34   REUNION. Institut national de la statistique et des études
        économiques : *La Réunion en quelques chiffres*, INSEE-Réunion,
        1981→ , 1 f. dépl. [Variante du titre : *La Réunion en chiffres*.]

1-35   VAILLAND Roger : *Boroboudour ; Choses vues en Egypte ; La
        Réunion* (nouv. éd., préf. de Claude Roy), Gallimard (Paris), 1981,
        336 p. (Collection Blanche). [1ère éd. : 1958.]

1982

1-36   ROBYNS de SCHNEIDAUER Thierry : *Guide nature de l'océan
        Indien : Madagascar, Comores, Seychelles, Maurice, Réunion*,
        Duculot (Bruxelles), 1982, 264 p.

1-37   VALENTIN Marie : "La Réunion DOM de l'océan Indien", *Projet*,
        n° 164, 1982, p. 495-502.

1983

1-38   *Actualités réunionnaises : 1976-1983* (dir. Robert Chaudenson),
        Livres-Réunion (Saint-Denis), 1983-1986, 8 vol. ill.

1-39   BIBIQUE : *Sur la piste des Frères de la Côte : à la découverte de l'île de la Réunion insolite*, Ed. de la Réunion insolite, 1983, 225 p., ill.

1-40   CAZALOU Myriam : *La Réunion, paradis perdu* , (Réunion), 1983, 107 p. (Bibliothèque départementale).

1-41   LA RHODIERE (Petit de) Victor : *Guide touristique de Cilaos*, (N.I.D., Saint-Denis), [ca 1983], 36 p., ill.

1-42   REUNION. Préfecture : *L'Ile de la Réunion en 1983*, 104 p.

1-43   SERVIABLE Mario : *L'Ile tropicale : espace fabuleux, espace fabulé*, Union départementale des sociétés mutualistes de la Réunion ; Fédération de la Mutualité d'outre-mer, [1983 ?], 55 p., ill. [Pour la Réunion voir *passim.*]

1984

1-44   *A la découverte de la Réunion : tout l'univers réunionnais de ses origines à nos jours* (sous la dir. de Michel Albany), Editions Favory (Saint-Denis), 1984, 10 vol.
          1 - MONTAGGIONI Lucien : *Géologie et volcanisme*, 111 p.
          2 - CADET Daniel : *Histoire*, 151 p.
          3 - ROBERT René : *Approche géographique* , 115 p.
          4/5 - CADET Thérésien : *La Flore*, 2 vol., 111, 141 p.
          6 - GRUCHET Harry, FAURE Gérard, COMBES Gilbert : *La Faune*, 135 p.
          7 - ROBERT René, : *L'Homme et la langue créoles*, 111 p.
          8 - BARAT Christian : [*et al.*] : *Rites et croyances*, 151 p.
          9 - ALBANY Michel, ARQUETOUT Françoise : *L'Art de vivre*, 141 p.
          10 - FRUTEAU Jean-Claude : *L'Art de dire*, 159 p.

1-45   *Chouchou (Le) dans la cuisine : recettes de l'île de la Réunion*, URAD (Saint-Denis, Réunion), 1984, 54 p.

1-46   "DOM-TOM", *Mondes et cultures*, t. 44 (1), 1984, 146 p., ill., bibliogr. (n° spécial).

1-47   DOUCET Louis : *La Réunion*, Larousse (Paris), 1984, 20 p., ill. (Pays et gens de France ; 111).

1-48   DUPON Jean-François : "Continuité et ruptures du milieu et de l'histoire de l'océan Indien", *Recherche, pédagogie et culture*, n°67, p. 4-9.

1-49   GELABERT Serge : *L'Ile de la Réunion : un volcan dans l'océan Indien*, Livres-Réunion (Saint-Denis), 1984, 151 p., ill. en coul.

1-50   *Ile de la Réunion*, Le Point Mulhouse, 1984, 64 p., ill. (n° spécial de *Un Autre tourisme : le magazine du voyageur*, n°8, sept./oct. 1984).

1-51   *Réunion 83*, Ed. J.I.R. (Saint-Denis, Réunion), 1984, 213 p., ill.

1-52   SINIMALE Marie-France, SINIMALE Ivrin : *Le Grand livre de la cuisine réunionnaise*, G. Doyen, 1984, 346 p., ill.

1-53   VOGEL Claude : *Connaissance pratique de la Réunion*, Centre de formation et de promotion professionnelle (Saint-Denis, Réunion), 1984, 431 p.

1985

1-54   BENOIST Jean : "Les Iles créoles : Martinique, Guadeloupe, Réunion, Maurice", *Hérodote*, n°37/38 (n° spécial "Ces îles où l'on parle français"), 1985, p. 53-75.

1-55   *Ile de la Réunion, France de l'océan Indien*, A.R.T.L. (Saint-Denis, Réunion), 1985, 28 p., ill. [Informations touristiques.]

1-56   *Ile (L') de la Réunion*, Société d'encouragement des métiers d'art (Paris), 1985, 85 p., ill., bibliogr. (n° spécial de *Métiers d'art*, n°30, déc. 1985).

1-57   LEFEVRE Daniel : "Réunion (Ile de la)", vol. 15, p. 1052-1055, in *Encyclopædia universalis,* éd.1985.

1-58   *Tortue (La) dans la cuisine : recettes de l'île de la Réunion*, URAD (Saint-Denis, Réunion), 1985, 50 p., ill.

1986

1-59   AUBRY Gilbert : "La Réunion : une île en créolie", p. 67-78, in *La Réunion dans l'océan Indien* (colloque organisé par le Centre des hautes études sur l'Afrique et l'Asie modernes, 24-25 octobre 1985), CHEAM (Paris), 1986, 239 p. (Publications du CHEAM).

1-60   AUBRY Gilbert : "Réunion, mon île entre toutes" (entretien avec Hyacinthe Vulliez), *La Vie*, n°2136, 1986, p. 56-58.

1-61   *Faits et chiffres réunionnais* (publ. par le Conseil régional, la Chambre de commerce et d'industrie, l'Institut de développement régional), 1986 [?↔?]

1-62   *Goyaviers (Les) dans la cuisine : recettes de l'île de la Réunion*, URAD (Saint-Denis, Réunion), 1986, 67 p., ill.

1-63   HOARAU Serge : *La Réunion : guide pratique*, Ed. Mercure Océan Indien (C.K.C. Impr., Saint-Pierre), 1986, 222 p., ill., carte. [2e éd. remaniée.]

1-64   HUC Claude, MAZIN Rosine, COULON Gérard : *La Réunion vue du ciel* (texte de Claude Huc, photogr. Rosine Mazin, Gérard Coulon), Ed. du Pacifique (Singapour), 1986, 128 p., ill. en coul.

1-65   HUREAU Jean, BRUYERE Hubert : *L'Ile de la Réunion aujourd'hui*, Ed. Jeune Afrique (Paris), 1986, 199 p., ill., cartes (Collection Aujourd'hui).

1-66   MENARD Henry William : *Islands*, Scientific American Books (New York), 1986, 215 p., cartes. [Ouvrage général sur les îles, dont la Réunion.]

1-67   PAYET Gina : *Le Guide touristique de la Réunion* (texte en anglais M. Luchman, photogr. Serge Gélabert), Ed. Voltaire (Saint-Denis, Réunion), 1986, non paginé, ill., carte.

1-68   *Réunion (La), l'île à grand spectacle*, A.R.T.L., (Saint-Denis, Réunion) ; Maison de l'île de la Réunion (Paris), 1986, dossier d'information.

1-69   ROBERT René, SALVAT Robert : *La Réunion* (éd. rev.), Ed. du Pacifique (Singapour), 126 p., ill. (Hachette guides bleus).

1987

1-70   GAY Gérald, HUC Claude : *Les Meilleurs recettes de la cuisine réunionnaise*, Ed. du Pacifique (Singapour), 1987, 141 p., ill.

1-71   GITES DE FRANCE. Relais départemental des gîtes ruraux, Réunion : *Gîtes ruraux à l'île de la Réunion : renseignements et réservations*, Relais départemental des gîtes ruraux (Saint-Denis, Réunion), 89 p., ill., carte.

1-72   *Miel (Le) dans la cuisine : recettes de l'île de la Réunion*, URAD (Saint-Denis, Réunion), 1987, 58 p., ill.

1-73   *Océan Indien : Comores, Madagascar, Maurice, Réunion, Seychelles*, diff. Vilo, 1987, 128 p., ill. en coul.

1-74   REUNION. Office national des forêts (Direction régionale) : *Guide touristique du cirque de Mafate*, O.N.F. ; Union des coopératives agricoles de Mafate, 1987, 161 p., ill., carte. (Découverte et randonnée).

1988

1-75   CHERON Jean-Luc : *La Réunion : le coeur de l'île*, Ed. Jacaranda, 1988.

1-76   *Mieux connaître la Réunion*, O.M.T.L ; Ed. Lacaze (Saint-Denis, Réunion), 1988, 12 p., ill. (Les Cahiers de notre histoire ; 7.) [Texte ayant remporté le 1er prix du concours org. en 1987 par le Département pour les élèves des Ecoles Normales de métropole]

1-77   *Réunion (La) : un volcan : histoire de nos paysages*, O.M.T.L ; Ed. Lacaze (Saint-Denis, Réunion), 1988, 17 p., ill. (Les Cahiers de notre histoire ; 9).

1-78   VAISSE Christian, HENNEQUET François, BARAT Christian : *L'Art de vivre à la Réunion*, Flammarion (Paris), 1988, 176 p., ill.

1989

1-79   LOUGNON Jacques : *Nouvelles chroniques : 1977-1988*, Azalées Editions (Réunion), 1989, 481 p.

1990

1-80   BAPTISTE Emile : *Saint-André, ma paroisse*, (Impr. Graphica, Saint-André), [1990 ?], 243 p., ill.

1-81   *Destination Réunion : île de la Réunion, île intense*, Comité du tourisme de la Réunion (Paris ; Saint-Denis),1990 , 31 p., ill.

1-82   DUCRET Patrick : *L'Ilet à Guillaume*, Ed. C.N.H.. (Saint-Denis), 1990, 27 p., ill. (Les Cahiers de notre histoire ; 15).

1-83   DUCRET Patrick : *La Plaine d'Affouches*, Ed. C.N.H. (Saint-Denis), 1990, 23 p., ill. (Les Cahiers de notre histoire ; 16).

1-84   **Ile (L') Bourbon : Abel Hugo, Edouard Charton, Jules Verne, V.A. Malte-Brun*, Les Ed. du Bastion, 1990, 121 p., ill. [Rééd. de 4 ouvrages (ou extraits) publiés au XIXe siècle : *Département de l'île Bourbon*, A. Hugo, 1835 ; *Le Magasin pittoresque*, sous la dir. de E. Charton, 1840 ; *Géographie illustrée de la France*, J. Verne, 1879 ; *La France illustrée*, V.-A. Malte-Brun, 1884.]

1-85   JARDEL Jean-Pierre : *Iles de l'océan Indien : Réunion, Maurice, Seychelles*, Arthaud (Paris), 1990, 216 p. (Guide Arthaud).

1-86   **LEAL Charles : Le Voyage à la Réunion*, Ed. ARS Terres Créoles (Sainte-Clotilde, Réunion), 1990, 328 p. (Collection Mascarin). [1ère éd. : 1878, Port-Louis.]

1991

1-87   *Album (L') de la Réunion : recueil de dessins et de textes
         historiques et descriptifs* (sous la dir. de Antoine Roussin), Océan
         Ed. (Saint-André, Réunion), 1991, 4 vol. + 4 dossiers de pl. sous
         emboîtage. [Reprod. de la 2 éd., 1879-1883.]

1-88   "Réunion (La)", *Géo*, n°144, février 1991, p. 55-95 [Dossier
         réunissant plusieurs articles.]

1-89   WINTER Marie, VAXELAIRE Daniel : *Paysages et animaux de
         l'île de la Réunion*, Azalées Ed. (Saint-Denis), 1991, 40 p.

1992

1-90   DIEUDONNE Marie-Andrée, BERTILE Wilfrid : *La Réunion :
         découvrons notre île*, Ed. Nathan (Paris), 1992, 143 p.

1-91   GILBERT Pierre : *Le Cirque de Mafate*, Ed. C.N.H. (Saint-Denis),
         31 p., ill. (Les Cahiers de notre histoire ; 35).

↔

1-92   *Africa South of the Sahara,* Europa Publications Ltd. (London) ↔
         [Publication annuelle, mise à jour, comportant un chapitre sur la Réunion.]

1-93   *Etat (L') du monde : annuaire économique et géopolitique mondial,*
         Ed. La Découverte (Paris).↔ [Publication annuelle, mise à jour,
         comportant de brèves données sur la Réunion.]

1-94   *Statesman's (The) year-book*, St. Martin's Press (New York) ;
         Macmillan (London) ↔ [La Réunion figure (ca 2 p. d'informations) dans
         cette publication annuelle.]

MILIEU NATUREL
et problèmes d'environnement

(1972)-1973

2-1   FAURE Gérard, MONTAGGIONI Lucien : "Le Récif corallien de Saint-Pierre de la Réunion (océan Indien) : géomorphologie et répartition des peuplements", *Cahiers du Centre universitaire de la Réunion*, n°2, 1972, p. 27-43, cartes.

2-2   MARKGRAF F., BOITEAU Pierre : "Les *Bois de lait* des îles Mascareignes, *Adansonia*, s. 2, vol. 13, n°2, 1973, p. 241-248, ill.

1974

2-3   CADET Thérésien : "Etude de la végétation des hautes altitudes de l'île de la Réunion, océan Indien", *Végétation*, vol. 29, n°2, 1974, p. 121-130.

2-4   MIGUET Jean-Marc : "Excursion au volcan", *Cahiers du Centre universitaire de la Réunion*, n° spécial "Colloque Commerson", [1974], p. 131-135.

2-5   ROBERT René : "Morphologie littorale de l'île de La Réunion", 2 vol., V1-276 p., 110 p., ill., cartes.
(Th. 3e cycle : Géogr. : Montpellier : 1974.)
⇒ Publié par le Centre universitaire de la Réunion, 1974, 182 p., cartes, bibliogr. (Collection des travaux du Centre universitaire de la Réunion).

1975

2-6   MIGUET Jean Marc : *Le Reboisement à la Réunion*, Office national des forêts (Saint-Denis), 1975, 35 p.

2-7   MONTAGGIONI Lucien : "Histoire géologique des récifs coralliens de l'archipel des Mascareignes", *Cahiers du Centre universitaire de la Réunion*, n°6 (n° spécial "Sciences"), 1975, p. 97-110.

2-8   ROBERT René : "Eléments d'hydrologie des principaux torrents de l'île de la Réunion", *Madagascar, revue de géographie*, n°26, 1975, p. 93-100.

2-9   ROBERT René : "Etude statistique des variations mensuelles de la houle à Saint-Pierre, dans le sud de l'île de la Réunion", *Cahiers du Centre universitaire de la Réunion*, n°6 (n° spécial "Sciences"), 1975, p. 111-128.

2-10   SCHLICH Roland : *Structure et âge de l'océan Indien occidental*, Société géologique de France (Paris), 1975, 102 p. (Mémoire hors série de la Société géologique de France, 6). [Notamment, étude du bassin des Mascareignes.]

1976

2-11   CROSNIER Alain : "Données sur les crustacées Decapodes capturés par M. Paul Guézé à l'île de la Réunion lors d'essais de pêche en eau profonde", p. 225-256, in *Biologie marine et exploitation des ressources de l'océan Indien occidental* (communications présentées au Colloque Commerson, la Réunion, 16-24 octobre 1973), ORSTOM (Paris), 1976, IV-367 p. + 5 f. de graphiques, ill. (Travaux et documents de l'ORSTOM ; 47).

2-12   FRANCOIS Renée : *Quelques plantes médicinales de la Réunion*, Centre départemental de documentation pédagogique de la Réunion (Saint-Denis), 1976, 43 p., ill.

2-13   GENSE C. : "L'Altération des roches volcaniques basiques sur la côte orientale de Madagascar et à la Réunion". (Th. : Sci. nat. : Strasbourg 1 : 1976.)

2-14   MIGUET Jean Marc : *Si la forêt m'était contée*, Préfecture de la Région Réunion, 22 p., ill. (Supplément au *Bulletin de conjoncture* n°30, 4e trim. 1976).

2-15   MONTAGGIONI Lucien : "Etat des connaissances sur le quaternaire marin de l'archipel des Mascareignes", p. 113-28, bibliogr., in *Biologie marine et exploitation des ressources de l'océan Indien occidental* (commnications présentées au Colloque Commerson, la Réunion, 16-24 octobre 1973), ORSTOM (Paris), 1976, IV-367 p. + 5 f. de graphiques, ill. (Travaux et documents de l'ORSTOM ; 47).

2-16   VEILLARD Maurice : *Cônes et porcelaines de l'île de la Réunion = Cones and cowries*, M. Veillard (Saint-Denis), 1976, 117 p., ill.

1977

2-17   AGENCE DE COOPERATION CULTURELLE ET TECHNIQUE, Paris : *Nomenclatures de la faune et de la flore : Afrique au sud du Sahara, Madagascar, Mascareignes : latin, francais, anglais*, A.C.C.T., 1977, 184 p.

2-18   BENOIST Jean : "Approche de l'environnement dans les îles de
        l'ouest de l'océan Indien : synthèse des débats", 29 p. in ENDA :
        L'Environnement des îles "surpeuplées" de l'ouest de l'océan Indien
        (session de formation, Maurice, 9-21 mai 1977), Ministry of
        agriculture and natural resources (Port-Louis) ; ENDA (Dakar),
        1977, pagination multiple.
        ⇒ Texte remanié publié, sous le titre "L'Environnement dans les îles
        de l'océan Indien", p. 1-31, in : *L'Environnement dans les îles
        surpeuplées du sud-ouest de l'océan Indien : Maurice, Réunion,
        Seychelles, Comores*, Fondation pour la recherche et le
        développement dans l'océan Indien (Saint-Denis), 1978, 261 p.
        (Documents et recherches / F.R.D.O.I. ; 5) ;
        ⇒ également publié par l'*Annuaire des pays de l'océan Indien*, vol.
        3, 1976 (paru en 1978), p. 15-35.

2-19   CADET Thérésien : "La Végétation de l'île de la Réunion : étude
        phytoécologique et phytosociologique", 362 p. + 1 vol. de pl.
        (Th. : Sci. : Aix-Marseille 3 : 1977.)
        ⇒ Publié en 1980, Impr. Cazal (Saint-Denis), 312 p., ill., cartes,
        bibliogr.

2-20   GRUCHET Harry : "Problèmes de protection de la nature à la
        Réunion", 8 p., in ENDA : *L'Environnement des îles "surpeuplées"
        de l'ouest de l'océan Indien* (session de formation, Maurice, 9 21
        mai 1977), Ministry of agriculture and natural resources (Port-
        Louis) ; ENDA (Dakar), 1977, pagination multiple.

2-21   ROBERT René : "Les Conditions de pêche et de cueillette sur les
        récifs frangeants de l'île de la Réunion", *Madagascar, revue de
        géographie*, n°29, 1976, juil.-déc. (paru en 1977), p. 173-182.

                                                                    1978

2-22   BAUMER Michel : *La Conservation et la valorisation des
        ressources écologiques dans les îles des Comores, de Maurice. de la
        Réunion, des Seychelles*, Agence de coopération culturelle et
        technique (Paris), 1978, 92 p. [Pour la Réunion voir *passim* et p. 34-52.]

2-23   BERTILE Wilfrid : "Les Hauts de la Réunion : étude géogra-
        phique", *Cahiers du Centre universitaire de la Réunion*, n°9 (n°
        spécial "Géographie"), 1978, p. 15-66, cartes.

2-24   BOUCHON Claude : *Etude quantitative des peuplements à base de
        scléractiniaires d'un récif frangeant de l'île de la Réunion, océan
        Indien*.
        (Th. 3e cycle : Océanogr. : Aix-Marseille 2 : 1978.)
        ⇒ Publié en 1981, Nouv. Impr. Dionysienne (Saint-Denis), 125 p.,
        ill. (Collection des Travaux du Centre universitaire de la Réunion).

2-25   MONTAGGIONI Lucien : "Recherches géologiques sur les complexes récifaux de l'archipel des Mascareignes (océan Indien occidental), 2 vol. 217, 47 p.-113 pl.
(Th. : Sci. : Aix-Marseille 2 : 1978.)

2-26   NATIVEL Pierre : *Volcans de la Réunion : pétrologie : faciès zéolite (Piton des Neiges) - sublimés (La Fournaise)*, 2 vol., 510 p.
(Th. : Sci. : Paris 11 : 1978.)

2-27   "Quelques fruits utiles de l'océan Indien", 49 p., <u>in</u> ENDA : *Réponses locales aux besoins de base dans l'environnement des îles de l'ouest de l'Océan Indien* (session de formation, Maurice, 6-12 novembre 1978 , Ministry of agriculture and natural resources (Port-Louis) ; ENDA O.I., 1978, pagination multiple. [Extraits d'une série d'articles parus sous le titre "Fruits de la Réunion" dans le magazine *Le Consommateur* (Saint-Denis), de novembre 1975 à juillet 1976.]

2-28   ROBERT René : "Les Modules des torrents de l'île de la Réunion", *Cahiers du Centre universitaire de la Réunion*, n°9 (n° spécial "Géographie"), 1978, p. 67-89.

2-29   ROBERT René : "Situation, géomorphologie, bionomie du récif frangeant de l'Etang-Salé dans le sud-ouest de l'île de la Réunion", *Madagascar, revue de géographie*, n°32, 1978, p. 41-54.

1979

2-30   BATTISTINI René : *L'Afrique australe et Madagascar*, Presses Universitaires de France (Paris), 1979, 274 p., cartes, bibliogr. (Magellan, la géographie et ses problèmes ; 23).[Réunion : p. 240-254.]

2-31   CHEVALLIER Luc : "Structure et évolution du volcan Piton des Neiges, île de la Réunion, leurs relations avec les structures du bassin des Mascareignes, océan Indien".
(Th. : Géol. appl. : Grenoble 1 : 1979.)

2-32   FRIEDMAN Francis, GUEHO J., STAUB F. : *Les Plus belles fleurs sauvages des îles Mascareignes*, Henry (Les Pailles, Maurice), 1979, 45 p. ill. (Publié par la Royal society of arts and sciences of Mauritius, à l'occasion de son 150e aniversaire.)

1980

2-33   BACHERE Evelyne : *Recherches hématologiques chez la tortue marine Chelonia Mydas (L) en élevage.*
(Th. : 3e cycle : Physiol. animale : Toulouse, Institut national poly-

technique : 1980.)
⇒ Publié par le Centre universitaire de la Réunion, 1980, 179 p., ill.
(Collection Travaux et documents / U.E.R. Sciences ; 3).

2-34   LAVERGNE Roger : *Fleurs de Bourbon*, Impr. Cazal (Saint-Denis),
        1980-1981, 4 vol. : ill.

2-35   MONTAGGIONI Lucien, FAURE Gérard : *Récifs coralliens des
        Mascareignes, océan Indien*, Centre universitaire de la Réunion
        1980, 151 p., ill. (Collection des travaux du Centre universitaire).

2-36   MOUTOU François : *Enquête sur la faune murine dans le
        département de la Réunion*, Direction départementale des affaires
        sanitaires et sociales, 1980, 131 p., ill., cartes, bibliogr.

2-37   REUNION. Météorologie nationale : *Rapport préliminaire sur le
        cyclone tropical Hyacinthe, 5 au 29 janvier 1980*, Météorologie
        nationale, Service de la Réunion, 1980, 9 p.-[3] p. de pl.

                                                                    1981

2-38   BACHELERY Patrick : "Le Piton de la Fournaise (île de la
        Réunion) : étude volcanique, structurale et pétrologique".
        (Th. 3e cycle : Géologie : Clermont-Ferrand 2 : 1981.)

2-39   KRAFT Katia, KRAFT Maurice : *Volcans d'Afrique, Canaries et
        Réunion*, Presses de la Cité, 1981, 124 p.

2-40   REUNION. Météorologie nationale (en collab. avec la Direction
        départementale de la protection civile) *Le Cyclone Florine, 3 au 11
        janvier 1981*, Météorologie nationale, Service régional de la
        Réunion, 1981, [49] p.

2-41   TEMPLE Stanley A. : "Applied island biogeography and the conser-
        vation of endangered island birds in the Indian Ocean", *Biological
        conservation* (London), vol. 20, n°2 (June 1981), p. 147-161.

                                                                    1982

2-42   BARRE Nicolas, BARAU Armand : *Oiseaux de la Réunion*, N.
        Barré ; A. Barau (Saint-Denis) (Impr. A.G.M., Saint-Denis), 1982,
        196 p.-[12] p. de pl., ill. en noir et en coul., bibliogr.

2-43   CHEKE Antony : *Les Noms créoles des oiseaux dans les îles
        francophones de l'océan Indien : essai ethno-ornithologique*, Institut
        international d'ethnoscience (Paris), 1982.
        • C.R. par Robert Chaudenson, *Etudes créoles*, vol. 5, n°1/2, 1982 (paru en
        1983), p. 147-151.

2-44   RANCON Jean-Philippe : "Contribution à l'étude des minéralisa-
         tions hydrothermales liées à un système géothermique récent dans
         l'île de la Réunion".
         (Th. 3e cycle : Volcanol. : Paris 11 : 1982.)

2-45   REUNION. Comité économique et social : *L'Environnement à l'ile
         de la Réunion*, C.E.S., 1982, 36 p.

                                                                          1983

2-46   COTTERET Anne Françoise : "Etude de quelques plantes médici-
         nales de la Réunion".
         (Th. : Pharm. : Rennes 1 : 1983.)

2-47   INSTITUT DE PHYSIQUE DU GLOBE, Paris : *Evaluation et
         zonage des risques volcanologiques de la Fournaise, île de la
         Réunion,* 1983, 41 p.

2-48   NEUVY G. : "Le Cyclone Hyacinthe, 15-30 janvier 1980, à la
         Réunion", *Madagascar, revue de géographie*, n°39, 1981, juil.-déc.
         (paru en 1983), p. 51-81.

                                                                          1984

2-49   BACHELERY Patrick : "L'Eruption du Piton de la Fournaise
         (Réunion), 1983-1984", *Bulletin du Laboratoire de géographie
         physique* (Université de la Réunion), 1984, n°1, p. 2-14.

2-50   BARGEAS Alain : "Apports de la simulation par modèles
         analogiques : applications à l'évaluation globale de la ressource en
         eau à l'île de la Réunion".
         (Th. 3e cycle : Sci. terre : Bordeaux 3 : 1984.)
         ⇒ Publié par le B.R.G.M. (Orléans), 1984, 384 p., ill.

2-51   BONNET Bernard : "La Situation des populations de tortues
         marines dans les îles du sud-ouest de l'océan Indien : exploitation
         traditionnelle, protection, ranching ou farming", 19 p., bibliogr.
         (Communication, 2nd International Conference on Indian Ocean
         Studies, Perth, 5-12 December 1984.)

2-52   BONS J. : *Mollusques marins de l'océan Indien : Comores,
         Mascareignes, Seychelles*, A.C.C.T. (Paris), 1984, 108 p. ill.

2-53   BOUGERE Jacques, GOPAL Arnaud : "Bilan hydrique de surface
         dans les Hauts de Sainte-Marie" *Bulletin du Laboratoire de
         géographie physique* (Université de la Réunion), 1984, n°2, p. 3-16.

2-54   BOUGERE Jacques : *Rapport scientifique sur le ruissellement et l'érosion : comportement du sol et modalités de son évolution*, Université de la Réunion, Laboratoire de géographie physique, 1984, 67 p., ill.

2-55   BRUCIAMACCHIE M. : "Les Forêts denses humides du sud de la Réunion", *Revue forestière française*, n°6, 1984, p. 468-478.

2-56   CADET Thérésien : *Plantes rares ou remarquables des Mascareignes*, A.C.C.T. (Paris), 1984, 132 p., ill., bibliogr., index.

2-57   DESEGAULX de NOLET A. : *Lépidoptères (Rhopalocères, Arctiidae, Sphingidae) de l'océan Indien : Comores, Mascareignes, Seychelles*, A.C.C.T. ; diff. Libr. du Museum (Paris), 1984, 80 p., ill.

2-58   GOPAL Arnaud : *Comportement de l'interface dans un géosystème insulaire tropical : Beaumont-les-Hauts, Sainte-Marie, Réunion*, [s.n.], 1984, 191 p.

2-59   HUYEZ A., JANAUD A.M. : "Géomorphodynamique littorale", *Bulletin du Laboratoire de géographie physique* (Université de la Réunion), 1984, n°1, p. 15-23.

2-60   LEBRUN Laurence : "Les Plantes médicinales des tisaniers de l'île de la Réunion".
         (Th. : Pharm. : Poitiers : 1984.)

2-61   LY-TIO-FANE Madeleine : "Indian Ocean islands - naturally : some account of their natural history as depicted in the literature", 36 p. (Communication, 2nd International Conference on Indian Ocean Studies, Perth, 5-12 December 1984.)

2-62   NOURIGAT B. : "Les Eruptions d'avril 1977", *Actualités réunionnaises* 1977 (paru en 1984), p. 132-135.

2-63   PHILIPPOT François : "La Sédimentation volcanogène récente autour de l'île de la Réunion : étude minéralogique et géochimique des terres volcaniques et de leurs produits d'altération," 214 p., ill., bibliogr.
         (Th. 3e cycle : Pétrol. minéral. géochim. : Paris 11 : 1984.)

2-64   PINCHINOT Hervé : "Etude géologique des formations superfi-cielles et du proche substratum à Grand Ilet (cirque de Salazie, la Réunion) : application à la cartographie du risque de mouvements de versants", 215 p., ill., cartes.
         (Th. 3e cycle : Géol. appl.: Grenoble 1 : 1984.)

2-65   RAIMBAULT Clément : *Le Père Raimbault et les plantes médic-inales de la Réunion,* (et) *Notice biographique*, par le Père Nantas, Nouv. Impr. Dionysienne (Saint-Denis, Réunion), 1984, 85 p. [Rééd. de *Plantes médicinales de la Réunion* par le Père Raimbault, avec le Panégyrique du Père Raimbault prononcé par le Père Nantas en 1951.]

2-66   ROSELLO Véronique : *Les Sols bruns des Hauts (île de la Réunion) : caractérisation minéralogique et microstructurale de matériaux andosoliques : reconnaissance expérimentale de leur comportement* (publié par la Direction départementale de l'équipement et le Laboratoire de géologie de l'Université de la Réunion), 1984, 200 p., ill., bibliogr.

2-67   SCHAEFFER Sylvie : "Contribution à l'étude de Ochrosia Borbonica Gmelin à l'île de la Réunion", 40 p., ill., bibliogr. (Th. : Pharm. : Marseille : 1984.)

2-68   ZAMORE Robert, ABROIN Ary : *Vertus et secrets des plantes médicinales des tropiques et de la Réunion*, E. Kolodziej ; diff. Ed. du Récif (Saint-Denis, Réunion), 1984, 4 vol., ill.

1985

2-69   BANTON Olivier, COUDRAY Jean : *Etude géologique et hydrogéologique du site du Grand Etang*, Université de la Réunion, Laboratoire de géologie, 1985, 230 p., ill.

2-70   BANTON Olivier : "Etude hydrogéologique d'un complexe alluvial en pays volcanique, sous climat tropical, site du Grand Etang, île de la Réunion", 237 p., ill., bibliogr. (Th. 3e cycle : Géol. appl. : Montpellier 2 : 1985.)

2-71   BONNET Bernard, LE GALL Jean-Yves, LEBRUN Guy : *Tortues marines de la Réunion et des îles Eparses = Marine turtles of la Réunion and the Iles Eparses*, Université de la Réunion ; FREMER (Le Port, Réunion) ; Association pour le développement de l'aquaculture (Réunion), 1985, 24 p, ill.

2-72   BUREAU DE RECHERCHES GEOLOGIQUES ET MINIERES. Service géologique régional de l'océan Indien, Saint-Denis : *Carte des coulées historiques du volcan de la Fournaise : 1:25 000* (établie par Laurent Stieljes), B.R.G.M. (Orléans), 1 carte + 1 notice (43 p.).

2-73   BUREAU DE RECHERCHES GEOLOGIQUES ET MINIERES. Service géologique régional de l'océan Indien, Saint-Denis, Réunion (en collab. avec le Laboratoire de géographie physique de l'Université de la Réunion) : *Erosion accélérée dans le cirque de Cilaos : l'éboulement de grand ampleur du Rond du Bras Rouge : transport solide et fluvialtile, impact sur le littoral* (sous la dir. de Laurent Stieltjes), B.R.G.M. (Saint-Denis), 85 p., ill.

2-74   CLERC Jean-Michel, COUDRAY Jean : *Etude géologique et géophysique en vue de déterminer la faisabilité d'un forage d'exploitation d'eau potable à St-Gilles-les-Bains*, Université de la Réunion, Laboratoire de géologie, 1985, 28 p.

2-75   CLERC Jean-Michel, COUDRAY Jean : *Etude géologique et géophysique en vue de déterminer la faisabilité d'un forage d'exploitation d'eau potable pour la commune des Avirons,* Université de la Réunion, Laboratoire de géologie, 1985, 33 p.

2-76   FAURE Gérard : *Etude d'environnement des baies de Saint-Paul et de La Possession,* Université de la Réunion, Laboratoire de biologie marine, 1985, pagination multiple, ill.

2-77   MEZINO Jacques : "Gisement solaire de l'île de la Réunion," 158 p., ill., bibliogr.
        (Th. : Sci. phys. : Paris 6 : 1985.)

2-78   PAYRI C. : "Contribution to the knowledge of the marine benthic flora of La Reunion Island (Mascareignes Archipelago, Indian Ocean) = Contribution à la connaissance de la flore marine benthique de l'île de la Réunion (archipel des Mascareignes, océan Indien)", in INTERNATIONAL (5th) CORAL REEF CONGRESS. 1985, Tahiti : *Proceedings,* vol.6, p. 635-640.

2-79   RAMSTEN Jean-Paul : "Etude botanique du cannabis", *Revue de l'Association réunionnaise de criminologie,* n°2 (n° spécial "Toxicomanie"), 1985, p. 25-28.

2-80   ROBERT René : "Climat et hydrologie à la Réunion : étude typologique, étude régionale de l'alimentation et de l'écoulement", VIII-438 p., ill., bibliogr.
        (Th. : Géogr. : Montpellier 3 : 1985.)

2-81   SCOLARI G. : "Le Bureau de recherches géologiques et minières", *Les Dossiers de l'outre-mer,* n°80, 1985, p. 33-36.

                                                                    1986

2-82   BOUGERE Jacques : "L'Activité volcanique à la Réunion au mois de mars 1986", *Bulletin du Laboratoire de géographie physique* (Université de la Réunion), 1986, n°1, p. 3-22.

2-83   BOYER Roland : "Contribution à l'étude de la vanille dans l'île de la Réunion".
        (Th. : Pharm. : Aix-Marseille 2 : 1986.)

2-84   CADET Thérésien : *Fleurs et plantes de la Réunion et de l'île Maurice,* Ed. du Pacifique (Singapour), 1986.

2-85   GELABERT Serge : *La Fournaise : le Tremblet 86, 19 au 29 mars 1986,* S. Gélabert (Saint-Denis, Réunion), 1986, [32] p., ill.

2-86   GOPAL Arnaud : "Erosion et bilan hydrique de surface à Beaumont-les-Hauts (Réunion)", *Bulletin du Laboratoire de géographie physique* (Université de la Réunion), 1986, n°2/3, p. 1-28.

2-87   GUILLERMET Christian, GUILLERMET Christophe W.W. : *Contribution à l'étude des papillons hétérocères de l'île de la Réunion : résultats des chasses de nuit à l'usage des amateurs et des débutants*, Société réunionnaise des amis du museum, 1986, 319 p., ill., bibliogr., index.

2-88   OSUSKY Pauline : "La Fournaise sous surveillance", *Impact médecin*, 1986, 24 mai, p. 65.

2-89   POMEL Simon : "Morphologie volcanique et paléoclimatologie des Iles Canaries : comparaison avec d'autres milieux volcaniques insulaires (îles de la mer Tyrrhénienne et de la mer Egée, l'île de la Réunion)".
(Th. : Géogr. : Aix-Marseille 2 : 1986.)

2-90   QUELQUEJEU Gérard : *Paille-en-queue* (avant-propos de Simon Lucas "Oiseaux de la Réunion"), Ed. UDIR (Saint-Denis, Réunion), 1986, 66 p., ill. (Collection Anchaing).

2-91   REYSS Daniel : "Un Domaine maritime de onze millions de km2", *Les Dossiers de l'outre-mer,* n°83, 1986, p. 22-32. [Pour la Réunion voir *passim.*]

2-92   ROBERT René : "La Réunion et les ressources de la mer", p. 97-105, in *La Réunion dans l'océan Indien* (colloque organisé par le Centre des hautes études sur l'Afrique et l'Asie modernes, 24-25 oct. 1985), CHEAM (Paris), 1986, 239 p. (Publications du CHEAM).

1987

2-93   BERTILE Wilfrid : *Des Coulées volcaniques à Saint-Philippe (mars 1986) : gestion d'une catastrophe naturelle*, A.G.M. (Saint-Denis, Réunion), 1987, 60 p., ill., cartes.

2-94   BOUGERE Jacques : "Atouts et contraintes du milieu naturel réunionnais", *Bulletin de l'Association de géographes français*, vol. 64, n°5, 1987, p. 407-413, cartes.

2-95   BUREAU DE RECHERCHES GEOLOGIQUES ET MINIERES. Service géologique régional de l'océan Indien, Saint-Denis, Réunion: *Comportement hydrodynamique d'une nappe côtière à l'arrière d'un lagon : la Réunion, commune de St-Paul*, B.R.G.M. (Saint-Denis), 1987, 44 p., ill.

2-96   *Clotilda, 11-14 février 1987*, Le Quotidien de la Réunion (Saint-Denis, Réunion), 1987, p. 34 p., ill.

2-97   CORRE Yves : "Les Epices de la Réunion".
            (Th. : Pharm. : Aix-Marseille 2 : 1987.)

2-98   DELACROIX Pierre : *Etudes des* bichiques, *juvéniles de
            Sicyopterus lagocephalus (Pallas), poisson Gobiidae migrateur des
            rivières de la Réunion (océan Indien) : exploitation, répartition,
            biologie de la reproduction et de la croissance*, Service des
            publications de l'Université de la Réunion, 1987, 144 p., ill.,
            bibliogr. (Travaux et documents / Université de la Réunion.)

2-99   DUPOUEY J.L., CADET Thérésien : "Subdivision de la forêt de
            bois de couleur à l'île de la Réunion", *Bulletin de l'Association de
            géographes français*, vol. 64, n°5, 1987, p. 103-113.

2-100   GOURGAND Bernard, STIELJES Laurent : *Hydrogéologie du
            volcan de la Fournaise, île de la Réunion*, B.R.G.M. (Saint-Denis),
            1987, 8 p.

2-101   HAURIE Jean-Louis : "Géodynamique des cirques de la Réunion :
            implications géo-techniques et stabilité des versants", 284 p., ill.
            (Th. : Géol. : Grenoble : 1987.)

2-102   LENAT Jean-François : "Structure et dynamique internes d'un
            volcan basaltique intraplaque océanique : le Piton de la Fournaise
            (île de la Réunion)".
            (Th. : Sci. nat. : Clermont-Ferrand 2 : 1987.)

2-103   LEPINE Jean-Claude : "Répartition de la sismicité dans la zone
            d'extension de Djibouti (1972-1986) : relation entre activité
            sismique et éruptions volcaniques au Piton de la Fournaise
            (Réunion, 1985-1986)".
            (Th. : Géophys. : Paris 6 : 1987.)

2-104   LEREBOUR Patrice : "Etude du forage du Grand Brûlé (Piton de la
            Fournaise, île de la Réunion) : lithostratigraphie, pétrologie,
            minéralogies primaire et secondaire, conséquences sur l'évolution
            volcanostructurale du massif du Piton de la Fournaise".
            (Th. : Sci. terre : Paris 11 : 1987.)

2-105   LOUPY Emmanuel : "Contribution à l'étude des plantes médicinales
            de l'île de la Réunion contenant des polyphénols : Dodonea viscosa
            Linné (Sapindaceae), Mimusops maxima (Poiret) Vaughan
            (Sapotaceae), Labourdonnaisia calophylloïdes Bojer (Sapotaceae)".
            (Th. : Pharm.: Montpellier 1 : 1987.)

2-106   LOUPY Marie-Marthe : "Contribution à l'étude des plantes médici-
            nales de l'île de la Réunion contenant des alcaloïdes : Ochrosia
            borbonica (Gmelin) (Apocynaceae), Tabernaemontana Mauritiana
            (Poiret) (Apocynaceae)".
            (Th. : Pharm. : Montpellier 1 : 1987.)

2-107   MARCHETTI-SMADJA Jacqueline : "Influence climatique et régionale sur la qualité de l'huile essentielle de vétyver Bourbon" 267 p., ill.
(Th. : Sci. phys. : Montpellier 2 : 1987.)

2-108   POMEL Simon : "Les Sols et les systèmes volcano-carbonatés insulaires : problèmes posés à Santorin et à la Réunion", *Travaux de l'U.A. 903 du CNRS*, n°16, 1987, p.27-42.

2-109   REUNION. Régie départementale des travaux agricoles et ruraux. Section Hydrologie : *La Dépression tropicale Clotilda : étude hydrologique générale*, D.D.A.-REDATAR (Saint-Denis), 1987, 45 p., ill.

2-110   STIELTJES Laurent : *Bilan et enseignements de la première campagne d'exploration géothermique par forages profonds à la Réunion : 1985-1985*, B.R.G.M., 1987, 7 p.

2-111   TAMAGNAN Virginie : "L'Evolution géochimique récente du Piton de la Fournaise, île de la Réunion (1931-1986)".
(Th. : Géochim. : I.N.P.N. : 1987.)

1988

2-112   CUET Pascale : "Influence des résurgences d'eau douce sur l'écosystème récifal à la Réunion : données physico-chimiques", *The Journal of nature = Le Journal de la nature* (Réunion), vol. 1, n°1 (n° spécial : Atelier AIRDOI, 1987 : Récifs coralliens des îles du sud-ouest de l'océan Indien), 1988, p. 79-87.

2-113   DRIVAS Jean, JAY Maurice : *Coquillages de la Réunion et de l'île Maurice*, Ed. du Pacifique (Singapour), 1988, 159 p. ill. (Voir la nature).

2-114   *Forêt (La) de la Providence*, O.M.T.L ; Ed. Lacaze (Saint-Denis, Réunion), 1988, 23 p., ill. (Les Cahiers de notre histoire ; 13).

2-115   FRIEDMAN Francis : *Fleurs rares des îles Mascareignes : Réunion, Maurice, Rodrigues*, L'Ile aux Images (Maurice), 1988, 24 p.-XV pl.

2-116   GUEBOURG Jean-Louis, THERY H. : "Une Epure de la Réunion", *Mappemonde* (Montpellier), 1988, n°3, p. 12-13.

2-117   GUILLAUME Mireille : "La Croissance du squelette de porites Lutea, scléractiniaire hermatypique, sur le récif frangeant de la Saline, île de la Réunion, océan Indien".
(Th. : Océanogr. : Aix-Marseille 2 : 1988.)

2-118   MONTAGGIONI Lucien, NATIVEL Pierre : *La Réunion, île Maurice : géologie et aperçus biologiques, plantes et animaux*, Masson (Paris), 1988, 192 p., ill., cartes (Guides géologiques régionaux).

2-119   NAIM Odile : "Bilan de santé des platiers récifaux à la Réunion", *The Journal of nature = Le Journal de la nature* (Réunion), vol. 1, n°1 (n° spécial : Atelier AIRDOI, 1987 : Récifs coralliens des îles du sud-ouest de l'océan Indien), 1988, p.69-78, cartes, bibliogr.

2-120   NAIM Odile : "Les Récifs coralliens des îles du Sud-Ouest de l'océan Indien : géomorphologie, dégradation, ressources et protection : premier bilan", *The Journal of nature = Le Journal de la nature* (Réunion), vol. 1, n°1 (n° spécial : Atelier AIRDOI, 1987 : Récifs coralliens des îles du sud-ouest de l'océan Indien), 1988, p.105-120.

2-121   ROBERT René : "La Distribution régionale des pluies à la Réunion", *Bulletin de l'Association de géographes français,* 1988 .

2-122   ROCHER Philippe : "Contexte volcanique et structural de l'hydro-thermalisme récent dans le masif du Piton des Neiges (île de la Réunion): étude détaillée du cirque de Salazie".
          (Th. : Géol. : Paris 11 : 1988.)

1989

2-123   CADET Janine : *Joyaux de nos forêts : les orchidées de la Réunion*, [s.n.] (Nouvelle Impr. Dionysienne, Sainte-Clotilde), 1989, 8 p.-66-XIV pl., bibliogr., index

2-124   COLLEGE JULIETTE DODU, Saint-Denis, Réunion : *Des Elèves et des plantes médicinales*, 1989, 120 p., ill.

2-125   DUPONT Joël, GIRARD Jean-Claude, GUINET Marcel : *Flore en détresse : le livre rouge des plantes indigènes menacées à la Réunion*, SREPEN (Saint-Denis, Réunion), 1989, 133p., ill. en coul., bibliogr., index.

2-126   GRUNBERGER Olivier : "Etude géochimique et isotopique de l'infiltration sous climat tropical contrasté : massif du Piton des Neiges, île de la Réunion".
          (Th. Sci. terre : Paris 11 : 1989.)

2-127   GUET Pascale : "Influence des réseaux d'eaux douces sur les caractéristiques physico-chimiques et métaboliques de l'écosystème récifal à la Réunion (océan Indien)".
          (Th. : Chim. : Aix-Marseille 3 : 1989.)

2-128   LAVERGNE Roger, VERA Robert : *Etude ethnobotanique des plantes utilisées dans la pharmacopée traditionnelle à la Réunion*, A.C.C.T. (Paris), 1989, 236 p., ill. (Médecine traditionnelle et pharmacopée).

2-129   LAVERGNE Roger : "Plantes médicinales indigènes, tisanerie et tisaneurs de la Réunion", 610 p., ill., bibliogr.
(Th. : Bot. trop. appl. : Montpellier 2 : 1989.)
⇒ Publié intégralement en 1990 sous le titre *Tisaneurs et plantes médicinales indigènes de l'île de la Réunion*, Ed. Orphie (Livry-Gargan), 521 p., ill.

2-130   REUNION. Régie départementale des travaux agricoles et ruraux. Section Hydrologie : *Le Cyclone tropical Firinga : étude hydrologique générale*, 1989, non paginé.

2-131   RIVALS Pierre : *Histoire géologique de l'île de la Réunion*, Azalées Ed. (Réunion), 1989, 400 p., ill., bibliogr., index.

1990

2-132   AH HIN TIN Sylvie : "Recherches des plantes médicinales de l'île de la Réunion utilisées en dermatologie".
(Th. : Pharm. : Montpellier 1 : 1990.)

2-133   DANGLETERRE Nicole, JISTA Paule, RENARD André : *Géographie de la Réunion*, Hatier (Paris), 1990, 128 p.

2-134   MASSARI Michelle : "Etude du pouvoir épurateur de divers matériaux de l'île de la Réunion vis-à-vis d'effluents domestiques et industriels".
(Th. : Chim. : Aix-Marseille 1 : 1990.)

2-135   MASSIAU Claude : "Les Plantes de la Réunion à visée anti-diabétique".
(Th. : Pharm. : Grenoble 1 : 1990.)

1991

2-136   JOIN Jean-Lambert : "Caractérisation hydrogéologique du milieu volcanique insulaire : Piton des Neiges, île de la Réunion".
(Th. : Géol. : Montpellier 2 : 1991.)

2-137   LABAZUY Philippe : "Instabilités au cours de l'évolution d'un édifice volcanique en domaine intraplaque océanique : le Piton de la Fournaise (île de la Réunion) : approche pluridisciplinaire à partir des données de campagnes marines".
(Th. : Volcanol. : Clermont-Ferrand 2 : 1991.)

2-138   RAUNET Michel : *Le Milieu physique et les sols de l'île de la Réunion : conséquences pour la mise en valeur agricole*, Centre de coopération internationale en recherche agronomique pour le développement, 1991, 438 p., ill., cartes, bibliogr.

2-139   TROADEC Roland : "Courantologie et sédimentologie des baies de Saint-Paul et de la Possession à l'île de la Réunion".
             (Th. : Océanol. : Aix-Marseille 2 : 1991.)

2-140   WEBER Barbara : "Interactions basalte-lithosphère mantellique en contexte intraplaque océanique : exemple de Tahiti et de Tahaa (plaque rapide) et de la Réunion (plaque lente)".
             (Th. : Géol. : Paris, E.N.S.M. : 1991.)

                                                                       1992

2-141   GOPAL Arnaud : "Recherches en géodynamique actuelle à la Réunion : le ruissellement et l'érosion pluviale sur parcelles expérimentales et bassins-versants".
             (Th. : Géogr. : Nice : 1992.)

                                                                       ↔

2-142   REUNION. Météorologie nationale : *Bulletin climatologique : année ....*, Météorologie nationale, Service de la Réunion, ↔ [Publication annuelle (150 à 170 p. env.) reprenant les données, corrigées et complétées, publiées dans les bulletins mensuels.]

2-143   REUNION. Météorologie nationale : *Saison cyclonique .... sur l'océan Indien du sud-ouest*, Météorologie nationale, Service de la Réunion, ↔ [Publication annuelle (ca 70 p., ill., cartes).]

SOCIETE
population, croyances, enseignement, santé
vie familiale et sociale

(1972)-1973

3-1   ASSOCIATION REUNIONNAISE D'EDUCATION SANITAIRE
        ET SOCIALE : *Education sanitaire à la Réunion : rapport d'activité
        de l'Association réunionnaise d'éducation sanitaire et sociale,
        ARESS, depuis sa création en mars 1970* (réd. par le Dr Michel
        Turquet), 136 p., bibliogr. (Communication à la VIIIe Conférence
        de l'Union internationale d'éducation pour la santé, Versailles et
        Paris, juillet 1973.)

3-2   CARAYOL Michel : "Linguistique et enseignement du français à la
        Réunion", *Cahiers du Centre universitaire de la Réunion*, n°3, 1973,
        p. 135-149. [Analyse de deux méthodes d'apprentissage du français :
        méthode "Voir, entendre, communiquer" et méthode "Sixième vivante".]

3-3   CELLIER Pierre : "La Situation de l'école élémentaire à la Réunion
        et les conditions actuelles de l'enseignement du français en milieu
        réunionnais", *Cahiers du Centre universitaire de la Réunion*, n°3,
        1973, p. 83-134.

3-4   DURIEUX Guy : "Un Département français face à ses besoins
        sanitaires et sociaux : l'île de la Réunion", 146 p.
        (Th. : Méd. : Paris : 1973.)

3-5   JOLLES Sonia : "Etude hémo-anthropologique d'un isolat : îlet de
        Cimandal (cirque de Mafate, île de la Réunion)", 48 p.
        (Th. : Méd. : Paris, Bichat :1972.)

3-6   JOURDAIN Robert : "Alimentation de l'enfant à la Réunion", 149 p.
        (Th. : Méd. : Paris 5 : 1973.)

3-7   LARIVIERE M., *et al.* : "Les Parasitoses entériques, problèmes de
        santé publique dans le département de la Réunion", *Annales de
        parasitologie* (Paris), t. 48 (2), 1973, p. 249-262.

3-8   LE ROUX Claude, VACHER Jean-Claude : "La Politique de
        formation professionnelle continue dans les départements d'outre-
        mer", *Bulletin d'information du CENADDOM*, n°13, 1973, p. 3-8.

3-9   LUNEAU Jacques : "Contribution à l'étude de la contraception à
        l'île de la Réunion : à propos de 1000 dossiers", 236-X p.
        (Th. : Méd. : Tours : 1973.)

3-10   PICOT Hugues : *Evaluation de l'endémie parasitaire : méthodes, choix de zones d'observation, fréquence des parasitoses dans ces zones*, ARESS, 1973, 39 p.

3-11   PONNU DORAI Antoni, s.j. : *Enquête sur les Malabars*, 10-13 p. multigr.

3-12   POTIER Josyane, POTIER René : *Etude anthropologique d'une zone sucrière à la Réunion : le Gol et son aire d'approvisionnement*, Musée de l'Université de Madagascar (Tananarive), 1972, 219-6-[23] p., cartes (Travaux et documents / Musée de l'Université de Madagascar ; 12).

3-13   RICHER Georges : "Etude socio-économique de la tuberculose à la Réunion", 75 p.
        (Th. Méd. : Paris 5, Necker - Enfants-Malades : 1972.)

3-14   TURQUET Michel : *Etude des polyparasitoses intestinales chez l'enfant à la Réunion*, ARESS, 1973.

1974

3-15   AMY J., LECOMPTE Dominique : *Perspectives démographiques communales, horizon 1985-2000* (publié par le Groupe d'études et de programmation, Direction départementale de l'équipement), 1974, 18 p. multigr.

3-16   ASSOCIATION POUR LA FORMATION PROFESSIONNELLE DES ADULTES, Saint-Denis : *Statistiques 1964-1973*, 1974, 62 p.

3-17   BENOIST Jean : "Le Pluralisme culturel aux Antilles et aux Mascareignes", p. 71-75, in *L'Université et la pluralité des cultures* (actes du séminaire org. par l'AUPELF, Louvain-la-Neuve, 21-25 mai 1973), AUPELF (Montréal), 1974, 153 p. (Séminaires de l'AUPELF).

3-18   BENOIST Jean : *Structure et changement de la société rurale réunionnaise : départementalisation et développement dans une île à sucre*, Centre universitaire de la Réunion, 1974, 139 p. multigr.
        • C.R. par Hubert Gerbeau, *Revue française d'histoire d'outre-mer*, t. 44, n°237, 1977, p. 565-566.
        ⇒ Le texte de J. Benoist a été ultérieurement publié par la Fondation pour la recherche et le développement dans l'océan Indien (Saint-Denis, Réunion), 1975, 139 p. (Documents et recherches / F.R.D.O.I. ; 1.) ; et par le Centre de recherches caraïbes (Sainte-Marie, Martinique), 127 p.
        ⇒ Version revue in BENOIST Jean 1983 : *Un Développement ambigu* .

3-19 BERSEZ Jacques : *Remèdes et pratiques étranges à l'île de la Réunion : guérisons par les plantes, formules d'autrefois pratiquées de nos jours, l'influence de la magie malgache et hindoue*, TECDIM (Paris), 1974, 93 p., ill.

3-20 BRUN G. : "Une Expérience de seize mois dans un service de protection maternelle et infantile à l'île de la Réunion".
(Th. : Méd. : Lyon : 1974.)

3-21 BUREAU POUR LE DEVELOPPEMENT DES MIGRATIONS INTERESSANT LES DÉPARTEMENTS D'OUTRE MER : "L'Action récente du Bureau pour le développement des migrations intéressant les départements d'outre mer et la situation des Antillais et Réunionnais en France métropolitaine", *Bulletin d'information du CENADDOM*, n°22, 1974, p. 24-29.

3-22 CHAIX D. : "Les Problèmes de contraception à la Réunion".
(Th. : Méd. : Aix-Marseille 2 : 1974.)

3-23 CHAUDENSON Robert : "Le Noir et le Blanc: la classification raciale dans les parlers créoles de l'océan Indien", *Revue de linguistique romane*, vol. 38, n° 149-152 , 1974, p. 75-94.

3-24 CLAIRIN Remy : "Le Recensement de la population des départements d'outre-mer en 1974", *Bulletin d'information du CENADDOM*, n°20, 1974, p. 9-13. [Historique des recensements]

3-25 CORNU Henri : "L'Homme et la Fournaise", *Cahiers du Centre universitaire de la Réunion*, n°4 (n° spécial "Colloque Commerson"), [1974], p. 124-130.

3-26 DUPON Jean-François : "Les Immigrants indiens de la Réunion", *Cahiers du Centre universitaire de la Réunion*, n°4 (n° spécial "Géographie"), 1974, p. 67-93.

3-27 DUPUY Gérard : "Etude psycho-sociologique à l'île de la Réunion", 120 p.
(Th. : Méd. : Marseille : 1974.)

3-28 REUNION, Comité économique et social : *Etudes statistiques sur la démographie réunionnaise*, 1974, 17 p.

3-29 REUNION. Direction départementale de l'équipement. Groupe d'études et de programmation : *L'Exode rural à la Chaloupe Saint-Leu* (par C. Orre, M.J. Mussard, D. Lecompte), 1974, 30 p.

3-30 REUNION. Préfecture. Secrétariat général pour les affaires économiques. Bureau de la promotion sociale : *La Formation professionnelle à la Réunion*, Préfecture de la Réunion, 1974, 40 p.
(Supplément au *Bulletin de conjoncture* [n°20], 2e trim. 1974).

3-31   ROZE-CORNU Annick : "Les Cantines scolaires de l'île de la Réunion : étude critique pour une amélioration de la nutrition", 151 p. (Th. : Méd. : Paris 7 : 1974.)

3-32   SOULEYROL R., BOYER-VIDAL Alain, BOYER-VIDAL Nicole : *L'Epilepsie à la Réunion : épidémiologie clinique et étiologie de l'épilepsie dans une île à isolats multiples*, Doin (Paris), 1974, 343 p., ill.

1975

3-33   ASSOCIATION REUNIONNAISE DE COURS POUR ADULTES, Saint-Denis : *L'Analphabétisme à la Réunion*, 1975, 38 p.

3-34   BENOIST Jean : "Malades, guérisseurs et médecins dans une société polyethnique : l'ajustement des systèmes médicaux à l'île de la Réunion", *Environnement africain,* vol. 1, n°4, 1975, p. 43-69. ⇒ Trad. sous le titre "Patients, healers and doctors in a polyethnic society" et publié dans l'éd. anglaise de la revue (*African environment).*

3-35   BENOIST Jean : *Pour une connaissance de la Réunion : travaux du séminaire de sciences sociales du Centre universitaire de la Réunion*, Fondation pour la Recherche et le Développement dans l'Océan Indien (Saint-Denis), 1975, 108 p. (Documents et recherches / F.R.D.O.I. ; 2). [Synthèse par J.B. des interventions aux séminaires hebdomadaires tenus au C.U.R. d'octobre à décembre 1972.] ⇒ Rééd. in BENOIST Jean 1983 : *Un Développement ambigu* .

3-36   BOURQUIN Roger : *Le Centre nutritionnel de Champ-Borne : une aventure médicale...* (présenté par G. Pignolet), Impr. Cazal (Saint-Denis), 1975, 10 p. (n° spécial de *La Gazette de l'ile de la Réunion,* n°496).

3-37   BRUNHES J. : *La Filariose de Bancroft dans la sous-région malgache : Comores, Madagascar, Réunion*, ORSTOM (Paris), 212 p.-3 p. de pl., ill., cartes, bibliogr. , 1975 (Mémoires ORSTOM : 81). [Texte de Th. : Sci. nat. : Paris 11 : 1973. - Réunion : p. 125-139.]

3-38   DROUHET Yves : "Vingt ans de lecture publique à la Réunion", *Bulletin des Bibliothèques de France,* 20 (11), 1975. ⇒ Texte repris dans le *Bulletin d'information du CENADDOM,* n°29, p. 11-14.

3-39   FEUILLASTRE Jacques : "Sept ans de planification familiale à la Réunion", 111 p. (Th. : Méd. : Paris 7, Xavier-Bichat : 1975.)

3-40   LECOMPTE Dominique : "Population et emploi à la Réunion : du surpeuplement insulaire au contrôle démographique". (Th. 3e cycle : Géogr. : Bordeaux 3 : 1975.)

3-41   MADDIO B. : "Etat de la filariose lymphatique à la Réunion : à propos de 34 469 résultats obtenus dans une enquête épidémiologique et sérologique". (Th. : Méd. : Grenoble : 1975.)

3-42   REUNION. Comité économique et social : *La Santé à la Réunion*, 1975, 23 p.

3-43   REUNION. Direction départementale de l'agriculture. Atelier départemental d'études économiques et d'aménagement rural (en collab. avec l'A.U.R.) : *Perspectives démographiques communales : horizons 1985 et 2000*, 1975 (Etude ; 10).

3-44   SAPIN Dominique : "Démographie et contrôle des naissances à l'île de la Réunion", 63 p. (Th. : Méd. : Paris 6, Pitié-Salpêtrière : 1975.)

3-45   SAUTAI P. : *L'Enseignement à la Réunion*, Syndicat national de l'enseignement secondaire, 1975, 93 p., ill. [Texte remanié d'une communication faite à l'Assemblée générale du SNES en juin 1973.]

3-46   TABOADA LEONETTI Isabel : "De l'aliénation à la prise de conscience de l'identité des migrants réunionnais en métropole". (Th. 3e cycle : Sociol. : Paris 10 : 1975.)

3-47   *Traite (La) silencieuse des émigrés des DOM*, Ed. l'Harmattan (Paris), 1975, 145 p.

                                                                              1976

3-48   AM PENG Y. : "Les Réunionnais à Toulouse", *Revue géographique des Pyrénées et du Sud-Ouest*, vol. 47, n°4, 1976, p. 399-405.

3-49   AMBROISE-THOMAS P., PICOT Hugues, MADDIO B. : "Etude séro-épidémiologique sur la filariose de Bancroft à la Réunion", *Médecine tropicale*, vol. 36, n°5, 1976, p. 547-555.

3-50   ASSOCIATION REUNIONNAISE INTERPROFESSIONNELLE POUR LA FORMATION CONTINUE, Saint-Denis : *Enquête sur l'emploi*, 1976, 134 p.

3-51   BENOIST Jean : "L'Irruption d'une *société industrielle* à la Réunion : détournement des valeurs et retournement des mécanismes économiques", *Futuribles,* n° 8, 1976, p. 409-423.

3-52   BENOIST Jean : "Perspectives pour une connaissance des sociétés contemporaines des Mascareignes et des Seychelles", *Annuaire des pays de l'océan Indien*, vol. 1, 1974 (paru en 1976), p. 223-233.

3-53   BUREAU POUR LE DEVELOPPEMENT DES MIGRATIONS INTERESSANT LES DÉPARTEMENTS D'OUTRE MER : "L'Adaptation à la vie métropolitaine des migrants ayant bénéficié des concours du BUMIDOM", *Bulletin d'information du CENADDOM*, n°32, 1976, 197 p. 15-19.

3-54   CARAYOL Michel : *Pédagogie de l'alphabétisation*, Association réunionnaise de cours pour adultes (Saint Denis), 1976, 10 p. [Exposé fait à l'occasion de l'Assemblée générale de l'ARCA, le 3 avril 1976.]

3-55   CELLIER Pierre : "La Situation linguistique de l'enfant réunionnais créolophone après quatre années de scolarisation élémentaire", 482 p.
        (Th. 3e cycle : Lett. : Réunion : 1976.)

3-56   DUPON Jean François : "Contraintes insulaires et fait colonial aux Mascareignes et aux Seychelles : étude de géographie humaine.
        (Th. : Géogr. : Aix-Marseille 2 : 1976.)
        ⇒ Ed. en 1977, Atelier de reprod. th. Univ. Lille 3 (Lille) ; diff. H. Champion (Paris), 4 vol. XI-1620 p., CXVII p.-[145] p. de pl., ill., cartes, bibliogr. [Table des matières (vol. 4) très détaillée ; les sous-chapitres ou paragraphes relatifs à la Réunion y sont clairement indiqués.]
        • C.R. par Jean Defos du Rau, *Cahiers d'Outre-Mer,* n°123, juil.-sept. 78, p. 296-304.
        • C.R. par Paul et Françoise Le Bourdiec, *Annuaire des pays de l'océan Indien*, vol. 4, 1977 (paru en 1979), p. 811-813.

3-57   FRANCE. Départements et territoires d'outre-mer (Secrétariat d'Etat) : *La Politique sociale dans les DOM,* 1976, 53 p.
        ⇒ Introduction reprise dans le *Bulletin d'information du CENADDOM*, n°34, nov./déc. 1976, p. 17-19.

3-58   LECOMPTE Dominique, LE MAROIS Michel : "Problèmes et perspectives de la démographie réunionnaise", *Cahiers du Centre universitaire de la Réunion*, n°7 (n° spécial "Economie"), 1976, p. 6-35.

3-59   LERIDON Henri : "La Situation démographique des départements francais d'outre-mer", *Population,* vol. 31, 1976, n°6, p. 1247-1252.
        ⇒ Texte repris dans le *Bulletin du CENADDOM*, n°37, mai-juin 1977, p.45-49.

3-60   PICOT Hugues : "Prévention contre la réintroduction du paludisme à la Réunion en 1972-1973", *Bulletin de la Société de pathologie exotique*, vol. 69, n°2, 1976, p. 134-140.

3-61   PIEROTTI D., JOURDAIN A., LECORPS P. : *La Régulation des naissances à l'Ile de la Réunion : analyse et perspectives*, Ecole Nationale de la Santé Publique (Rennes), 1976, 99 p.multigr.

3-62   REUNION (Département) : *Résultats de l'enquête épidémiologique effectuée dans le cirque de Mafate du 6 au 11 septembre 1976* , [1976], 18 p., cartes..

3-63   REUNION. Préfecture. Inspection départementale de la santé : *Projet de carte sanitaire définitive du département de la Réunion*, 1976, 31 p.

3-64   SEMINAIRE SUR LA FAMILLE A LA REUNION, 1975-1976, Saint-Paul : *Rapport,* 1976, 92 p. [Autre titre : "Le Tapis mendiant"]

3-65   SORREAU M. : "Bilan de quatre ans d'une campagne d'assainissement et d'hygiène du milieu à la Réunion, à travers l'observation de trois zones témoins".
(Th.: Méd. : Paris 6 : 1976.)

3-66   TAL Isabelle : *Les Réunionnais en France*, Ed. Entente (Paris), 1976, 122 p., bibliogr. (coll. Minorités).
• C.R. par Guy Jacob, *Cahiers d'histoire*, vol. 22, n°3, 1977, p. 319-320.

                                                                          1977

3-67   ASSOCIATION POUR LA PROMOTION EN MILIEU RURAL, Réunion : *La Promotion du milieu rural réunionnais : rapport d'évaluation des actions de l'A.P.R.* (établi par Philippe Bonneau, Jean-Claude Tatard et Paul Ottino), Université de la Réunion, Institut d'anthropologie ; A.P.R., 1977, 75 p.

3-68   ASSOCIATION REUNIONNAISE D'EDUCATION SANITAIRE ET SOCIALE : *Amélioration de l'environnement en milieu rural par assainissement et éducation sanitaire* (réd. Docteur Michel Turquet), 1977, 45 p. + 3 annexes.

3-69   BENOIST Jean : "Paysage rural réunionnais et organisation sociale", 49 p., in ENDA : *L'Environnement des îles "surpeuplées" de l'ouest de l'océan Indien* (session de formation, Maurice, 9-21 mai 1977), Ministry of agriculture and natural resources (Port-Louis) ; ENDA (Dakar), 1977, pagination multiple.

3-70   BOSSE Claire : *Ca Bourbon même* (nouv. éd.), (Impr. Alençonnaise, Alençon), 83 p., ill. [1ère éd. 1967.]

3-71   CERCLE LA MISERE, Réunion : *Nous sommes tous des parias*, (Impr. ronéo Les Chemins de la liberté, Saint-Gilles-les-Hauts), 1977, 51 p., ill. (Collection Les Chemins de la liberté).

3-72   DEFOS DU RAU Jean : "L'Evolution de la population à la Réunion entre les recensements de 1967 et de 1974", *Annuaire des pays de l'océan Indien*, vol. 2, 1975 (paru en 1977), p. 123-139.

3-73   DUPON Jean-François : "Les Facteurs humains de l'évolution de l'environnement dans les îles densément peuplées du centre-ouest de l'océan Indien", 35 p., cartes, bibliogr., in ENDA : *L'Environnement des îles "surpeuplées" de l'ouest de l'océan Indien* (session de formation, Maurice, 9-21 mai 1977), Ministry of agriculture and natural resources (Port-Louis) ; ENDA (Dakar), 1977, pagination multiple. [Mascareignes et Seychelles.]
            ⇒ Egalement publié, p. 36-75, in : *L'Environnement dans les îles surpeuplées du sud-ouest de l'océan Indien : Maurice, Réunion, Seychelles, Comores*, Fondation pour la recherche et le développement dans l'océan Indien (Saint-Denis), 1978, 261 p. (Documents et recherches / F.R.D.O.I. ; 5).

3-74   LABORATOIRE D'ÉPIDÉMIOLOGIE ET D'HYGIÈNE DU MILIEU, Saint-Denis : *Bilan de la lutte contre les parasitoses intestinales au 15 novembre 1976* (signé H. Isautier), 1977, 11 p.-XIV f.

3-75   LABORATOIRE D'EPIDEMIOLOGIE ET D'HYGIENE DU MILIEU, Saint-Denis : "Facteurs environnementaux et lutte contre les parasitoses intestinales à la Réunion", 25 p., in ENDA : *L'environnement des îles "surpeuplées" de l'ouest de l'océan Indien* (session de formation, Maurice, 9-21 mai 1977), Ministry of agriculture and natural resources (Port-Louis) ; ENDA (Dakar), 1977, pagination multiple.

3-76   LECOMPTE Dominique : *La Population réunionnaise : problèmes actuels et perspectives pour l'an 2000* (publié par le Groupe d'études et de programmation, Direction départementale de l'équipement), GEP (Saint-Denis), 1977, 225 p., bibliogr.

3-77   PAYET Serge : "L'Environnement de l'homme au travail à la Réunion", 13 p., in ENDA : *L'Environnement des îles "surpeuplées" de l'ouest de l'océan Indien* (session de formation, Maurice, 9 21 mai 1977), Ministry of agriculture and natural resources (Port-Louis) ; ENDA (Dakar), 1977, pagination multiple. [Sur la médecine du travail.]

3-78   PICOT Hugues : "Environnement et santé, 10 p., in ENDA : *L'Environnement des îles "surpeuplées" de l'ouest de l'océan Indien* (session de formation, Maurice, 9-21 mai 1977), Ministry of agriculture and natural resources (Port-Louis) ; ENDA (Dakar), 1977, pagination multiple.

3-79   PIGNOLET Guy "Améliorer l'environnement de l'enfant : le centre nutritionnel du Docteur Bourquin", 3 p., in ENDA : *L'Environnement des îles "surpeuplées" de l'ouest de l'océan Indien* (session de formation, Maurice, 9-21 mai 1977), Ministry of agriculture and natural resources (Port-Louis) ; ENDA (Dakar), 1977, pagination multiple.

3-80   REUNION. Délégation à la condition féminine à la Réunion : *La Condition féminine à la Réunion: situation générale, formation professionnelle et continue, migration, la régulation des naissances, participation des femmes à la vie active*, 1977, 93 p.

3-81   REUNION. Institut national de la statistique et des études économiques : *L'Enseignement dans les départements d'outre-mer : année scolaire 1973-1974*, 1977, 47 p. (Documents ; 12).

3-82   REUNION. Institut national de la statistique et des études économiques : *Statistiques démographiques : mouvement naturel de la population, année 1976 : résultats provisoires,* 1977, 30 p. (Documents ; 11).

3-83   REUNION. Institut national de la statistique et des études économiques : *Statistiques démographiques : mouvements migra-toires de la population 1976,* 1977, 54 p. (Documents ; 14).

3-84   TURQUET Michel : "Amélioration de l'environnement en milieu rural par assainissement et éducation sanitaire," 49 p., in ENDA : *L'Environnement des îles "surpeuplées" de l'ouest de l'océan Indien* (session de formation, Maurice, 9-21 mai 1977), Ministry of agriculture and natural resources (Port-Louis) ; ENDA (Dakar), 1977, pagination multiple.

3-85   TURQUET Michel : "Enquête épidémiologique dans le cirque de Mafate", 23 p., in ENDA : *L'Environnement des îles "surpeuplées" de l'ouest de l'océan Indien* (session de formation, Maurice, 9-21 mai 1977), Ministry of agriculture and natural resources (Port-Louis) ; ENDA(Dakar), 1977, pagination multiple.

3-86   VABOIS R. : "Les Maladies parasitaires à la Réunion", *Bulletin du CDDP*, n°8, 1977.

1978

3-87   ASSOCIATION REUNIONNAISE D'EDUCATION SANITAIRE ET SOCIALE : *L'Alimentation du jeune enfant réunionnais*, 1978, 33 p., ill.

3-88   BENOIST Jean : "Connaissances et pratiques médicales dans un quartier rural de la Réunion", 12 p., in ENDA : *Réponses locales aux besoins de base dans l'environnement des îles de l'ouest de l'océan Indien* (session de formation, Maurice, 6-12 novembre 1978), Ministry of agriculture and natural resources (Port-Louis) ; ENDA O.I., 1978, pagination multiple.

3-89   BENOIST Jean : "Les Mascareignes", p. 1866-1899, in *Ethnologie Régionale* II, Gallimard (Paris), 1978 (Encyclopédie de la Pléiade). [Réunion p. 1882-1898 et *passim* p. 1866-1873.]

3-90   BENOIST Jean : "Sciences sociales et études créoles : anthropologie", *Etudes créoles*, 1978 (1) [= n°1], p. 129-133. (Communication présentée au Colloque international des créolistes, Nice, 14-18 nov. 1976.)

3-91   COMITE INTERNATIONAL D'HISTORIENS ET DE GEOGRAPHES DE LANGUE FRANÇAISE : *Exode rural : Afrique tropicale francophone, Madagascar, îles francophones de l'océan Indien,* 334 p. [Réunion p. 287-299.]

3-92   GARCIA SANCHEZ Manuel : *Linguistique et pédagogie du français en milieu créolophone : une classe de 6ème à programmes allégés à la Réunion,* Centre universitaire de la Réunion, 1978, 502 p., ill., cartes, bibliogr. (Coll. Travaux et documents / C.U.R. ; 2).

3-93   HUART Abel : *Apprentissage du français au cours préparatoire en milieu créolophone,* Centre universitaire de la Réunion, 1978, 128 p., bibliogr. (Coll. Travaux et documents / C.U.R. ; 1).

3-94   JOURDAIN Alain : "Baisse de fécondité et planification familiale à l'Ile de la Réunion", 281 p., bibliog.
        (Th. 3e cycle : Sci. écon. : Rennes 1 : 1978.)

3-95   LAURET Claude : "Considérations sur le déroulement de l'intoxication éthylique chez les sujets du département de la Réunion", 46 p.
        (Th. : Méd. : Marseille : 1978.)

3-96   "Mortalité (La), ses causes et son évolution à la Réunion", 17 p, in ENDA : *Réponses locales aux besoins de base dans l'environnement des îles de l'ouest de l'Océan Indien* (session de formation, Maurice, 6-12 novembre 1978), Ministry of agriculture and natural resources (Port-Louis) ; ENDA O.I., 1978, pagination multiple.

3-97   PAYET René : "Les Chrétiens de la Réunion : du soutien de l'ordre colonial au refus et à la rupture", p. 36-41, in COLLECTIF DES CHRÉTIENS POUR L'AUTODETERMINATION DES DOM-TOM 1978 *Quel avenir pour les DOM ? : Guadeloupe, Martinique, Guyane, Réunion,* Ed. l'Harmattan (Paris), 1978, 187 p.

3-98   PENANHOAT J.Y. : "Essai d'évaluation de l'incidence de l'éduca-
          tion sanitaire et de l'assainissement du milieu sur les conditions de
          vie et l'atteinte parasitaire de la populatiopn réunionnaise".
          (Th. : Méd. : Nantes : 1978.)

3-99   PERRIER Marianne : "Quelques données sur la situation nutrition-
          santé à Maurice, aux Comores, à la Réunion et aux Seychelles",
          22 p., in ENDA : *Réponses locales aux besoins de base dans
          l'environnement des îles de l'ouest de l'océan Indien* (session de
          formation, Maurice, 6-12 novembre 1978), Ministry of agriculture
          and natural resources (Port-Louis) ; ENDA O.I., 1978, pagination
          multiple.

3-100   REUNION. Direction départementale de l'équipement, Groupe
          d'études et de programmation : *Commentaires sur les résultats et
          analyse du recensement général de population de 1974,* 1978, 25 p.

3-101   REUNION. Institut national de la statistique et des études écono-
          miques : *L'Enseignement dans les départements d'outre-mer : année
          scolaire 1974-1975,* 1978, 48 p. (Documents ; 18.)

3-102   REUNION. Institut national de la statistique et des études écono-
          miques : *Recensement général de la population du 16 octobre
          1974 : principaux résultats provisoires,* 1978, 37 p. (Documents;
          23).

                                                                          1979

3-103   ASSOCIATION POUR LES ETUDES D'AMENAGEMENl ET
          D'URBANISME DE LA REUNION : *Les Migrants du
          BUMIDOM : origine géographique, 1974-1979,* 1979, 19 p.

3-104   ASSOCIATION POUR LES ETUDES D'AMENAGEMENl ET
          D'URBANISME DE LA REUNION : *Un Aspect des migrations
          intercommunales : les migrations des bénéficiaires de l'aide
          médicale gratuite, 1975-1978,* 1979,15 p.

3-105   BERGES Alain : *La Réunionnaise et la sexualité,* A.G.M. (Saint-
          Denis), 1979, 97 p.

3-106   BIROS Bernard "Essai sur l'identité créole à l'île de la Réunion",
          188 p.
          (Th. : Méd. : Paris 5, Necker - Enfants-Malades : 1979.)

3-107   CALDWELL J.C. : "Population and development in the Indian
          Ocean region", 16 p. (Communication, International Conference on
          Indian Ocean Sudies "The Indian Ocean in focus", Perth, 15-22
          August 1979.)

3-108   CELLIER Pierre, MOORGHEN Pierre-Marie : "La Compréhension du français dans les manuels de lecture à la Réunion", *Cahiers du Centre universitaire de la Réunion*, n°10 ("Pédagogie du français"), 1979, p. 63-131.

3-109   CELLIER Pierre : "Langues, cultures et apprentissage du français en milieu créolophone à la Réunion", 20 p. multigr. (Communication au colloque "Etudes créoles et développement", Seychelles 1979.)

3-110   CELLIER Pierre : "Recherche sur la maîtrise du français oral dans un cours préparatoire", *Cahiers du Centre universitaire de la Réunion*, n°10 ("Pédagogie du français"), p. 39-62. [Etude menée dans une classe de C.P. à Saint-Denis de la Réunion.]

3-111   DUPON Jean-François : "Contraintes insulaires et fait colonial aux Mascareignes et aux Seychelles", *Bulletin d'information du CENADDOM*, n°48 ("Dossier Réunion"), 1979, p. 30-35.

3-112   LAURET Daniel : *L'Alphabétisation à la Réunion : l'expérience de l'ARCA*, 10 p. multigr. (Communication au colloque "Etudes créoles et développement", Seychelles, 1979.)

3-113   MOULS Gérard : "L'Enfance : tout commence par la santé...", *Les Cahiers de la Réunion et de l'Océan Indien*, nouv. série, n°3, 1979, p. 10-15.

3-114   NEMO Jacques : "Système social et système scolaire", *Cahiers du Centre universitaire de la Réunion*, n°10 ("Pédagogie du français"), 1979, p. 143-151. [Article s'appuyant sur les résultats d'une enquête menée en 1974/1975 pour la préparation d'un mémoire de maîtrise sur "L'Enseignement du français dans les collèges d'enseignement technique à la Réunion".]

3-115   SAM-LONG Jean-François : *Sorcellerie à la Réunion : essai*, UDIR (Saint-Denis), 1979, 162 p. (Coll. Anchaing).

1980

3-116   ASSOCIATION POUR LES ETUDES D'AMENAGEMENT ET D'URBANISME DE LA REUNION : *Etude sur les flux migratoires intercommunaux à la Réunion : analyse chiffrée et cartographique de l'évolution 1967-1974 des populations par commune : document provisoire*, 1980, 60 p.

3-117   BARAT Christian : "Des Malabars aux Tamouls : l'hindouisme dans l'île de la Réunion".
(Th. 3e cycle : Anthropol. : Paris, E.H.E.S.S. : 1980.)

3-118   BARAT Christian : "Notes sur les Indiens Gujarati de la diaspora à
         Madagascar et aux Mascareignes : réseaux culturels et écono-
         miques", *Amis Indiens* (Bombay), 1980, p. 49-58 (français-anglais).

3-119   *Be Cabot : approche ethnologique d'un éco-système* (éd. Claude
         Vogel), Centre Universitaire de la Réunion, 1980, 206 p., ill. cartes
         (Collection des Travaux du Centre Universitaire de la Réunion).
         • C.R. de cet ouvrage et de celui de J. Pelletier *La Chaloupe*, par Jean
         Benoist, *Etudes créoles*, vol.5, n°1/2,1982, p. 141-145.

3-120   BENOIST Jean : "Antilles et Mascareignes : constantes et variations
         des archipels créoles", *Espace Créole* (Fort-de-France), n°4, 1980,
         p. 9-23.

3-121   BENOIST Jean : *Les Carnets d'un guérisseur réunionnais*,
         Fondation pour la recherche et le développement dans l'océan
         Indien, (Saint-Denis), 1980, 124 p. (Documents et recherches /
         F.R.D.O.I. ; 7).

3-122   GUENGANT Jean-Pierre : *Migrations et perspectives : le cas des
         Antilles-Guyane et de la Réunion*, 1980, 31 p. multigr..

3-123   JADAUT Christian : "Problèmes de l'alcoolisme dans l'île de la
         Réunion", 121 p.
         (Th. : Méd. : Montpellier: 1980.)

3-124   MARTINEZ Paul : *L'Evolution démographique récente à la
         Réunion,* Centre départemental de documentation pédagogique de la
         Réunion (Saint-Denis), 1980, 51 p.

3-125   NEMO Jacques : "Islam et poursuites commerciales : la
         communauté *Zarabe* (gujarati) à la Réunion"
         (Th. 3e cycle : Anthropol. : Paris, E.H.E.S.S. : 1980.)

3-126   PORTE Jean-Michel : "Le Lien mère-enfant : abord psycho-
         dynamique de la rupture du lien mère-enfant dans le contexte de l'île
         de la Réunion", 164-XX p.
         (Th. : Méd. : Paris, Cochin - Port-Royal : 1980.)

3-127   RAMASSAMY Albert : "L'Ecole et l'enfant réunionnais", *Bulletin
         d'information du CENADDOM*, n°53, 1980, p. 4-16.

3-128   REUNION. Délégation régionale des droits de la femme : *Le Jeune
         Réunionnais, sa famille et son avenir : enquête psychosociologique
         1980* (réd. C. Alcaraz, Christine Hamon, M. Ramiaramanana), 1980,
         72 p.

3-129   *Travail (Le) social à la Réunion* / [sous la dir. de Claude Vogel ;
         réd. : Michel Watin], Centre Universitaire de la Réunion, [1980 (?)],
         264 p. (Travaux du CFPP / Centre de formation et de promotion
         professionnelle.) [Texte issu des travaux des séminaires de Saint-Gilles,

nov. 1979 et janv. 1980, org. par le Centre Universitaire de la Réunion, dans le cadre du Centre de formation permanente]

1981

3-130   BENOIST Jean : "Religion hindoue et dynamique de la société réunionnnise", *Annuaire des pays de l'océan Indien*, vol. 6, 1979 (paru en 1981), p. 127-165.
⇒ Egalement publié en extrait de l'APOI, Presses Universitaires d'Aix-Marseille (Aix-en-Provence).

3-131   CARRE G. : "Etude comparative du recrutement des malades hospitalisés dans le service de pédiatrie de la clinique de Sainte-Clotilde à cinq ans d'intervalle, 1973 et 1978 : essai d'étude critique sur les différents facteurs ayant contribué à faire évoluer les causes d'hospitalisation, en particulier les facteurs socio-économiques". (Th. : Méd. : Paris 6 : 1981.)

3-132   CHAN WAI NAM Roger : "Coût d'hospitalisation des malades alcooliques dans un service de médecine au C.H.D. de la Réunion". (Th. : Méd. : Marseille : 1981.)

3-133   DURAND Dominique : *Les Chinois de la Réunion* (avec la collab. de Jean Hin-Tung), Australes Ed. (Saint-Denis), 1981, 254 p., ill. (Collection Peuples de la Réunion).

3-134   ESPERANCE Martin : "La Délinquance juvénile apparente à l'île de la Réunion en 1979", *Annuaire des pays de l'océan Indien*, vol. 6, 1979 (paru en 1981), p. 237-249.

3-135   FERRACCI Catherine : "Création du SAMU de la Réunion : étude de la mise en place sur quatre mois d'activité", 236 p. (Th. : Méd. : Paris 5: 1981.)

3-136   FRANCE. Institut national de la statistique et des études économiques : *Recensement général de la population en 1974 : département d'outre-mer, Réunion : tableaux sur l'activité et l'emploi*, INSEE (Paris), 1981, 170 p. (Archives et documents ; 44).

3-137   HAMON Christine : "1980 : un nouveau bilan pour la population réunionnaise ?", *Annuaire des pays de l'océan Indien*, vol. 6, 1979 (paru en 1981), p. 211-236.
⇒ Egalement publié, sous le titre *Un Nouveau bilan pour la population réunionnaise*, en extrait de l'APOI, Presses Universitaires d'Aix-Marseille (Aix-en-Provence), 1981.

3-138   REUNION. Comité économique et social : *Rapport sur les échecs scolaires*, 1981, pagination multiple [95p.].

3-139   REUNION. Institut national de la statistique et des études écono-
          miques : *Données statistiques sur la mortalité infantile à la Réunion
          de 1951 à 1976*, 1981, 41 p. (Documents ; 35).

3-140   TANGUY Bernard : *Contribution à l'étude de la tuberculose à la
          Réunion*, Comité départemental contre les maladies respiratoires et
          la tuberculose (Saint-Denis), 1981, 82 p., bibliogr.

                                                                          1982

3-141   ASSOCIATION REUNIONNAISE DE COURS POUR ADULTES,
          Saint-Denis : *Alphabétisation, formation et développement à la
          Réunion*, 2 vol.
          1 - Cadres et priorités : l'alphabétisation, 1982, 118 p.
          *2 - Méthodologie de l'alphabétisation et de la formation de remise à
          niveau générale et technique*, 1983, 280 p.

3-142   BARRET Danielle : "L'Enseignement dans les départements
          d'outre-mer : bilan et perspectives", *Bulletin d'information du
          CENADDOM*, n°66 ("Dosssier Enseignement et formation
          professionnelle"), 1982, p. 5-12.

3-143   BENOIST Jean : "Possession, guérison, médiations : un
          chamanisme sud-indien à l'île de la Reunion", *L'Ethnographie*, vol.
          87/88, n°2/3, 1982, p. 227 239.

3-144   BOUCHET C. : "L'Ascaridiose biliaire et pancréatique à la Réu-
          nion : à propos de 7 observations".
          (Th. : Méd. : Grenoble : 1982.)

3-145   CASOLI A. : "L'Adaptation des enseignements technologiques à
          l'île de la Réunion", *Bulletin d'information du CENADDOM*, n°66
          ("Dosssier Enseignement et formation professionnelle"), 1982, p.
          49-53.

3-146   CELLIER Pierre: "Le Créole et l'enseignement du français à la
          Réunion", *Bulletin d'information du CENADDOM*, n°66 ("Dosssier
          Enseignement et formation professionnelle"), 1982, p. 13-18.

3-147   CHEFTEL Jean Alain : "Epidémiologie descriptive du cancer à l'île
          de la Réunion de 1982 à 1984 : mise en place d'un registre"
          (Th. : Méd. : Aix-Marseille 2 : 1982.)

3-148   CLAIRIN Remy : "La Réunion", p. 213-233, carte, bibliogr., in
          L'Evolution des effectifs de la population des pays africains. T.1,
          Groupe de démographie africaine [IDP, INED, INSEE, MICOOP,
          ORSTOM] (Paris), 1982.

3-149   DION Michèle : "Grand Ilet : un *isolat* blanc dans les Hauts de la
         Réunion", *Etudes créoles*, vol. 4, n°2, 1981 (n° spécial "Ecologie
         des espaces restreints à la Réunion") [publié en 1982], p. 11-19.

3-150   DUMEUR D.Y. : "Le Comité d'action sociale en faveur des origi-
         naires des départements d'outre-mer en métropole (CASODOM)",
         Bulletin d'information du CENADDOM, n°66 ("Dosssier
         Enseignement et formation professionnelle"),1982, p. 82-95

3-151   DURAND Charles : "Hygiène publique et sociale : 248, 51 F par
         habitant en 1979", *L'Economie de la Réunion*, n°3, 1982, p. 13-15.

3-152   DURAND Charles : "Population : un premier bilan", *L'Economie de
         la Réunion*, n°4, 1982, p. 3-6.

3-153   FRANCE. Institut national de la statistique et des études écono-
         miques : *Recensement général de la population en 1974 :
         département d'outre-mer, Réunion : tableaux sur la structure
         démographique* (par Pierre Elie et Claire Maroger), INSEE (Paris),
         1982, 219 p. (Archives et documents ; 61).

3-154   JOURDAIN Alain : "Baisse de fécondité et planification familiale à
         la Réunion", *Annuaire des pays de l'océan Indien*, vol. 7, 1980 (paru
         en 1982), p. 257-286. [Article tiré de Th. 3e cycle : 1978.]

3-155   LE COINTRE Gilles : "L'Instruction à la Réunion", *L'Economie de
         la Réunion*, n°4, 1982, p.7-11.

3-156   LE COINTRE Gilles : "La Population de la Réunion de 1975 à
         1985", *L'Economie de la Réunion*, n°2, juin 1982, p. 3-5.

3-157   LE MAROIS Michel, PLASSE Denis : "L'Evolution démographique
         récente et son impact sur le marché de l'emploi", *L'Economie de la
         Réunion*, n°4, 1982, p. 13-16.

3-158   MOULS Gérard : *Etudes sur la sorcellerie à la Réunion : désir et
         réalité*, Ed. UDIR, (Sainte-Suzanne), 1982, 123 p. (Coll. Anchaing).

3-159   PELLETIER Joseph : "Colons et propriétaires à La Chaloupe",
         Etudes créoles, vol. 4, n°2, 1981 (n° spécial "Ecologie des espaces
         restreints à la Réunion") [publié en 1982], p. 55-74.

3-160   PELLETIER Joseph : *La Chaloupe : unités domestiques et rapports
         de parenté*, Impr. Cazal (Saint-Denis), 1982, 224 p., ill., cartes,
         bibliogr. (Collection des Travaux du Centre universitaire de la
         Réunion).
         • C.R. de cet ouvrage et de *Be-Cabot* (C. Vogel éd.) par Jean Benoist,
         Etudes créoles, vol.5, n°1/2, p. 141-145.

3-161   PLASSE Denis : "La Consommation d'alcool à la Réunion : une réalité à multiples facettes", *L'Economie de la Réunion*, n°3, septembre 1982, p. 7-11.

3-162   "Professions de la santé : une densité faible", *L'Economie de la Réunion*, n°1, mars 1982, p. 5-9.

3-163   REUNION. Délégation régionale à la promotion et à l'emploi : "La Formation professionnelle à la Réunion", *Bulletin d'information du CENADDOM*, n°66 ("Dosssier Enseignement et formation professionnelle"), 1982, p. 72-78.

3-164   REUNION. Vice-Rectorat : "L'Enseignement du français à la Réunion", *Bulletin d'information du CENADDOM*, n°66 ("Dosssier Enseignement et formation professionnelle"), 1982, p. 27-33.

3-165   REUNION. Vice-Rectorat : "Les Données du problème posé par la formation professionnelle dans le département de la Réunion", *Bulletin d'information du CENADDOM*, n°66 ("Dosssier Enseignement et formation professionnelle"), 1982, p. 79-81.

3-166   REUNION. Vice-rectorat : *Le Système éducatif à la Réunion*, 1982, 21 p. [Actualisation en avril 1982 de l'étude faite en septembre 1980.]

3-167   SCHERDING Anne : "A la recherche d'une spécificité de la tentative de suicide à l'île de la Réunion : à propos de 124 cas", 132 p. (Th. : Médecine : Grenoble : 1982.)

3-168   THIEBAUT Evelyne, WASERHOLE Franck : "La Violence à l'île de la Réunion : criminalité et interculture créole", 238-[9] p., bibliogr.
(Th. : Méd. : Grenoble : 1982.)

3-169   VALENTIN Marie : *La Cuisine réunionnaise*, Institut d'anthropologie du Centre universitaire de la Réunion ; Fondation pour la recherche et le développement dans l'océan Indien (Saint-Denis), 1982, 133 p. ill., bibliogr. (Documents et recherches / F.R.D.O.I. ; 8).

3-170   VOGEL Claude : "La Roche qui roule n'amasse pas de limon", *Etudes créoles*, vol. 4, n°2, 1981 (n° spécial "Ecologie des espaces restreints à la Réunion") (publié en 1982), p. 20-39.

1983

3-171   AGENCE NATIONALE POUR LE DEVELOPPEMENT DE L'EDUCATION PERMANENTE : *Schéma régional de la formation professionnelle de la Réunion*, 1983, 154 p.

3-172   ARDITTI M. : "Aspects de la santé mentale à l'île de la Réunion", *Bulletin d'information du CENADDOM*, n°69 ("Dossier Santé"), 1983, p. 16-19.

3-173   ASSOCIATION POUR LA PROMOTION EN MILIEU RURAL, Réunion : *Plan d'aménagement des régions hautes de l'île de la Réunion : animation rurale du développement local : programme 1984*, A.P.R., 1983, 41 p.

3-174   ASSOCIATION POUR LES ETUDES D'AMENAGEMENT ET D'URBANISME DE LA RÉUNION : *Recensement général de la population de 1974 : résultats*, N.I.D. (Saint-Denis), 1983, 101 p.

3-175   BENOIST Jean : "Contradictions de la société réunionnaise et nouveaux champs de promotion rurale", *Bulletin d'information du CENADDOM*, n°72 ("Dossier Réunion"), 1983, p. 6-28. [Extrait de BENOIST Jean 1983 : *Un Développement ambigu.*]

3-176   BENOIST Jean : "L'Esprit sur lui et le cerveau gâté : remarques sur les frontières des infortunes à l'île de la Réunion", *Psychiatrie française*, 1983, n°5 (n°spécial), p. 10-14. [Texte d'une communication aux Journées d'études psychiatriques de l'océan Indien, Réunion-Maurice, novembre 1982 "Les Psychiatries autres : sorcellerie, pensée magique, influences interculturelles dans la zone Océan Indien - Afrique".]

3-177   BENOIST Jean : *Un Développement ambigu : structure et changement de la société réunionnaise*, Fondation pour la recherche et le développement dans l'océan Indien (Saint-Denis), 200 p., bibliogr. (Coll. Documents et Recherches / F.R.D.O.I. ; 10). [Version revue du rapport "Structure et changement de la société rurale réunionnaise" suivie de la rééd. du rapport "Pour une connaissance de la Réunion".]

3-178   BEYLOT Jacques : "La Politique de la santé dans les départements d'outre-mer", *Bulletin d'information du CENADDOM*, n°69 ("Dossier Santé"), 1983, p. 117-124.

3-179   BOYER C., *vice-recteur de la Réunion* : "Une Stratégie pour améliorer l'efficience du système éducatif réunionnais", *Bulletin d'information du CENADDOM*, n°72 ("Dossier Réunion"), 1983, p. 6-28.

3-180   CHAMBON L. *et al.* : "La Recherche médicale dans les DOM", *Bulletin d'information du CENADDOM*, n°69, ("Dossier Santé"), 1983, p. 86-116.

3-181   CHARBIT Y. : *La Structure familiale des migrants des DOM : le cadre statistique et démographique*, INE, 1983, 41 p. multigr.

3-182   CHAUDENSON Robert : *Magie et sorcellerie à la Réunion*, Livres-Réunion (Saint-Denis), 1983, 133 p., ill.

3-183   COHEN-ADAD Simon : "Démographie médicale et sociale à l'île de la Réunion".
(Th. : Méd. : Aix-Marseille 2 : 1983.)

3-184   CRAVERO Jean-Philippe : "Thématiques de sorcellerie dans les bouffées délirantes à la Réunion", *Psychiatrie française*, 1983, n°5 (n°spécial), 1983, p. 35-42. [Texte d'une communication aux Journées d'études psychiatriques de l'océan Indien, Réunion-Maurice, novembre 1982 "Les Psychiatries autres : sorcellerie, pensée magique, influences inter-culturelles dans la zone Océan Indien - Afrique".]

3-185   DELALANDE Hubert : "Culture et psychiatrie à l'île de la Réunion".
(Th. : Méd. : Poitiers : 1983.)

3-186   DELASSUS J.M., VERRIERE E. : "La Santé mentale à La Réunion", *Bulletin d'information du CENADDOM*, n°69 ("Dossier Santé"), 1983, p. 20-30.

3-187   DERVAL Philippe : "Enquête sur la situation dentaire dans le cirque de Mafate (île de la Réunion)".
(Th. : Chir. dent. : Toulouse 3 : 1983.)

3-188   DIONOT Thierry : "Criminalité et sorcellerie à la Réunion, *Psychiatrie française*, 1983, n°5 (n°spécial), 1983, p. 19-22. [Texte d'une communication aux Journées d'études psychiatriques de l'océan Indien, Réunion-Maurice, novembre 1982 "Les Psychiatries autres : sorcellerie, pensée magique, influences interculturelles dans la zone Océan Indien - Afrique".]

3-189   DUPUIS Jean-René : "Exercice de la pharmacie d'officine dans le département de la Réunion", 307 p.
(Th. : Pharm. : Marseille : 1983.)

3-190   DURAND Charles : "1962-1982 : quelques repères démogra-phiques", *L'Economie de la Réunion*, n°6, juin 1983, p. 7-11.

3-191   DURAND Charles : "Ménages et activité", *L'Economie de la Réunion*, n°5, mars 1983, p. 19-24.

3-192   DURAND Charles : "Personnes âgées : 37 875 en 1982", *L'Economie de la Réunion*, n°7, sept. 1983, p. 23-27.

3-193   ETIENNE Jean-Michel : "La Migration réunionnaise en métropole", *Bulletin d'information du CENADDOM*, n°72 ("Dossier Réunion"), 1983, p. 85-94.

3-194   "Femme (La) dans la société rurale réunionnaise", *Cahier des ingénieurs agronomes Paris-Grignon* , n°374, 1983.

3-195   FESTY Patrick, HAMON Christine : *Croissance et révolution démographique à la Réunion* (publié par l'Institut national d'études démographiques), Presses Universitaires de France (Paris), 1983, 116 p. (Travaux et Documents / INED ; 100).

3-196   FRANCE. Institut national de la statistique et des études économiques : *Recensement général de la population en 1974 : département d'outre-mer, Réunion : tableaux sur les ménages, les logements, les constructions*, INSEE (Paris), 1983, 66 p. (Archives et documents ; 90).

3-197   FRANCE. Institut national de la statistique et des études économiques : *Résultats du recensement de la population des département d'outre-mer, 9 mars 1982 : Réunion*, INSEE (Paris), 1983, 279 p.

3-198   FUTOL Dominique, VIDOT Françoise : "L'Analphabétisme et les jeunes appelés réunionnais", *Sobatkoz*, n°1, sept. 1983, p. 44-45.

3-199   GENTILINI Marc, NOZAIS Jean-Pierre, BRUCKER Gilles : "Problèmes de santé publique dans les départements d'outre-mer", *Bulletin d'information du CENADDOM*, n°69 ("Dossier Santé"), 1983, p. 5-15.

3-200   GREFFARD Patrick : "Pathologie de l'industrie sucrière à la Réunion".
         (Th. : Méd. : Tours : 1983.)

3-201   GUYARD Jean-Jacques, JACQUET Jean-Louis : *Schéma régional de la formation professionnelle de la Réunion*, SEDETOM (Paris), 1983, 154 p.

3-202   JULVEZ Jean : "Personnel médical et équipement sanitaire à la Réunion", *Bulletin d'information du CENADDOM*, n°69 ("Dossier Santé"), 1983, p. 56-61.

3-203   LALLEMENT Marie-Georgette : *Les Rites et leur signification dans la communauté tamoule à la Réunion*, Centre départemental de documentation pédagogique de la Réunion (Saint-Denis), 1983, 50 p., ill.

3-204   LAN NANG FAN Marie-Noëlle : "Le Saturnisme à la Réunion", 97 p.
         (Th. : Méd. : Toulouse : 1983.)

3-205   LAURET Daniel : "Le Créole traduit devant l'école : une épreuve de créole au concours d'entrée à l'Ecole normale : lecture critique de 21 traductions", *Sobatkoz*, n°1, sept. 1983, p. 23-43.

3-206   LE COINTRE Gilles : "Le Recensement de la population de 1982: le travail et les résultats", *L'Economie de la Réunion*, n°7, sept. 1983, p. 3-6.

3-207   LEVY Jomy : "Situation épidémiologique des parasitoses humaines de l'île de la Réunion".
(Th. : Pharm. : Paris 5 : 1983.)

3-208   LOUBEYRE Jean-Paul : "Aspects culturels des états dépressifs à l'île de la Réunion".
(Th. : Méd. : Clermont-Ferrand 1 : 1983.)

3-209   MADHOUSOUDANA Shrî : *Jeux d'ombres divines*, Ed. Ziskakan (Réunion), 1983, [72] p., ill.

3-210   MOULS Gérard : "Désir du sorcier, désir de l'analyste", *Psychiatrie française*, 1983, n°5 (n°spécial), p. 63-64. [Texte d'une communication aux Journées d'études psychiatriques de l'océan Indien, Réunion-Maurice, novembre 1982 "Les Psychiatries autres : sorcellerie, pensée magique, influences interculturelles dans la zone Océan Indien - Afrique".]

3-211   MOULS Gérard : "Les Deux discours", *Psychiatrie française*, 1983, n°4, p. 21-28. [Rapport introductif du Comité scientifique réunionnais, Journées d'études psychiatriques de l'océan Indien, Réunion-Maurice, novembre 1982 "Les Psychiatries autres : sorcellerie, pensée magique, influences interculturelles dans la zone Océan Indien - Afrique".]

3-212   NEMO Jacques : *Musulmans de la Réunion,* Arts Graphiques Modernes (Saint-Denis), 1983, 229 p., ill.

3-213   PELLETIER Joseph "La Chaloupe : une société créole, stratégies individuelles et hiérarchie des réseaux", 2 vol., 655p.
(Th. 3e cycle : Anthropol. : Paris, E.H.E.S.S. : 1983.)

3-214   PLASSE Denis : "Les Naissances à la Réunion : évolution des 15 dernières années" *L'Economie de la Réunion*, n°6, juin 1983, p. 17-20.

3-215   REGNIER Isabelle : "A propos de l'alcoolisme chez les jeunes de l'île de la Réunion".
(Th. : Méd. : Montpellier 1 : 1983.)

3-216   REUNION. Délégation régionale à l'emploi et à la formation professionnelle : *Dossier concernant les mesures pour l'insertion sociale et professionnelle des jeunes*, 1983, 90 p.

3-217   REUNION. Direction départementale de l'équipement, Groupe d'études et de programmation : *Migrations : document provisoire*, 1983, 61-[25] p.- pl. de cartes;

3-218   ROCHE Jean-Loup : "Les Images de la mère à la Réunion en milieu créole traditionnel", *Psychiatrie française*, 1983, n°5 (n°spécial), p. 67-74. [Texte d'une communication aux Journées d'études psychiatriques de l'océan Indien, Réunion-Maurice, novembre 1982 "Les Psychiatries autres : sorcellerie, pensée magique, influences interculturelles dans la zone Océan Indien - Afrique".]

3-219   SAUNIER Xavier : "Prégnance de la pensée magique dans la société réunionnaise", *Psychiatrie française*, 1983, n°5 (n°spécial), p. 29-34. [Texte d'une communication aux Journées d'études psychiatriques de l'océan Indien, Réunion-Maurice, novembre 1982 "Les Psychiatries autres : sorcellerie, pensée magique, influences interculturelles dans la zone Océan Indien - Afrique".]

3-220   SQUARZONI René : *Démographie et IXe Plan à la Réunion : le dernier grand défi* (publié par l'Observatoire démographique, économique et social de la Réunion), O.D.E.S.R. (Saint-Denis), 1983, 15 p. (Etudes et recherches).

3-221   SYSTCHENKO MENARD Bernadette : "Etude de la santé et de l'adaptation des migrants réunionnais en métropole : enquête pratiquée à l'hôpital neurocardiologique de Lyon". (Th. : Méd. : Lyon 1 : 1983.)

3-222   TURQUET Michel : "Programme de recherche nutritionnelle à la Réunion et campagne d'hygiène alimentaire", *Bulletin d'information du CENADDOM*, n°72 ("Dossier Réunion"), 1983, p. 49-69.

3-223   VAILLANT Jean-Yves : "Utilisation de la micro-informatique pour la réalisation d'un registre du cancer à l'île de la Réunion", 140 p. (Th. : Méd. : Nantes : 1983.)

3-224   VAUTHIER Gilles : "Folie créole et dialectique du maître et de l'esclave", *Psychiatrie française*, 1983, n°5 (n°spécial), 1983, p. 80-85. [Texte d'une communication aux Journées d'études psychiatriques de l'océan Indien, Réunion-Maurice, novembre 1982 "Les Psychiatries autres : sorcellerie, pensée magique, influences interculturelles dans la zone Océan Indien - Afrique".]

3-225   "Vie (La) culturelle dans les îles de l'océan Indien", *Notre librairie*, n°72, 1983, p.100-103.

1984

3-226   ASSOCIATION DES PEDIATRES DE LA REUNION : *Etude de la population des nouveau-nés de 1982 hospitalisés en pédiatrie de la naissance au 28e jour dans le département de la Réunion*, D.D.A.S.S. (Réunion), 1984, 239 p., ill.

3-227   ASSOCIATION POUR LA PROMOTION EN MILIEU RURAL, Réunion : "L'Animation du développement dans les Hauts de la Réunion", *Bulletin d'information du CENADDOM*, n°74, 1984, p.36-43.

3-228   AUDOUARD Christian : "Le Criminel à la Réunion : étude sur onze années de sessions de cour d'assises, 1965-1970, 1975-1979", *Revue de l'Association réunionnaise de criminologie*, n°1, 1984, p. 7-26.

3-229   BARAT Christian : "Le Nargoulan, dieu des Lascars ?", p. 259-279, in *Etudes sur l'océan Indien*, Université de la Réunion, 1984, 299 p.

3-230   BENOIST Jean : "L'Hommage à Nagurumira et la traversée de l'océan Indien", *Recherche, pédagogie et culture*, n°67, 1984, p. 38-39.

3-231   BENOIST Jean : "Paysans de la Réunion", *Annuaire des pays de l'océan Indien*, vol. 8, 1981 (paru en 1984), p. 145-240.
⇒ Egalement publié en extrait de l'APOI, Presses Universitaires d'Aix-Marseille (Aix-en-Provence) ; Fondation pour la recherche et le développement dans l'océan Indien (Saint-Denis).
• C.R. par Jean-Pierre Jardel, *Etudes créoles*, vol.8, n°1/2, p. 264-266.

3-232   CHARTON Roger : "Statistique et délinquance à la Réunion : 1976-1983", *Revue de l'Association réunionnaise de criminologie*, n°1, 1984, p. 1-6.

3-233   CLAVE Philippe : "Pratique médicale populaire à l'île de la Réunion", 64-VII p., bibliogr.
(Th. : Méd. : Aix- Marseille 2 : 1984.)

3-234   DAVIS Bruce E. : "The Physical quality of life in the Indian Ocean", 15 p., bibliogr. (Communication, 2nd International Conference on Indian Ocean Studies, Perth, 5-12 December 1984.)

3-235   DION Michèle : "Grand-Ilet, un isolat blanc des Hauts de la Réunion ?", *Espace, populations, sociétés*, 1984, n°1, p. 17-24.

3-236   ELIE Pierre : "Les Jeunes dans les départements d'outre-mer", *Bulletin d'information du CENADDOM*, n°74, 1984, p. 10-17.

3-237   FALIU Bernard : "La Pathologie infectieuse à la Réunion à travers l'activité des médecins généralistes dans l'île : à propos d'une enquête portant sur 1214 patients", 163 p., bibliogr.
(Th. : Méd. : Toulouse 3 : 1984.)

3-238   FRANCE. Institut national de la statistique et des études économiques : *Statistiques du mouvement de la population dans les DOM : décès infantiles dits de «nourrissons» : générations 1971-1981*, INSEE (Paris), 1983, 184 p.

3-239 FRANCE. Institut national de la statistique et des études économiques : *Statistiques du mouvement de la population dans les DOM : Guadeloupe, Martinique, Guyane, Réunion, St-Pierre et Miquelon : naissances 1971-1981*, INSEE (Paris), 1984, 192 p.

3-240 GAMALEYA Clélie : *Filles d'Heva : trois siècles de la vie des femmes de la Réunion*, Impr. Graphica (Saint-André, Réunion), 87 p., ill. [Recueil de textes publiés dans le quotidien "Témoignages" en 1980.]

3-241 GERARD Gabriel : *Démographie et migrations réunionnaises*, A.N.T. (Saint-Denis, Réunion), 1984, 21 p.
⇒ Egalement publié par *Académie de l'île de la Réunion : bulletin*, n°28, 1984 (publié en 1986?), p. 71-87.

3-242 GUIGNARD Didier : "Sens et non sens de la sorcellerie réunionnaise".
(Th. : Méd. : Poitiers : 1984.)

3-243 HO MOYE Remy : "Situation épidémiologique de la tuberculose à l'île de la Réunion".
(Th. : Pharm. : Aix-Marseille 2 : 1984.)

3-244 JACQUET Jean-Louis : "Les Actions de l'A.N.T. en faveur des jeunes originaires des DOM résidant en métropole", *Bulletin d'information du CENADDOM*, n°74, 1984, p. 70-74.

3-245 LALOUM Pierre : "Contribution à l'étude des situations de crise de l'adolescent dans le milieu réunionnnais".
(Th. : Méd. : Paris 13 : 1984.)

3-246 LE JUNTER Yves-Louis : "Bilan d'une année de consultations pédopsychiatriques à la Réunion : aspects statistiques et commentaires"
(Th. : Méd. : Clermont-Ferrand 1 : 1984.)

3-247 MANGLOU Tony : "Une Formation d'animateurs pour la Réunion", *Bulletin d'information du CENADDOM*, n°74, 1984, p. 31-33.

3-248 MILIN Robert : "Le Problèmes des jeunes à la Réunion", *Bulletin d'information du CENADDOM*, 1984, n°74, p. 44-48.

3-249 MONDON Jean Dominique : "Influences des habitudes alimentaires sur l'état bucco-dentaire du jeune Réunionnais".
(Th. : Chir. dent. : Bordeaux 2 : 1984.)

3-250 NEMO Jacques : "La Diaspora gujarati musulmane dans le sud-ouest de l'océan Indien", *Recherche, pédagogie et culture*, 1984, n°67, p. 64-67.

3-251   PASCALET-GUIDON Marie-Josée, *et al.* : "Cluster of acute
          infantile spinal muscular atrophy (Werdnig-Hoffmann disease) in a
          limited area of Reunion island" (Marie-Josée Pascalet-Guidon,
          Etienne Bois, Josué Feingold, Jean-François Mattei, Jean- Claude
          Combes, Christine Hamon), *Clinical genetics*, 1984, n°26, p. 39-42.

3-252   PERRETTE Remi : "L'Enfant maltraité à la Réunion : étude
          comparative".
          (Th. : Méd. : Paris 5 : 1984.)

3-253   RALIARIVONY Marie-Christine : "L'Association des chômeurs de
          la Réunion : une association pas comme les autres", *Bulletin
          d'information du CENADDOM*, n°74, 1984, p. 34-35.

3-254   RAMSTEN Jean-Paul : "Coups mortels à la Réunion : statistique et
          considérations", *Revue de l'Association réunionnaise de
          criminologie*, n°1, 1984, p. 27-33.

3-255   SAM-LONG Jean-François : *Magie des arbres de la Réunion*,
          Nouv. Impr. Dionysienne (Saint-Denis, Réunion), 1984, 182 p., ill.
          (Collection Anchaing).

3-256   SINGUIN Michel : "Contribution à l'étude de la sorcellerie à la
          Réunion : à propos d'une guérisseuse exorciste".
          (Th. : Méd. : Toulouse 3 : 1984.)

3-257   SQUARZONI René : *Une Conjoncture démographique particu-
          lière : l'année 1983 à la Réunion* (publié par l'Observatoire démo-
          graphique, économique et social de la Réunion), O.D.E.S.R. (Saint-
          Denis), 1984, 12 p. (Etudes et recherches).
          ⇒ Egalement publié par *Annuaire des pays de l'océan Indien*, 10,
          1984-1985 (publié en 1988), p. 415-422.

1985

3-258   AUDOUARD Christian : "Quelques notions juridiques sur la
          toxicomanie", *Revue de l'Association réunionnaise de criminologie*,
          n°2, 1985, p. 21-24.

3-259   "Bref aperçu sur la population de la Réunion, Mayotte, Maurice et
          Seychelles", *Démographie africaine : bulletin de liaison*, 48/49,
          juil.-déc. 1985, p. 62-69.

3-260   CHARVOZ Véronique : "L'Enfant réunionnais : sa santé dans une
          région des Hauts de l'île de la Réunion, la Crête - Jacques Payet".
          (Th. : Méd. : Lyon 1 : 1985.)

3-261   CHEYNEL Patrick : *Image de la «vieillesse» et place et rôle de la
          personne agée dans la société vus par des adolescent(e)s des îles*

Comores, Maurice, la Réunion, Seychelles, de Madagascar et de France métropolitaine, [s.n.], 1985, 42-12 p., ill.

3-262   CHRYSCIAK Alain : "L'Alcoolisme féminin à l'île de la Réunion". (Th. : Méd. : Nancy 1 : 1985.)

3-263   DUFOURCQ Elisabeth : "L'Action de l'INSERM dans les DOM en 1984", *Les Dossiers de l'outre-mer*, n°80, 1985, p. 58-61.

3-264   EVE Prosper : *La Religion populaire à la Réunion*, Institut de linguistique et d'anthropologie (Sainte-Clotilde, Réunion), 1985, 2 vol., 167,191 p., ill., bibliogr.

3-265   FRANCE. Institut national de la statistique et des études écono-miques : *Statistiques du mouvement de la population dans les DOM (1971-1981)*, INSEE (Paris), 1985, 104 p. (Archives et documents ; 144).

3-266   JAY Maurice : "Les Modalités des conduites toxicomaniaques à la Réunion, *Revue de l'Association réunionnaise de criminologie*, n°2 (n° spécial "Toxicomanie"), 1985, p. 1-20.

3-267   KRUGER Nathalie : "Education sanitaire et assainissement du milieu à l'île de la Réunion : lutte contre les parasitoses intestinales". (Th. : Pharm. : Montpellier 1 : 1985.)

3-268   LAURET Daniel : "Créole et école à la Réunion : problèmes et perspectives", 230 p. (Th. 3e cycle : Linguist. : Aix-Marseille 1 : 1985.)

3-269   LOMBARD Guy : "L'Enseignement à la Réunion : 1985 pistes de recherche", p. 363-371, in *Le Mouvement des idées dans l'océan Indien occidental* (actes de la table ronde de Saint-Denis, 23-28 juin 1982, Association historique internationale de l'océan Indien.), AHIOI, (Saint-Denis, Réunion), 1985, 436 p.

3-270   NEMO Jacques : "Problématiques de l'identité culturelle : approches de la psychanalyse", p. 69-78, in *Culture(s) empirique(s) et identité(s) culturelle(s) à la Réunion* (éd. Daniel Baggioni, Martine Mathieu), Service des publications de l'Université de la Réunion, 1985, 132 p., ill., bibliogr.

3-271   PARMENTIER Jean-Marc : "Essai sur les rapatriements sanitaires pour motif psychiatrique des Réunionnais". (Th. : Méd. : Paris 7, Bichat-Beaujon : 1985.)

3-272   "Population, emploi et santé de la Réunion : situation en 1983", *Démographie africaine, bulletin de liaison*, 48/49, juil./déc. 1985, p. 65-77.

3-273   REUNION, Direction départementale des affaires sanitaires et sociales : *Etude des causes médicales de décès à la Réunion en 1984*, 1985, 174 p.

3-274   SALMERON FRANQUINE Véronique : "Regard sur l'épidémiologie du cancer à la Réunion".
(Th. : Méd. : Toulouse 3 : 1985.)

3-275   SQUARZONI René : *Evolution du divorce à la Réunion : 1961-1984 : de l'impensable au pratiqué* (publié par l'Observatoire démographique, économique et social de la Réunion), O.D.E.S.R. (Saint-Denis), 1985, 21 p. (Etudes et recherches).

3-276   SQUARZONI René : *La Saisonnalité des conceptions et des décès à la Réunion : deux reflets d'une mutation de société entre 1950 et 1980* (publié par l'Observatoire démographique, économique et social de la Réunion), O.D.E.S.R. (Saint-Denis), 1985, 15 p. (Etudes et recherches).

3-277   SQUARZONI René : *Quelques réflexions sur la recherche universitaire en sciences humaines et sociales à la Réunion* (publié par l'Observatoire démographique, économique et social de la Réunion), O.D.E.S.R. (Saint-Denis), 1985, 10 p. (Etudes et recherches).

3-278   TIMOL Fatmah : "La Lèpre à la Réunion : planification, programme de lutte en 1984".
(Th. : Méd. : Aix-Marseille 2 : 1985.)

3-279   UNION REGIONALE ANIMATION ET DEVELOPPEMENT, Saint-Denis : *La Jeunesse réunionnaise de 15 à 24 ans* (étude sous la dir. de Gilbert Valli), 1985, 281 p., ill.

3-280   VI-FANE Viviane : "Pharmacopée traditionnelle de l'île de la Réunion : application au traitement de l'hypertension modérée".
(Th. : Pharm. : Montpellier 1 : 1985.)

1986

3-281   APPADU Balraj Lachamah : "Les Phénotypes H déficients à l'île de la Réunion : *phénotype Réunion*".
(Th. : Méd. : Saint-Etienne : 1986.)

3-282   BARANES Thierry : "Epidémiologie des maladies parasitaires à l'île de la Réunion".
(Th. : Méd. : Bordeaux 2 : 1986.)

3-283   BARAT Christian : "La Parole du vieux gran-moune : mythe ou réalité ?", 5 p., in *Colloque (1er) international francophone de gérontologie de l'océan Indien* (Saint-Denis de la Réunion, juillet 1986), pagination multiple.

3-284   BARAT Christian, GAUVIN Robert, NEMO Jacques : "Société et culture réunionnaise", *Les Dossiers de l'outre-mer,* n°85, 1986, p. 50-79.

3-285   BENOIST Jean : "Entre l'Inde et le monde créole : l'adaptation socio-culturelle des immigrants indiens dans les îles françaises (Antilles et Réunion)", p. 255-264, in *Indian labour immigration* (ed. Uttam Bissoondoyal, S.B.C. Servansing), Mahatma Gandhi Institute (Maurice), 1986, [24]-328 p. (Communications, International conference "Indian labour immigration", 23-27 October 1984, Mahatma Gandhi Institute.)

3-286   BENOIST Jean : "Héritages, naissance et structure d'une société", p. 43-55, in *La Réunion dans l'océan Indien* (colloque organisé par le Centre des hautes études sur l'Afrique et l'Asie modernes, 24-25 oct. 1985), CHEAM (Paris), 1986, 239 p. (Publications du CHEAM).

3-287   BERETTA Michel : "Aspects de la crise et croyances à l'île de la Réunion".
          (Th. : Méd. : Paris 7, Lariboisière - Saint-Louis : 1986.)

3-288   CELLIER Pierre : "Le Discours sur la *kriz* dans la société réunionnaise", 13 p. (Communication au Colloque sur l'épilepsie, Saint-Pierre, 17-20 septembre 1986)

3-289   DAVIS Bruce E. : "Quality of life in small island nations in the Indian Ocean", *Human ecology*, vol. 14, n°4, p. 453-471. [Pour la Réunion voir *passim.*]

3-290   DUPOUY Michel : "Nosologie quotidienne sur l'île de la Réunion".
          (Th. : Méd. : Aix-Mareille 2 : 1986.)

3-291   FRANCE. Education nationale (Ministère) : *Evaluation pédago-gique dans les collèges, fin de cycle d'observation, juillet 1984 : allemand : département de la Réunion*, 1986, 63 p.

3-292   FRANCE. Education nationale (Ministère) : *Evaluation pédago-gique dans les collèges, fin de cycle d'observation, juillet 1984 : français : département de la Réunion*, 1986, 91 p.

3-293   FRANCE. Education nationale (Ministère) : *Evaluation pédago-gique dans les collèges, fin de cycle d'observation, juillet 1984 : mathématiques : département de la Réunion*, 1986, 87 p.

3-294   FRANCE. Education nationale (Ministère) : *Evaluation pédago-gique dans les collèges, fin de cycle d'observation, juillet 1984 : vie scolaire : département de la Réunion,* 1986, 139 p.

3-295   FRANCE. Institut national de la statistique et des études écono-miques : *Statistiques du mouvement de la population dans les DOM (1971-1981): Guadeloupe, Martinique, Guyane, Réunion, St-Pierre et Miquelon : décès 1971-1981*, INSEE (Paris), 1986, 193 p.

3-296   GALARD (de) Géraud : "Des Exemples de sociétés multiraciales", *Les Dossiers de l'outre-mer,* n°83, 1986, p. 47-51.

3-297   GALARD (de) Géraud : "L'Outre-mer : des dimensions culturelles différentes", *Les Dossiers de l'outre-mer,* n°83, 1986, p. 52-56.

3-298   GAMALEYA Clélie : "Histoire de la femme à la Réunion jusqu'à l'abolition de l'esclavage", *Les Dossiers de l'outre-mer,* n°82, 1986, p. 13-23.

3-299   GUIGNARD Didier : *Si je dis sorcier ! : regard sur la sorcellerie réunionnaise*, Institut de linguistique et d'anthropologie (Sainte-Clotilde, Réunion), 1986, 203 p., ill.

3-300   HAMON Christine, CATTEAU Pierre : "La Réunion : une histoire démographique exceptionnelle", 20 p., in *Colloque (1er) international francophone de gérontologie de l'océan Indien* (Saint-Denis de la Réunion, juillet 1986), pagination multiple.

3-301   HOYON Alain, DENIZOT Laurent : "Quelques réflexions sur la démence à la Réunion", 10 p., in *Colloque (1er) international francophone de gérontologie de l'océan Indien* (Saint-Denis de la Réunion, juillet 1986), pagination multiple.

3-302   JOURNEE Dominique : "Enquête épidémiologique sur une population d'enfants de 6 à 15 ans à l'île de la Réunion : étude de la carie dentaire et des parodontopathies, influence de l'alimentation, du sexe, de l'âge, du milieu socio-économique, des habitudes d'hygiène et du lieu, ... ", 311 p.
(Th. 3e cycle : Sci. odontol. : Toulouse 3 : 1986.)

3-303   LAURET Daniel : "L'Enfant créole : images et représentations", *Sobatkoz,* n°4, 1986, p. 57-62.

3-304   LOPEZ Albert : "Consommation d'alcool à la Réunion : le *coup de sec* quotidien", *L'Economie de la Réunion*, n°21, 1986, p. 7-13.

3-305   LOPEZ Albert : *La Santé en transition à la Réunion de 1946 à 1986 : bouleversements et limites des conquêtes de la santé dans un département d'outre-mer*, Laboratoire de géographie humaine, Université de la Réunion, 1986, 27 p., cartes, multigraphié

3-306   LUCAS Evenor : "Souvenirs de la vie à la Réunion au début du siècle", 10 p., in *Colloque (1er) international francophone de gérontologie de l'océan Indien* (Saint-Denis de la Réunion, juillet 1986), pagination multiple.

3-307   MAHE Ellen, CARRERE Jean-Louis : "Ressources des personnes agées à la Réunion", in *(1er) Colloque international francophone de gérontologie de l'océan Indien* (Saint-Denis de la Réunion), 10 p.

3-308   MONDAIN Pierre : "L'Hospitalisation de la personne agée à l'île de la Réunion", 10 p., in *Colloque (1er) international francophone de gérontologie de l'océan Indien* (Saint-Denis de la Réunion, juillet 1986), pagination multiple.

3-309   PALAYRET Jacques : "Les Deuxièmes Jeux de l'océan Indien", *Les Dossiers de l'outre-mer,* n°84, 1986, p. 72-75.

3-310   "Protection (Une) sociale d'assez bon niveau", *Les Dossiers de l'outre-mer,* n°83, 1986, p.111-114.

3-311   *Réunion (La) se souvient : la vie à la Réunion de 1900 à nos jours* (Conseil général ; Société gérontologique de l'île de la Réunion), Agence Promocom (Saint-Denis, Réunion), 1986, 80 p., ill.

3-312   REUNION, Rectorat : *Les Projections de population scolaire à l'an 2000*, 1986, 57 p.

3-313   SAINT-OMER F., LAURET D. : "Enseignement du français à la Réunion : un constat, l'échec", *Sobatkoz,* n°4, 1986, p. 25-38.

3-314   SECOURS CATHOLIQUE. Délégation de la Réunion : *Des Pauvres à l'île de la Réunion : pourquoi ?*, 1986, 20 p.

3-315   SIDAMBARON Jacky : "Contribution à l'étude des pharmacopées empiriques à la Réunion".
         (Th. : Pharm. : Nancy 1 : 1986.)

3-316   SQUARZONI René : *L'Assurance obligatoire maladie-maternité des non-salariés non agriculteurs à la Réunion : analyse d'une fronde sociale outre-mer* (publié par l'Observatoire démographique, économique et social de la Réunion), O.D.E.S.R. (Saint-Denis), 1986, 72 p. (Etudes et recherches).

3-317   SQUARZONI René : *La Consommation de presse métropolitaine à la Réunion : un exemple d'assimilation socio-culturelle limitée* (publié par l'Observatoire démographique, économique et social de la Réunion), O.D.E.S.R. (Saint-Denis), 1986, 13 p. (Etudes et recherches).

3-318   SQUARZONI René : "Quarante ans de départementalisation", *L'Economie de la Réunion*, n°23, 1986, p. .2-9. [Réunit deux articles : "Une Révolution pacifique" et "Du rattrapage sanitaire à la révolution démographique".]

3-319   SQUARZONI René : *La Solidarité nationale à la Réunion : le pavé de l'ours sur la case paille ?* (publié par l'Observatoire démographique, économique et social de la Réunion), O.D.E.S.R. (Saint-Denis), 1986, 40 p. (Etudes et recherches).
         ⇒ Egalement publié par *Etudes créoles*, vol. 9, n°2, 1986 (publié en 1987), p. 34-63.

3-320   THIBERGE Sylvain : "Assitance et dépendance à la Réunion : à partir de l'étude de l'aide médicale".
(Th. : Méd. : Paris 5, Paris Ouest : 1986.)

3-321   UNION REGIONALE ANIMATION ET DEVELOPPEMENT, Saint-Denis : *La Jeunesse réunionnaise de 15 à 24 ans,* 1986, 243 p., ill.

3-322   VALLET FORZY Marie-Laure : "Particularités sanitaires d'un isolat à la Réunion : Mafate", 71 p., ill., bibliogr.
(Th. : Méd. : Paris 12 : 1986.)

1987

3-323   *Alcoolisation et suralcoolisation à la Réunion : collection des communications* (document annexe aux actes du colloque international des 10 et 11 juillet 1987, Comité de la culture, de l'éducation et de l'environnement, Région Réunion.; dir. Docteur Amode Ismael-Daoudjee), C.C.E.E. (Saint-Denis), 1987, 206 p.

3-324   ANDOCHE Jacqueline : "Ile de la Réunion : une médecine plurielle ; le Bon Dieu n'est pas prêteur", *Tribune médicale*, n°216, 1987, p. 20-23 et n°217, 1987, p. 20-23.

3-325   ASSOCIATION REUNIONNAISE D'EDUCATION POPULAIRE: *25 ans d'éducation populaire : 1962-1987*, 1987, 79 p., ill.

3-326   ASSOCIATION REUNIONNAISE POUR LA FORMATION ET L'UTILISATION DES TRAVAILLEURS SOCIAUX, Stage de formation 1986-1987 : *Des Travailleuses familiales témoignent*, ARFUTS, [1987], 124 p. multigr.

3-327   BAKER Philip, CORNE Chris : "Histoire sociale et créolisation à la Réunion et à Maurice", *Revue québécoise de linguistique théorique et appliquée*, vol. 6, n°2, 1987, p.71-88.

3-328   BENOIST Jean : "Pharmacopée populaire : agent technique, médiateur symbolique ?", *Ecologie humaine*, vol. 5, n°2, 1987, p. 25-36.

3-329   BENOIST Jean : "Usages et transformations du sacré indien dans la société réunionnaise", t. I, p. 267-282, in *Les Relations historiques et culturelles entre la France et l'Inde, XVIIe-XXe siècles* (actes de la Conférence internationale France-Inde, Saint-Denis de la Réunion, 1986), Association historique internationale de l'océan Indien (Sainte-Clotilde, Réunion), 1987, 2 vol., 426, 435 p., ill..

3-330   BLANCHY Sixte : "Priorités sanitaires à la Réunion en 1986", *Bulletin de la Société de pathologie exotique et de ses filiales*, vol. 80, n°1, 1987, p. 112-120.

3-331 BOISSEAUX Pascale : "I.V.G. à l'île de la Réunion : à propos d'une enquête pratiquée chez 62 mineures en 1986". (Th. : Méd. : Lyon 1 : 1987.)

3-332 "Bon (Un) exemple de prévention et dépistage : le cancer du col utérin à la Réunion", *Vivre,* 1987, p. 19.

3-333 CAPERAN Renaud : "De l'anthropologie sociale et culturelle à la psychiatrie à l'île de la Réunion : à propos d'une expérience clinique de dix-huit mois". (Th. : Méd. : Nice : 1987.)

3-334 CHAUDENSON Sophie : "Contribution à l'étude de la pharmacopée traditionnelle à l'île de la Réunion", 83 p. (Th. : Pharm. : Aix-Marseille 2 : 1987.)

3-335 HAMON Christine : "Le Corps médical à la Réunion : jeune et en pleine expansion", *L'Economie de la Réunion*, n°28, 1987, p. 2-5.

3-336 KRIEGER Claude : "Les Réunionnais originaires de Normandie", *Revue généalogique normande*, vol. 6, n°24, 1987, p. 277-281.

3-337 LECAMP Thierry : "Une Expérience de la lèpre à la Réunion en 1985". (Th. : Méd. : Nantes : 1987.)

3-338 LE COINTRE Gilles, HOARAU Bertrand, DAVISSE Yves : "Spécial «Migration»", *L'Economie de la Réunion*, n°29, 1987, 19 p. et n°31, 1987, 20 p. (n° spéciaux).

3-339 LOPEZ Albert : "Contribution à l'étude de l'alcoologie à la Réunion", 35 p., *Géosanté* (Montpellier), 1987.

3-340 LOPEZ Albert : "Le Rôle de la départementalisation dans les grandes conquêtes sanitaires et sociales de l'île de la Réunion", *Bulletin de l'Association de géographes français*, vol. 64, n°5, 1987, p. 377-394.

3-341 MARANE PORAIANE : "La Sectorisation psychiatrique à l'île de la Réunion : étude descriptive et statistique du secteur Est," 139 p.. (Th. : Méd. : Montpellier 1 : 1987.)

3-342 MOMAL Patrick : "La Jeunesse réunionnaise : une préoccupation majeure : quel avenir professionnel ?", *L'Economie de la Réunion*, n°28, 1987, p. 6-18.

3-343 NICOLINO Fabrice : "Chômage, jeunesse et solidarité à la Réunion : les zinutiles se rebiffent", *Viva,* décembre 1987, p. 29-34.

3-344 REUNION. Direction départementale des affaires sanitaires et sociales : *Etude générale sur la fécondité et les unions* (réd. C. Pasquet, René Squarzoni, Yves Baillif, Christine Hamon), 1987, pagination multiple.

3-345   REVERZY Jean-François, DUVAL Gilbert : "Suicide et insularité : la réalité réunionnaise", *Psychologie médicale*, n°19, 1987.

3-346   TABONE B. : "Violence sociale, violence dans la clinique à la Réunion", *L'Information psychiatrique*, vol. 63, déc. 1987 (n° spécial "Pays.chauds : la psychiatrie entre exotisme et cultures").

3-347   VANELVEN Gérard : "Comportement suicidaire à la Réunion : étude épidémiologique et socio-culturelle".
(Th. : Méd. : Aix-Marseille 2 : 1987.)

3-348   WONG-CHENG Jacqueline : "Les Chinois à la Réunion", *Cahiers d'études chinoises*, n°6 (n°spécial "Aspects de la diaspora chinoise"), 1987, p. 13-40.

                                                                    1988

3-349   *Alcoolisation et suralcoolisation à la Réunion* (Colloque international des 10 et 11 juillet 1987 sur l'alcoolisation et la suralcoolisation à la Réunion, Comité de la culture, de l'éducation et de l'environnement, Région Réunion.), C.C.E.E., 1988, 131 p., ill.

3-350   ANDOCHE Jacqueline : "L'Interprétation populaire de la maladie et de la guérison à l'île de la Réunion", *Sciences sociales et santé,* vol. 6, n°3/4, 1988, p. 145-165.

3-351   AUBRY Gilbert : *Pour Dieu et pour l'Homme... réunionnais*, Océan Editions (Saint-André, Réunion), 1988, 491 p., ill.

3-352   BAGGIONI Daniel : "Mulâtre ou métisse ? alternance ou dialectique des identités", p. 7-13, in *Cuisines/identités* (éd. Daniel Baggioni, Jean-Claude Carpanin Marimoutou), Université de la Réunion, 1988, 200 p., ill., bibliogr.

3-353   BENOIST Jean : "La Diaspora indienne", p. 105-126, in *L'Inde grande puissance de l'océan Indien* (colloque org. par l'Association France-Union Indienne et le Centre des hautes études sur l'Afrique et l'Asie moderne, Paris, 7-8 janvier 1988), CHEAM (Paris), 1988, 165 p. (Publications du CHEAM).

3-354   BOULEAU Jean Hervé : "Etude épidémiologique de la tentative de suicide à la Réunion".
(Th. : Méd. : Paris 5, Paris-Ouest : 1988.)

3-355   BOURJON Philippe : "Et pour quelques symptômes de plus...", p. 57-90, in *Rôles & enjeux : approches d'anthropologie généralisée*, Service des publications de l'Université de la Réunion, 1988, 306 p., ill. [Réflexions sur la violence à partir d'une description du «moringue» ou «batay kréol».]

3-356   BOYER Céline : "L'Ecole maternelle à la Réunion : approche de la
           compétence linguistique du jeune enfant réunionnais d'âge pré-
           scolaire", 3 vol. 323 p., pagination multiple.
           (Th. 3e cycle : Linguist. : Aix-Marseille 1 : 1988.)

3-357   CASAUCAU Gil : "Présentation d'une année de pratique dans le
           cadre du secteur nord-ouest de psychiatrie d'enfants et d'adolescents
           à l'île de la Réunion".
           (Th. : Méd. : Brest : 1988.)

3-358   COHEN Patrice : "Essai d'interprétation de l'alimentation et des
           comportements alimentaires à la Réunion", p. 51-81, in
           Cuisines/identités (éd. Daniel Baggioni, Jean-Claude Carpanin
           Marimoutou), Université de la Réunion, 1988, 200 p., ill., bibliogr.

3-359   COLLIEZ Jean Paul : "Jeunes chômeurs : un parcours difficile pour
           sortir du chômage", L'Economie de la Réunion, n°37, 1988, p. 3-8,
           13-15.

3-360   DELVAL Raymond : Musulmans français d'origine indienne :
           Réunion, France métropolitaine, anciens établissements français de
           l'Inde, CHEAM (Paris) ; diff. La Documentation française (Paris),
           1988, 170 p. (Publications du CHEAM ; 13). [Réunion p. 13-82.]

3-361   DERAND Didier : "La Ciguatera dans l'océan Indien", The Journal
           of nature = Le Journal de la nature (Réunion), vol. 1, n°1 (n°
           spécial : Atelier AIRDOI, 1987 : Récifs coralliens des îles du sud-
           ouest de l'océan Indien), 1988, p. 91-96, bibliogr.

3-362   Enfants (Les) naturels, Observatoire départemental de la Réunion,
           1988, [14]p. (La Note d'information de l'O.D.R. ; 1).

3-363   "Enquête sur la cuisine : hypothèses, résultats, tendances" (par un
           collectif d'instituteurs de Saint-Leu, réd. D. Baggioni), p. 17-29, in
           Cuisines/identités (éd. Daniel Baggioni, Jean-Claude Carpanin
           Marimoutou), Université de la Réunion, 1988, 200 p., ill., bibliogr.

3-364   FIOUX Paule : "La Visualisation relais d'apprentissage d'une
           syntaxe fondamentale du français en production écrite : étude de
           cas, public scolaire réunionnais, élèves de seconde, niveau faible :
           recherche d'une rationalité didactique".
           (Th. nouv. rég. : Linguist. : Paris 3.)

3-365   FUMA Sudel : "Le Syndrome de l'esclave : fiction ou réalité à la
           Réunion", Revue du Cercle généalogique de Bourbon, janvier 1988,
           p. 415-417.

3-366   GALAN Jean-Yves : "Activité d'un secteur psychiatrique dans le
           département de la Réunion : approche transculturelle".
           (Th. : Méd. : Montpellier 1 : 1988.)

3-367 GAUTIER Arlette : "Les Politiques familiales et démographiques dans les départements français d'outre-mer", *Cahiers des sciences humaines*, vol. 24, n°3, 1988, p. 389-402, bibliogr.

3-368 GHASARIAN Christian : *Introduction à l'étude de la parenté et de l'organisation sociale*, Université de la Réunion, 1988, 55 p.

3-369 GHASARIAN Christian : "Salazie : espace quotidien d'un village des Hauts de la Réunion", p. 1-37, in *Rôles & enjeux : approches d'anthropologie généralisée*, Service des publications de l'Université de la Réunion, 1988, 306 p., ill.

3-370 GICQUEL Sophie : "Etat actuel du paludisme à l'île de la Réunion".
(Th. : Pharm. : Angers : 1988.)

3-371 GREBILLE Luc : "Projections de population en l'an 2000", *L'Economie de la Réunion*, n°34, 1988, p. 2-14. [Réunit deux articles : "Population réunionnaise en l'an 2000 : les jeunes d'aujourd'hui... les adultes de demain" et "Population active : trouver 100 000 emplois nouveaux d'ici l'an 2000".]

3-372 HERMANN Marc : "Les Combats de coqs à l'île de la Réunion : rite ou passe-temps ?", p. 39-56, in *Rôles & enjeux : approches d'anthropologie généralisée*, Service des publications de l'Université de la Réunion, 1988, 306 p., 1988, ill.

3-373 INSTITUT DE FORMATION A L'ANIMATION DE LA REUNION : *La Population de l'Etang-Salé en 1987* (étude réalisée par les stagiaires de l'IFAR, sous la dir. de Lucien Trichaud), 1988, 96 p. ill.

3-374 LEFEVRE Françoise, PASQUET Catherine : *Fécondité et familles à la Réunion : situation et dynamique*, Observatoire départemental de la Réunion, 1988, 32 p. (Etudes et synthèses / O.D.R. ; septembre 1988 [n°0]). [Article de synthèse tiré du rapport *Etude générale sur la fécondité et les unions à la Réunion*, Conseil général de la Réunion, 1987.]

3-375 LEMAIRE Micheline : *«Merci Madame, je suis guéri» : Madame Visnelda*, Flash 3 (Bras-Panon, Réunion), 1988, 214 p., ill.

3-376 LESPINE Thierry : "Les Tentatives de suicide à la Réunion : un phénomène de société insulaire".
(Th. : Méd. : Lyon 1 : 1988.)

3-377 *Luxe et pauvreté*, Observatoire départemental de la Réunion, 1988, 14 p. (La Note d'information de l'O.D.R. ; 2).

3-378 PARAIN Claude : *Enquête sur l'insertion professionnelle des jeunes à la Réunion* (avec la collab. de Guylène Radjama et Henri Lebon), Rectorat de la Réunion, 1988, 69 p.

3-379   PARAIN Claude : "Jeunes Réunionnais : une insertion profession-
         nelle difficile", *L'Economie de la Réunion*, n°35, 1988, p. 7-10, 19-
         21.

3-380   PASCAREL Catherine : "Diététique, traditions culinaires et hygiène
         alimentaire : le point de vue d'un médecin généraliste", p. 83-96, in
         Cuisines/identités (éd. Daniel Baggioni, Jean-Claude Carpanin
         Marimoutou), Université de la Réunion, 1988, 200 p., ill., bibliogr.

3-381   PASQUET Catherine, SQUARZONI René : *Les Femmes à la
         Réunion : une évolution impressionnante, une situation ambiguë*,
         Observatoire départemental de la Réunion, 1988, 50 p. (Etudes et
         synthèses / O.D.R. ; 1).

3-382   REVERZY Jean-François : "Chronique des transferts insulaires :
         esquisse des figures du double dans le monde indoocéanique",
         Nouvelle revue d'ethnopsychiatrie, n°11, 1988, p. 107-116

3-383   RISPAL-GABA Nicole : "Alternance codique et stabilité
         identitaire", p. 103-137, in *Cuisines/identités* (éd. Daniel Baggioni,
         Jean-Claude Carpanin Marimoutou), Université de la Réunion,
         1988, 200 p., ill., bibliogr.

3-384   ROBERT Jean-Louis : "Kitsch chaîne de l'identité", p. 181-186, in
         Cuisines/identités (éd. Daniel Baggioni, Jean-Claude Carpanin
         Marimoutou), Université de la Réunion, 1988, 200 p., ill., bibliogr.

3-385   ROBERT Jean-Louis : "«Z»", p. 179-180, in *Cuisines/identités* (éd.
         Daniel Baggioni, Jean-Claude Carpanin Marimoutou), Université de
         la Réunion, 1988, 200 p., ill., bibliogr.

3-386   "Santé (La) de la mère, de l'enfant et de l'adolescent à l'île de la
         Réunion", *La Revue de pédiatrie*, vol. 24, n°6 (n° spécial), juin-
         juillet 1988, p. 239-299.

1989

3-387   "Analphabétisme et illettrisme", *L'Economie de la Réunion*, n°42,
         1989, p. 3-20. [Réunit des articles de J.P. Colliez, Raoul Lucas, C. Parain,
         E. Cerneaux et M. Guittard.]

3-388   BAGGIONI Daniel : "Le Cache-cache d'une culture minorée et les
         lambeaux de l'identité perdue", p. 11-26, in *Formes-sens / identités*
         (éd. Jean-Claude Carpanin Marimoutou, Daniel Baggioni),
         Université de la Réunion, 1989, 209 p., bibliogr.

3-389   BARAT Christian : "Les Descendants des engagés indiens à la
         Réunion : l'affirmation d'une identité", *Revue Carbet*, n°9,1989, p.
         163-184.

3-390   BARAT Christian : *Nargoulan : culture et rites malbar à la Réunion : approche anthropologique*, Ed. du Tramail (Saint-Denis, Réunion), 1989, 479 p., ill., bibliogr., glossaire.

3-391   BENOIST Jean : "Le Mal réunionnais", *L'Espoir transculturel* (Réunion), 1989, p. 9-10.

3-392   BENOIST Jean : "La Réunion, après la plantation : quelques pistes pour l'interprétation d'un changement", p. 337-350, in *Fragments pour une histoire des économies et sociétés de plantation à la Réunion* (éd. Claude Wanquet), Publications de l'Université de la Réunion, 1989, 351 p.

3-393   *Collèges (Les) réunionnais*, Observatoire départemental de la Réunion, 1989, 14 p. (La Note d'information de l'O.D.R. ; 6).

3-394   *Collèges (Les) réunionnais : [catalogue]*, Observatoire départemental de la Réunion, 1989, 56 p. (Document O.D.R.).

3-395   COLLIEZ Jean Paul : "Population active et chômage en 1989", *L'Economie de la Réunion*, n°44, 1989, p. 2-12. [Réunit deux articles : "Population active de la Réunion", "Le Chômage à la Réunion".]

3-396   DION Michèle : "Grand-Ilet : une population blanche des Hauts de l'île de la Réunion", 244 p.
           (Th. : Démogr. hist. : Paris 5 : 1989.)

3-397   FOULON Alain : *Les Religions à la Réunion : le renouveau*, Médias-Création, G. Doyen, 1989, 272 p., ill.

3-398   GAYAN Sooryakanti : "Identités culturelles, cultures populaires et régionalisme : le cas des îles du sud-ouest de l'océan Indien", *Journal of Mauritian studies*, vol. 3, n°1, p. 59-66. (Texte d'une communication présentée à la conférence sur les "Perspectives de la coopération régionale dans les îles du sud-ouest de l'océan Indien", org. University of Mauritius et CEDREFI, 31 août-3 septembre 1988, Réduit.)

3-399   GERARD Gilles : "Peuplement humain et épidémies à l'île de la Réunion".
           (Th. : Méd. : Aix-Marseille 2 : 1989.)

3-400   HAMON Christine (Christine Berg-Hamon), LOPEZ Albert : "La Mortalité à la Réunion", *L'Economie de la Réunion,* n°41, 1989, p. 2-11.

3-401   JACOB Dominique : "L'Ile de la Réunion face au virus de l'immunodéficience humaine (VIH) : situation au 31 mars 1989".
           (Th. : Méd. : Strasbourg 1: 1989.)

3-402   *Jean-Paul II à la Réunion : et béatification du frère Scubilion : 1er et 2 mai 1989, île de la Réunion*, J. Hutin (Le Tampon, Réunion), 1989, 28 p., ill.

3-403   LALLEMAND Patrick : "Maternité chez l'adolescente réunionnaise: réflexions à partir de 200 dossiers".
(Th. : Méd. : Aix-Marseille 2 : 1989.)

3-404   LEFEBVRE Nicolas, GLUSZAK Eric : "Particularités du passage à l'acte suicidaire dans certains isolats ruraux du sud de la Réunion".
(Th. : Méd. : Lille 2 : 1989.)

3-405   LEFEVRE Françoise : *Les Etudiants boursiers départementaux de la Réunion : profil et cursus universitaire des bénéficiaires d'aides financières directes*, Observatoire départemental de la Réunion, 47 p. (Etudes et synthèses / O.D.R. ; 2).

3-406   LEGUEN Marcel : *Le Maître d'école du Tévé-Lava : esquisses réunionnaises*, Ed. L'Harmattan (Paris), 1989, 179 p.

3-407   MANCHE Eric : "Place de l'artane dans les toxicomanies de l'île de la Réunion".
(Th. : Méd. : Aix-Marseille 2 : 1989.)

3-408   NOIR de CHAZOURNES Philippe : "Intérêt d'un centre de transplantation rénale à l'île de la Réunion : bilan des trois premières années", 171 p.
(Th. : Méd. : Grenoble : 1989.)

3-409   PARAIN Claude : "La Scolarité des filles et des garçons : meilleure formation des jeunes filles mais moins bonne insertion professionnelle", *L'Economie de la Réunion*, n°40, 1989, p. 2-7.

3-410   REUNION. Délégation régionale des droits de la femme. : *Femmes en chiffres : Réunion*, 1989.

3-411   REUNION. Institut national de la statistique et des études économiques : *Enquête Conditions de vie 1988-1989 : formation, analphabétisme* (enquête CAFOC [Centre académique de formation continue] / INSEE ; dossier réalisé par J.P. Colliez), 1989, 95-19 p. (Les Dossiers de l'économie réunionnaise ; 10).

3-412   REUNION. Office national d'information sur les enseignements et les professions (Délégation régionale) : *Elles ont osé... et après ? : enquête auprès des jeunes filles scolarisées dans les formations scientifiques et technologiques industrielles de l'Académie de la Réunion* (réd. par Eliane Wolff), 1989, 56 p. illl.

3-413   REVERZY Jean-François : "Le Trésor du tambour : identification et significations", p. 67-74, in *Formes-sens / identités* (éd. Jean-Claude Carpanin Marimoutou, Daniel Baggioni), Université de la Réunion, 1989, 209 p., bibliogr.

3-414   SQUARZONI René, HOAREAU Béatrice : *Le Revenu minimum d'insertion à la Réunion en fin 1989 : éléments pour un premier bilan*, Observatoire départemental de la Réunion, 1989, 27 p. (Etudes et synthèses / O.D.R. ; 5).

3-415   TREGUIER Olivier : "L'Ouverture d'un centre de santé mentale à Saint-Pierre, île de la Réunion". (Th. : Méd. : Rennes 1 : 1989.)

3-416   WOLFF Eliane : "Les Jeunes filles dans les formations traditionnellement masculines : elles ont osé...et après?", *L'Economie de la Réunion*, n°40, 1989, p. 8-12, 17-21.

3-417   WOLFF Eliane : *Quartiers de vie : approche ethnologique des populations défavorisées de l'île de la Réunion*, CIIRF-ARCA ; Université de la Réunion, 1989, 207 p., ill., bibliogr.

1990

3-418   ALBER Jean-Luc, CARAYOL Michel : "Analyse d'une enquête ethnolinguistique à la Réunion : l'histoire d'un reproche", p. 129-144, bibliogr., in *Vivre au pluriel : production sociale des identités à l'île Maurice et à l'île de la Réunion* (éd. Jean-Luc Alber), Université de la Réunion, 1990, 183 p.

3-419   ANDOCHE Jacqueline : "Le Double récit *sorcier* : mythe et réalité dans l'approche de la maladie mentale à la Réunion : étude ethnologique", p. 181-183, in *L'Eternel jamais : entre le tombeau et l'exil : anthropologie* (éd. Jean-François Reverzy, Christian Barat), INSERM ; Ed. L'Harmattan (Paris), 1990, 219 p. (*L'Espoir transculturel : actes du colloque de Saint-Gilles de la Réunion, juillet 1988* ; 3).

3-420   ANDOCHE Jacqueline, REVERZY Jean-François : "Pathologie mentale et communauté musulmane à la Réunion", p. 97-103, in *Cultures, exils et folies dans l'océan Indien* (éd. Jean-François Reverzy), INSERM ; Ed. L'Harmattan (Paris), 1990, 263 p. (*L'Espoir transculturel : actes du colloque de Saint-Gilles de la Réunion, juillet 1988* ; 1).

3-421   AYOUN Patrick : "L'Autre entre le code et le corps", p. 129-135, bibliogr., in *Cultures, exils et folies dans l'océan Indien* (éd. Jean-François Reverzy), INSERM ; Ed. L'Harmattan (Paris), 1990, 263 p. (*L'Espoir transculturel : actes du colloque de Saint-Gilles de la Réunion, juillet 1988* ; 1).

3-422   BARAT Christian : "Classification et typification dans un contexte multiculturel", p. 79-81, in *Ile et fables : paroles de l'Autre, paroles du Même : linguistique, littérature, psychanalyse* (éd. Jean-François

Reverzy, Jean-Claude Carpanin Marimoutou), INSERM ; Ed. L'Harmattan (Paris), 1990, 180 p. (*L'Espoir transculturel : actes du colloque de Saint-Gilles de la Réunion, juillet 1988* ; 2).

3-423   BENOIST Jean : "Recherche et psychiatrie dans l'océan Indien", p. 251-254, in *Cultures, exils et folies dans l'océan Indien* (éd. Jean-François Reverzy), INSERM ; Ed. L'Harmattan (Paris), 1990, 263 p. (*L'Espoir transculturel : actes du colloque de Saint-Gilles de la Réunion, juillet 1988* ; 1).

3-424   BERNABE Michèle : "Tentatives de suicide et dépendances : étude clinique et réflexions psychopathologiques à partir d'une expérience réunionnaise".
(Th. : Méd. : Strasbourg 1 : 1990.)

3-425   BIAYS Sophie : "De la lutte à l'éradication du paludisme : l'exemple de l'île de la Réunion"
(Th. : Méd. : Rennes 1 : 1990.)

3-426   BOITARD Olivier : "Approche de la magie aux Antilles et à la Réunion", p. 185-190, bibliogr., in *L'Eternel jamais : entre le tombeau et l'exil : anthropologie* (éd. Jean-François Reverzy, Christian Barat), INSERM ; Ed. L'Harmattan (Paris), 1990, 219 p. (*L'Espoir transculturel : actes du colloque de Saint-Gilles de la Réunion, juillet 1988* ; 3).

3-427   BOYER Céline : *L'Enfant réunionnais à l'école maternelle*, Ed. du Tramail (Saint-Denis, Réunion), 298 p. [Version remaniée de la th. de 3e cycle soutenue en 1988.]

3-428   CATTEAU Pierre, DUVAL Gilbert : "Mort handicap exclusion : métamorphose des formes culturelles de la mort à la Réunion", p. 19-23, in *L'Eternel jamais : entre le tombeau et l'exil : anthropologie* (éd. Jean-François Reverzy, Christian Barat), INSERM ; Ed. L'Harmattan (Paris), 1990, 219 p. (*L'Espoir transculturel : actes du colloque de Saint-Gilles de la Réunion, juillet 1988* ; 3).

3-429   CELLIER Pierre : "Le Discours de la *kriz* dans la société réunionnaise et la production sociale d(es) identité(s)", p. 83-98, bibliogr., in *Vivre au pluriel : production sociale des identités à l'île Maurice et à l'île de la Réunion* (éd. Jean-Luc Alber), Université de la Réunion, 1990, 183 p.

3-430   CHANE Paul : "Origine du peuplement chinois à l'île de la Réunion", 6-130 p.
(Th. : Méd. : Aix-Marseille 2 : 1990.)

3-431   CHAPUIS Edouard : "La Réunion, société multi-ethnique", *Revue Madagascar, Océan Indien*, n°01, 1990, p. 106-114.

3-432   CHATELAIN Marie-Claire, MORVILLE Yolaine : *Les Naissances à la Réunion en 1988 : analyse en fonction de la commune de résidence de la mère*, Observatoire départemental de la Réunion, 1990, [27] p. (Document O.D.R.).

3-433   CHAUDENSON Robert : "Créolisation linguistique, créolisation culturelle", *Etudes créoles*, vol. 12, n°1, 1989 [publié en 1990] (Actes du 6e Colloque international des études créoles, 1989, Cayenne), p. 53-73. [Texte faisant notamment référence à la culture créole réunionnaise.]

3-434   DESCHAMPS Jean-Claude, DORAI Mohamed : "Quelques repères pour l'étude des relations entre groupes", p. 163-174, bibliogr., in *Vivre au pluriel : production sociale des identités à l'île Maurice et à l'île de la Réunion* (éd. Jean-Luc Alber), Université de la Réunion, 1990, 183 p.

3-435   DONNET Chantal : "Evolution des structures de soin à la Réunion", p. 59-63, in *Cultures, exils et folies dans l'océan Indien* (éd. Jean-François Reverzy), INSERM ; Ed. L'Harmattan (Paris), 1990, 263 p. (*L'Espoir transculturel : actes du colloque de Saint-Gilles de la Réunion, juillet 1988* ; 1).

3-436   DUVAL Gilbert : "Suicides, tentatives de suicide, violences à la Réunion", p. 89-98, in *L'Eternel jamais : entre le tombeau et l'exil : anthropologie* (éd. Jean-François Reverzy, Christian Barat), INSERM ; Ed. L'Harmattan (Paris), 1990, 219 p. (*L'Espoir transculturel : actes du colloque de Saint-Gilles de la Réunion, juillet 1988* ; 3).

3-437   *Education, personnalité, responsabilité* (communications au colloque des 10,11,12 juillet 1990, à Saint-Denis de la Réunion, org. Comité de la culture, de l'éducation et de l'environnement, Région Réunion), 1990, 1 dossier [Contient 1 fasc "Schéma d'organisation", 1 liste des invités, 20 textes de comunications ou documents divers.]

3-438   EVE Prosper : "Quelques considérations sur le thème du *grand voyage* à la Réunion : de la veillée mortuaire aux âmes errantes et à leur manipulation", p. 33-56, in *L'Eternel jamais : entre le tombeau et l'exil : anthropologie* (éd. Jean-François Reverzy, Christian Barat), INSERM ; Ed. L'Harmattan (Paris), 1990, 219 p. (*L'Espoir transculturel : actes du colloque de Saint-Gilles de la Réunion, juillet 1988* ; 3).

3-439   GAUTHIER Dominique : "Pour une approche de la nosologie psychiatrique à la Réunion", p. 71-75, bibliogr., in *Cultures, exils et folies dans l'océan Indien* (éd. Jean-François Reverzy), INSERM ; Ed. L'Harmattan (Paris), 1990, 263 p. (*L'Espoir transculturel : actes du colloque de Saint-Gilles de la Réunion, juillet 1988* ; 1).

3-440 GHASARIAN Christian : "Honneur, chance et destin : ethos traditionnel et modernité dans le milieu malabar de la Réunion". (Th. nouv. rég. : Anthropol. : Réunion : 1990.)

3-441 GHASARIAN Christian : "Indianité à la Réunion : gestion d'une double identité", p. 99-107, bibliogr., *in Vivre au pluriel : production sociale des identités à l'île Maurice et à l'île de la Réunion* (éd. Jean-Luc Alber), Université de la Réunion, 1990, 183 p.

3-442 GOVINDAMA Yolande : "La Fonction symbolique du culte de la déesse *Petiaye* dans la mentalité des femmes hindoues de la Réunion", p. 157-162, *in Cultures, exils et folies dans l'océan Indien* (éd. Jean-François Reverzy), INSERM ; Ed. L'Harmattan (Paris), 1990, 263 p. (*L'Espoir transculturel : actes du colloque de Saint-Gilles de la Réunion, juillet 1988* ; 1).

3-443 HOAREAU Béatrice, LŒWENHAUPT Claudine : *Les Bénéficiaires réunionnais du RMI : formation et emploi, les bases de l'insertion*, Observatoire départemental de la Réunion, 1990, 14 p. (La Note d'information de l'O.D.R. ; 13).

3-444 HONORE Daniel : *Granmoun la di : proverbes réunionnais*, Ed. UDIR (Saint-Denis), 1990, 181 p.

3-445 HOPITAL INTERCOMMUNAL FRED ISAUTIER, Saint-Pierre : *Servis 4 kouler : rapport public annuel de fonctionnement 1990* (Psychiatrie générale, secteur n°3 ; réd. Jean-François Reverzy), 1990, 109 p. multigr., ill.

3-446 INCIYAN Erich : "L'Ile de la Réunion sous la loupe", *Le Monde de l'éducation*, n°167, janv. 1990, p. 46-51. [Réunit trois articles sur le système éducatif, l'Université de la Réunion et la langue créole.]

3-447 LACPATIA Firmin : "Le *Joint familial* ou Famille élargie à la Réunion", p. 131-139, *in L'Eternel jamais : entre le tombeau et l'exil : anthropologie* (éd. Jean-François Reverzy, Christian Barat), INSERM ; Ed. L'Harmattan (Paris), 219 p. (*L'Espoir transculturel : actes du colloque de Saint-Gilles de la Réunion, juillet 1988* ; 3).

3-448 LAURET Daniel : "Créole et école : réalités et perspectives", p. 111-123, bibliogr., *in Ile et fables : paroles de l'Autre, paroles du Même : linguistique, littérature, psychanalyse* (éd. Jean-François Reverzy, Jean-Claude Carpanin Marimoutou), INSERM ; Ed. L'Harmattan (Paris), 1990, 180 p. (*L'Espoir transculturel : actes du colloque de Saint-Gilles de la Réunion, juillet 1988* ; 2).

3-449 LEFEVRE Françoise, SQUARZONI René : *Les Jeunes Réunionnais et la lecture : enquêtes en CM2, troisième, terminale, niveau licence*, Observatoire départemental de la Réunion, 1990, 51 p. (Etudes et synthèses / O.D.R. ; 9).

3-450　　MARTIN Stéphanie : "Le Troisième âge réunionnais".
　　　　　(Th. : Méd. : Toulouse 3 : 1990.)

3-451　　METTON Jean-Paul : "Contribution à l'étude de la psychiatrie à l'île
　　　　　de la Réunion : les particularités de la consultation en milieu
　　　　　créole".
　　　　　(Th. : Méd. : Paris 6, Saint-Antoine : 1990.)

3-452　　MORO Marie-Rose : "L'Enfant «deux fois né» : apport de la
　　　　　mythologie à l'analyse de la psychopathologie des enfants de l'exil",
　　　　　p. 137-144, bibliogr., in *Cultures, exils et folies dans l'océan Indien*
　　　　　(éd. Jean-François Reverzy), INSERM ; Ed. L'Harmattan (Paris),
　　　　　1990, 263 p. (*L'Espoir transculturel : actes du colloque de Saint-
　　　　　Gilles de la Réunion, juillet 1988* ; 1).

3-453　　MORVILLE Yolaine : *Les Budgets des étudiants réunionnais*,
　　　　　Observatoire départemental de la Réunion, 1990, 14 p. (La Note
　　　　　d'information de l'O.D.R. ; 11).

3-454　　MORVILLE Yolaine : *Les Décès et les conceptions à la Réunion :
　　　　　une saisonnalité en évolution significative de 1950 à nos jours*,
　　　　　Observatoire départemental de la Réunion, 1990, 14 p. (La Note
　　　　　d'information de l'O.D.R. ; 9).

3-455　　MORVILLE Yolaine, SQUARZONI René : *Les Enseignants à la
　　　　　Réunion : évolution et perspectives*, Observatoire départemental de
　　　　　la Réunion, 1990, 14 p. (La Note d'information de l'O.D.R. ; 14).

3-456　　PAVAGEAU Colette : "Recensement : évolutions spatiales",
　　　　　L'Economie de la Réunion, n°49, 1990, p. 14-17.

3-457　　PAYET Geneviève : "La Réunion, la famille et l'enfant : leur
　　　　　histoire", p. 113-128, in *Cultures, exils et folies dans l'océan Indien*
　　　　　(éd. Jean-François Reverzy), INSERM ; Ed. L'Harmattan (Paris),
　　　　　1990, 263 p. (*L'Espoir transculturel : actes du colloque de Saint-
　　　　　Gilles de la Réunion, juillet 1988* ; 1).

3-458　　PAYET Louis : "Pratique quotidienne en psychiatrie de ville à la
　　　　　Réunion", p. 65-69, in *Cultures, exils et folies dans l'océan Indien*
　　　　　(éd. Jean-François Reverzy), INSERM ; Ed. L'Harmattan (Paris),
　　　　　1990, 263 p. (*L'Espoir transculturel : actes du colloque de Saint-
　　　　　Gilles de la Réunion, juillet 1988* ; 1).

3-459　　PENAVAYRE Sylvie : "Le Suicide à l'île de la Réunion : étude
　　　　　épidémiologique sur douze mois en comparaison avec l'île de la
　　　　　Martinique et la métropole".
　　　　　(Th. : Méd. : Bordeaux 2 : 1990.)

3-460　　PIERRE Xavier : "Alcoolisme à la Réunion : évaluation synthétique
　　　　　des modes de prise en charge".
　　　　　(Th. : Méd. : Rennes 1 : 1990.)

3-461   RENAUDIERE de VAUX Joseph Frédéric Hugues : "Actualités du paludisme à la Réunion".
(Th. : Méd. : Aix-Marseille 2 : 1990.)

3-462   REVERZY Jean-François : "L'Envers du volcan : approches d'anthropologique psychanalytique des positions et des registres du symptôme-suicide à l'île de la Réunion", p. 99-108, bibliogr., in *L'Eternel jamais : entre le tombeau et l'exil : anthropologie* (éd. Jean-François Reverzy, Christian Barat), INSERM ; Ed. L'Harmattan (Paris), 1990, 219 p. (*L'Espoir transculturel : actes du colloque de Saint-Gilles de la Réunion, juillet 1988* ; 3).

3-463   REVERZY Jean-François : "Feuilles de songes : chroniques du transfert insulaire", p. 17-32, bibliogr., in *Ile et fables : paroles de l'Autre, paroles du Même : linguistique, littérature, psychanalyse* (éd. Jean-François Reverzy, Jean-Claude Carpanin Marimoutou), INSERM ; Ed. L'Harmattan (Paris), 1990, 180 p. (*L'Espoir transculturel : actes du colloque de Saint-Gilles de la Réunion, juillet 1988* ; 2).

3-464   REVERZY Jean-François : "Santé mentale et communauté réunionnaise : place des alternatives", p. 77-96, in *Cultures, exils et folies dans l'océan Indien* (éd. Jean-François Reverzy), INSERM ; Ed. L'Harmattan (Paris), 1990, 263 p. (*L'Espoir transculturel : actes du colloque de Saint-Gilles de la Réunion, juillet 1988* ; 1).

3-465   SAINT-OMER Franswa : "Essai d'analyse des effets de la domination linguistique française et ses conséquences psycho-pathologiques à la Réunion", p. 125-133, bibliogr., in *Ile et fables : paroles de l'Autre, paroles du Même : linguistique, littérature, psychanalyse* (éd. Jean-François Reverzy, Jean-Claude Carpanin Marimoutou), INSERM ; Ed. L'Harmattan (Paris), 1990, 180 p. (*L'Espoir transculturel : actes du colloque de Saint-Gilles de la Réunion, juillet 1988* ; 2). [P. 129-132, transposition de la communication en créole.]

3-466   SIMONIN Jacky : *Elève de CP à la Réunion (quartier de la Cressonière-Saint-André) : étude de perceptions parentales : rapport d'étape n°2*, 1990, 165 p. multigr.

3-467   SIMONIN Jacky : "*Il faut pas qu'on voie les fesses...* : premier petit essai sur la mode à la Réunion", p. 145-161, bibliogr., in *Vivre au pluriel : production sociale des identités à l'île Maurice et à l'île de la Réunion* (éd. Jean-Luc Alber), Université de la Réunion, 1990, 183 p.

3-468   SPILMAN Catherine : "Sorcellerie et frayeur à l'île de la Réunion", *Nouvelle revue d'ethno-psychiatrie*, n°15, 1990, p. 183-194.

3-469   SQUARZONI René : "Le Secteur de la santé à la Réunion : une contribution importante à la transformation radicale d'un département d'outre-mer", p. 41-57, in *Cultures, exils et folies dans l'océan Indien* (éd. Jean-François Reverzy), INSERM ; Ed. L'Harmattan (Paris), 1990, 263 p. (*L'Espoir transculturel : actes du colloque de Saint-Gilles de la Réunion, juillet 1988* ; 1).

3-470   VENTADOUX Yvon : "Enquête sur la sexualité des adolescents réunionnais, âgés de 14 à 18 ans, scolarisés dans le second degré : juin juillet 1989".
(Th. : Méd. : Toulouse 3 : 1990.)

3-471   WATIN Michel : "*Status* et identité professionnelle : le cas des techniciens-enseignants", p. 109-127, bibliogr., in *Vivre au pluriel : production sociale des identités à l'île Maurice et à l'île de la Réunion* (éd. Jean-Luc Alber), Université de la Réunion, 1990, 183 p.

1991

3-472   BAILLET Anne : "Epidémiologie des tentatives de suicide à la Réunion".
(Th. : Méd. : Nancy 1 : 1991..)

3-473   BAYARD Carol : "Une Structure intermédiaire à la Réunion : la ferme thérapeutique de Tan Rouge".
(Th. : Méd. : Aix-Marseille 2 : 1991.)

3-474   BENOIST Jean : "La Médecine traditionnelle", p. 225-240, in *Encyclopédie médicale de la Réunion*, Larousse (Paris), 1991.

3-475   CIMBARO Philippe : "Un petit siècle et puis s'en va...: mortalité et espérance de vie", *L'Economie de la Réunion*, n°55, 1991, p. 12-17.

3-476   COHEN Patrice : *Etude de la consommation des bénéficiaires réunionnais du R.M.I. : le foyer de Roger et Sandrine*, Observatoire départemental de la Réunion, 1991, 65 p. (Document O.D.R.).

3-477   COHEN Patrice : *Etude de la consommation des bénéficiaires réunionnais du R.M.I. : le foyer monoparental de Béatrice*, Observatoire départemental de la Réunion, 1991, 64 p. (Document O.D.R.).

3-478   COLLIEZ Jean-Paul : "Incertitude sur la baisse de la fécondité", *L'Economie de la Réunion*, n°55, 1991, p. 4-11.

3-479   COLLIEZ Jean-Paul : "La Migration : croissance du courant issu de l'hexagone", *L'Economie de la Réunion*, n°53, 1991, p. 22-28.

3-480   *Education (L') sexuelle sans tabou* (éd. par la Cellule Epidémio-logie, prévention et éducation pour la santé, Conseil général), [1991 (?], 46 p., ill.

3-481   GAPAIS Etienne : "Du revenu minimum à l'insertion : les RMIstes à travers les fichiers de la CAF et de la DDASS", *L'Economie de la Réunion*, 1991, n°54, p. 19-24.

3-482   JOUHANNEAU Dominique-Gilbert : *La Médecine des plantes aromatiques : phyto-aromathérapie et huiles essentielles de l'océan Indien*, Ed. du Tramail (Saint-Denis), 153 p., ill.

3-483   JOURNEAUX Sophie : "Les I.V.G. (interruptions volontaires de grossesse) à l'île de la Réunion : à propos d'une d'étude faite au centre hospitalier départemental de la Réunion".
(Th. : Méd. : Aix-Marseille 2 : 1991.)

3-484   MAZZAGGIO Huguette : *Les Mariages à la Réunion en 1990*, Observatoire départemental de la Réunion, 1991, 86 p. (Etudes et synthèses / O.D.R. ; 14).

3-485   MEROUEH MOULEMAN Patricia, MEROUEH Fadi : "Le Cancer à la Réunion : épidémiologie et perspectives d'actions en santé publique : registres 1988-1989"
(Th. : Méd. Tours : 1991.)

3-486   MORVILLE Yolaine : *Les Lauréats du DEUG en 1990 à l'université de la Réunion*, Observatoire départemental de la Réunion, 1991, 18 p. (La Note d'information de l'O.D.R.; 18).

3-487   PARAIN Claude : "Amener à l'emploi des jeunes sans formation de base : la gageure de l'apprentissage", *L'Economie de la Réunion*, n°56, 1991, p. 13-19.

3-488   PARAIN Claude, CHEVILLON Myriam : "Nette amélioration du niveau de formation des jeunes depuis 1985", *L'Economie de la Réunion*, n°56, 1991, p. 2-7.

3-489   PAVAGEAU Colette : "Bien évaluer l'enjeu démographique", *L'Economie de la Réunion*, 1991, n°55, p. 2-3.

3-490   PERRIN Martine : "La Condition féminine à la Réunion : marmailles, travail, aïe, aïe, aïe...", *L'Economie de la Réunion*, n°59, 1991, p. 14-.16.

3-491   PONTUAL (de) CATHALA Françoise, PONTUAL (de) Bertrand : "Tentatives de suicide à la Réunion : étude épidémiologique".
(Th. : Méd. : Paris 6, Saint-Antoine : 1991.)

3-492   POUZET Maurice : *Parcours et insertion des étudiants réunion-nais : étude sur six ans d'une cohorte en première inscription en 1984 à l'université de la Réunion,* Observatoire départemental de la Réunion, 1991, 80 p. (Etudes et synthèses / O.D.R. ; 15).

3-493   REDON Jean-François : "La Médicalisation des secours dans le cirque de Mafate (île de la Réunion)".
(Th. : Méd. : Rouen : 1991.)

3-494   RIBOT Béatrice : "Un Isolat à l'île de la Réunion : problèmes parasitologiques, protozooses et helminthiases digestives".
(Th. : Méd. : Aix-Marseille 2 : 1991.)

3-495   SQUARZONI René : *Le RMI à la Réunion : une contribution majeure à l'atténuation de difficultés sociales anciennes et intenses,* Observatoire départemental de la Réunion, 1991, 22 p. (La Note d'information de l'O.D.R. ; 16).

                                                         1992-(1993)

3-496   ANDOCHE Jacqueline : "De la Dépossession culturelle à l'accumu-lation d'un capital souffrance : conduites suicidaires et reproduction sociale dans un groupe de Petits Blancs de la Réunion : questions de méthode autour d'une enquête ethnographique", p. 57-74, in *Suicides et tentatives de suicide à la Réunion : épidémiologie, anthropologie, abord socio-culturel, essai de prévention,* INSERM ; Lémuria (Réunion),1992, 352 p.

3-497   BAILLET Anne, CATTEAU Christine, DUVAL Gilbert : "Suicides et tentatives de suicide à la Réunion", p. 111-145 in *Suicides et tentatives de suicide à la Réunion : épidémiologie, anthropologie, abord socio-culturel, essai de prévention,* INSERM ; Lémuria (Réunion), 1992, 352 p.

3-498   BAKKER M.L. : "A Comparison of demographic and socio-economic trends and the role of development, family planning and other factors in the fertility transition of Reunion and Fidji", p. 306-349, in *Fécondité, insularité* (actes du colloque international, Saint-Denis de la Réunion, 11-15 mai 1992), Conseil général de la Réunion ; diff. AFI (Saint-Denis), 1993, 2 vol., 1101 p.

3-499   BENOIST Jean : *Anthropologie médicale en société créole,* Presses universitaires de France (Paris), 1993, 286 p. (Les Champs de la santé).

3-500   BENOIST Jean, GERBEAU Hubert : "Iles, groupes, frontières : quelques aspects du cadre social de la communication dans l'océan Indien occidental", p. 376-393, in *Fécondité, insularité* (actes du colloque international, Saint-Denis de la Réunion, 11-15 mai 1992),

Conseil général de la Réunion ; diff. AFI (Saint-Denis), 1993, 2 vol., 1101 p.

3-501 BENSOUSSAN Patrick : "Clinique des tentatives de suicide chez l'adolescent à l'île de la Réunion", p. 179-191 in *Suicides et tentatives de suicide à la Réunion : épidémiologie, anthropologie, abord socio-culturel, essai de prévention*, INSERM ; Lémuria (Réunion), 1992, 352 p.

3-502 BIROT Elisabeth : "Psychopathologie des conduites suicidaires des adolescents et post adolescents", p. 167-178 in *Suicides et tentatives de suicide à la Réunion : épidémiologie, anthropologie, abord socio-culturel, essai de prévention*, INSERM ; Lémuria (Réunion), 1992, 352 p.

3-503 CATTEAU Christine : "Guadeloupe, Martinique, Maurice, Réunion : quatre îles sœurs dans la transition démographique", *Economie de la Réunion*, n°62, 1992, p. 10-13.

3-504 CATTEAU Christine : "L'Interruption volontaire de grossesse à la Réunion", p. 1027-1042, in *Fécondité, insularité* (actes du colloque international, Saint-Denis de la Réunion, 11-15 mai 1992), Conseil général de la Réunion ; diff. AFI (Saint-Denis), 1993, 2 vol., 1101 p.

3-505 CATTEAU Christine, HAUTCŒUR Jean-Claude, SQUARZONI René : "Le R.M.I. à la Réunion : une famille sur quatre en bénéficie", *Economie et statistique*, n°252, mars 1992, p. 51-62.

3-506 CATTEAU Christine, COLLIEZ Jean-Paul, ORY Catherine : "Transition démographique et fécondité à la Réunion : situation et perspectives", p. 89-131, in *Fécondité, insularité* (actes du colloque international, Saint-Denis de la Réunion, 11-15 mai 1992), Conseil général de la Réunion ; diff. AFI (Saint-Denis), 1993, 2 vol., 1101 p.

3-507 CHAUDENSON Robert : "Mulâtres, métis, créoles...", t. 2, p. 23-37, in *Métissages* (actes du colloque international de Saint-Denis de la Réunion, 2-7 avril 1990), L'Harmattan (Paris), 1992, 2 vol. [T. 1, *Littérature-histoire* (textes réunis par Jean-Claude Carpanin Marimoutou et Jean-Michel Racault), 304 p. (Cahiers CRLH-CIRAOI ; 7.). T. 2, *Linguistique et anthropologie* (textes réunis par Jean-Luc Alber, Claudine Bavoux et Michel Watin), 323 p.]

3-508 CIMBARO Philippe, PERRIN Dominique : "Dans le Sud, un enfant sur dix-huit s'appelle Payet", *Economie de la Réunion*, n°64, 1993, p. 2-5.

3-509 CIMBARO Philippe : "Flambée de délinquance en 1991", *Economie de la Réunion*, n°64, 1993, p. 6-7.

3-510   CIMBARO Philippe : "Malgré une aggravation certaine la délin-
         quance reste peu fréquente", *L'Economie de la Réunion*, n°58, 1992,
         p. 2-10.

3-511   CIMBARO Philippe : "Les Personnes agées... *dann tan lontan* à l'an
         2000", *Economie de la Réunion*, n°66, 1993, p. 12-15.

3-512   CIMBARO Philippe, PERRIN Dominique : "Les Prénoms : je vous
         salue.. Marie", *Economie de la Réunion*, n°60, 1992, p. 16-19.

3-513   COHEN Patrice : *Etude de la consommation des bénéficiaires
         réunionnais du R.M.I. : le foyer de Denise et Marcel, le foyer de
         Noéline et ses filles*, Observatoire départemental de la Réunion
         (Saint-Denis), 1992, 86 p. (Document O.D.R.).

3-514   COHEN Patrice : *Etude de la consommation des bénéficiaires
         réunionnais du R.M.I. : le foyer de Rufine et Max : le R.M.I. ou
         l'équilibre inespéré, le foyer de Suzanne et Raphaël : le R.M.I.,
         facteur de stabilité*, Observatoire départemental de la Réunion
         (Saint-Denis), 1992, 85 p. (Document O.D.R.).

3-515   COHEN Patrice : *Impact du R.M.I. sur la consommation de foyers
         ruraux à la Réunion*, Observatoire départemental de la Réunion,
         1992, 69 p., (Etudes et synthèses / O.D.R. ; 18).

3-516   COHEN Patrice : "La Réunion, une île entre nourriture et
         nourritures : approche anthropologique et bioculturelle de
         l'alimentation ", 3 vol., 2-VIII-664-18-102 p., bibliogr., lexique, ann.
         (Th. : Sci. : Aix-Marseille 3 : 1993.)

3-517   COLLIEZ Jean-Paul : "Au rythme de croissance actuelle, 100 000
         Réunionnais de plus dans neuf ans", *L'Economie de la Réunion*,
         n°57, 1992, p. 2-9 (Dossier "La Réunion de l'an 2000").

3-518   COLLIEZ Jean-Paul : "Projections de population active : les jeunes
         et les femmes à l'assaut de l'emploi", *L'Economie de la Réunion*,
         n°57, 1992, p. 10-18 (Dossier "La Réunion de l'an 2000").

3-519   COMBES Jean-Claude, DEPERTAT Thierry : "Etre adolescente et
         fertile à la Réunion : problème individuel ou de société", p. 972-980,
         in *Fécondité, insularité* (actes du colloque international, Saint-Denis
         de la Réunion, 11-15 mai 1992), Conseil général de la Réunion ;
         diff. AFI (Saint-Denis), 1993, 2 vol., 1101 p.

3-520   COMBES Jean-Claude : "Interruption volontaire de grossesse chez
         les mineures à la Réunion", p. 1043-1048, in *Fécondité, insularité*
         (actes du colloque international, Saint-Denis de la Réunion, 11-15
         mai 1992), Conseil général de la Réunion ; diff. AFI (Saint-Denis),
         1993, 2 vol., 1101 p.

3-521   COMBES Jean-Claude : "Prise en charge des adolescents suici-
           dants : expérience de l'unité d'adolescents du CHD Bellepierre à
           Saint-Denis de la Réunion", p. 292-299 in *Suicides et tentatives de
           suicide à la Réunion : épidémiologie, anthropologie, abord socio-
           culturel, essai de prévention*, INSERM ; Lémuria (Réunion), 1992,
           352 p.

3-522   DELCOUR Denise : *Des Hommes et un volcan : vivre à la Réunion
           sur le Piton de la Fournaise*, Ed. Delcour (Impr. Lamy, Marseille),
           1993, 238 p., ill.

3-523   DION Michèle : "Grand-Ilet, île de la Réunion : un *isolat* dans une
           île", p. 511-530, in *Fécondité, insularité* (actes du colloque
           international, Saint-Denis de la Réunion, 11-15 mai 1992), Conseil
           général de la Réunion ; diff. AFI (Saint-Denis), 1993, 2 vol., 1101 p.

3-524   DUVAL Gilbert : "La Prévention au quotidien" (compte rendu des
           ateliers sur la prévention du suicide à la Réunion ; atelier n°2), p.
           317-322 in *Suicides et tentatives de suicide à la Réunion :
           épidémiologie, anthropologie, abord socio-culturel, essai de
           prévention*, INSERM ; Lémuria (Réunion), 1992, 352 p.

3-525   EVE Prosper : "Conceptions de la mort à la Réunion et suicide", p.
           219-239 in *Suicides et tentatives de suicide à la Réunion :
           épidémiologie, anthropologie, abord socio-culturel, essai de
           prévention*, INSERM ; Lémuria (Réunion), 1992, 352 p.

3-526   FIOUX Paule : *Enseigner le français à la Réunion,* Ed. du Tramail
           (Saint-Denis), 1993, 300 p.

3-527   FRANCE. Institut national de la statistique et des études écono-
           miques : *Recensement général de la population de 1990, population,
           activité, ménages : le département et ses pricipales communes : 974,
           Réunion*, INSEE (Paris), 1992, 177 p.

3-528   FUMA Sudel, POIRIER Jean : "Métissages, hétéroculture et identité
           culturelle : le *défi* réunionnais", t. 2, p. 49-65, in *Métissages* (actes
           du colloque international de Saint-Denis de la Réunion, 2-7 avril
           1990), L'Harmattan (Paris), 1992, 2 vol. [T. 1, *Littérature-histoire*
           (textes réunis par Jean-Claude Carpanin Marimoutou et Jean-Michel
           Racault), 304 p. (Cahiers CRLH-CIRAOI ; 7.). T. 2, *Linguistique et
           anthropologie* (textes réunis par Jean-Luc Alber, Claudine Bavoux et
           Michel Watin), 323 p.]

3-529   GHASARIAN Christian, SAVRIAMA Marie-Claire : "La Fécondité
           dans les familles indiennes de la Réunion", p. 617-625, in
           Fécondité, insularité (actes du colloque international, Saint-Denis
           de la Réunion, 11-15 mai 1992), Conseil général de la Réunion ;
           diff. AFI (Saint-Denis), 1993, 2 vol., 1101 p.

3-530   GHASARIAN Christian : *Honneur, chance et destin : la culture indienne à la Réunion* , L'Harmattan (Paris), 1992, 235 p. (Connaissance des hommes).

3-531   GOVINDAMA Yolande : "La Socialisation du corps et du regard chez l'enfant hindou de l'île de la Réunion : une étude ethno-psychiatrique".
(Th. nouv. rég. : Psychol. : Paris 5 : 1992.)

3-532   HAUTCŒUR Jean-Claude : "Migrations : les retours tardifs paraissent plus difficiles", *Economie de la Réunion*, n°64, 1993, p. 12-14.

3-533   HAUTCŒUR Jean-Claude : "Migrations : un emploi pour les hommes, le mariage pour les femmes", *Economie de la Réunion*, n°62, 1992, p. 2-5. [Les Réunionnais en métropole.]

3-534   HOAREAU Béatrice : *Les Bénéficiaires réunionnais du RMI : questions de santé et couverture sociale,* Observatoire départemental de la Réunion, 1992, 26 p. (La Note d'information de l'O.D.R. ; 19).

3-535   JOLY Anne-Marie : "Une Structure intermédiaire à la Réunion". [Ferme thérapeutique.]
(Th. : Méd. : Caen : 1992.)

3-536   LEVIN Michael J. : "Determinants of fertility in the island ecosystem", p. 30-65, in *Fécondité, insularité* (actes du colloque international, Saint-Denis de la Réunion, 11-15 mai 1992), Conseil général de la Réunion ; diff. AFI (Saint-Denis), 1993, 2 vol., 1101 p. [Pour la Réunion voir *passim.*]

3-537   LOPEZ Albert : "Départementalisation et anomie à la Réunion", p. 240-251 in *Suicides et tentatives de suicide à la Réunion : épidémiologie, anthropologie, abord socio-culturel, essai de prévention*, INSERM ; Lémuria (Réunion), 1992, 352 p.

3-538   *Manifeste pour un développement de la Réunion : réflexions et propositions d'action* (par une groupe d'inspiration humaniste et chrétienne), (Impr. I.G.R., Sainte-Clotilde),1992, 72 p.

3-539   MAZZAGGIO Huguette : *Les Divorces à la Réunion en 1990,* Observatoire départemental de la Réunion, 1992, 73 p. (Etudes et synthèses / O.D.R. ; 16).

3-540   MENKE Hede, CHOQUET Marie : "Signification des idées suicidaires des jeunes adolescents", p. 147-166 in *Suicides et tentatives de suicide à la Réunion : épidémiologie, anthropologie, abord socio-culturel, essai de prévention*, INSERM ; Lémuria (Réunion), 1992, 352 p.

3-541   MONIEZ-LEFEVRE Michèle : "Le Vécu de la grossesse au travers du discours de quelques jeunes mineures du sud de l'île" p. 996-1026, in *Fécondité, insularité* (actes du colloque international, Saint-Denis de la Réunion, 11-15 mai 1992), Conseil général de la Réunion ; diff. AFI (Saint-Denis), 1993, 2 vol., 1101 p.

3-542   MORLAS Guy, PAUGAM Colette, VERHILLE Luc : "Un Bilan de la planificatiopn familiale à la Réunion : l'AROF, une expérience originale", p. 777-823, in *Fécondité, insularité* (actes du colloque international, Saint-Denis de la Réunion, 11-15 mai 1992), Conseil général de la Réunion ; diff. AFI (Saint-Denis), 1993, 2 vol., 1101 p. [AROF = Association réunionnaise d'orientation familiale.]

3-543   MORVILLE Yolaine : "La Saisonnalité des conceptions à la Réunion", p. 219-229, in *Fécondité, insularité* (actes du colloque international, Saint-Denis de la Réunion, 11-15 mai 1992), Conseil général de la Réunion ; diff. AFI (Saint-Denis), 1993, 2 vol., 1101 p.

3-544   MOUSSA-ELKADHUM Ben Djaffar : "Transition démographique dans les îles du sud-ouest de l'océan Indien", p. 78-88, in *Fécondité, insularité* (actes du colloque international, Saint-Denis de la Réunion, 11-15 mai 1992), Conseil général de la Réunion ; diff. AFI (Saint-Denis), 1993, 2 vol., 1101 p. [Maurice, Réunion, Seychelles.]

3-545   PARAIN Claude, LARBAUT Claude : "L'Enseignement supérieur en pleine croisssance", *Economie de la Réunion*, n°65, 1993, p. 6-9.

3-546   PARAIN Claude, CHEVILLON Myriam : "La Réussite scolaire se joue sur les atouts familiaux", *Economie de la Réunion*, n°65, 1993, p. 10-15.

3-547   POMAREDE Renée : "Prévention du suicide en milieu scolaire" (compte rendu des ateliers sur la prévention du suicide à la Réunion ; atelier n°1), p. 307-316 in *Suicides et tentatives de suicide à la Réunion : épidémiologie, anthropologie, abord socio-culturel, essai de prévention*, INSERM ; Lémuria (Réunion), 1992, 352 p.

3-548   POMMEREAU Xavier : "l'Hôpital face au suicide" (compte rendu des ateliers sur la prévention du suicide à la Réunion ; atelier n°3), p. 323-327 in *Suicides et tentatives de suicide à la Réunion : épidémiologie, anthropologie, abord socio-culturel, essai de prévention*, INSERM ; Lémuria (Réunion), 1992, 352 p.

3-549   *Proverbes réunionnais : 715 proverbes et variantes* (réunis et analysés par Daniel Honoré), Ed. Page Libre (Réunion), 1992, 312 p.

3-550   REUNION. Comité économique et social : *Cadre de vie et environnement scolaire*, 1992, 31 p.

3-551   REUNION. Institut national de la statistique et des études écono-
         miques : *Panel de jeunes chômeurs 1986-1990 : enquête auprès de
         jeunes chômeurs inscrits à l'ANPE en 1986* (dossier réalisé par
         Laurent Martin et Jean-Paul Colliez), 1993, 290 p. (Les Dossiers de
         l'économie réunionnaise ; 27).

3-552   REUNION. Institut national de la statistique et des études écono-
         miques : *Réunion : le recensement de la population, mars 1990 :
         [cartoscope]*, 1992, dossier de f. non paginés et pl. de cartes [10 f.-
         22 f. de cartes dont 2 sur transparents et 20 en coul.].

3-553   REVERZY Jean-François : "Les Equipes de santé mentale et le
         phénomène suicide à la Réunion", p. 297-291 in *Suicides et
         tentatives de suicide à la Réunion : épidémiologie, anthropologie,
         abord socio-culturel, essai de prévention*, INSERM ; Lémuria
         (Réunion), 1992, 352 p.

3-554   REVERZY Jean-François : "Les Logiques de l'adversité : réflexion
         métapsychologique sur l'acte-suicide à la Réunion", p. 192-217 in
         *Suicides et tentatives de suicide à la Réunion : épidémiologie,
         anthropologie, abord socio-culturel, essai de prévention*, INSERM ;
         Lémuria (Réunion), 1992, 352 p.

3-555   REVERZY Jean-François, ANDOCHE Jacqueline "*Les Métisseurs
         du guérir et du souffrir dans l'île de la Réunion dans leurs
         métissages symboliques*", t. 2, p. 303-320, in *Métissages* (actes du
         colloque international de Saint-Denis de la Réunion, 2-7 avril 1990),
         L'Harmattan (Paris), 1992, 2 vol. [T. 1, *Littérature-histoire* (textes
         réunis par Jean-Claude Carpanin Marimoutou et Jean-Michel Racault), 304
         p. (Cahiers CRLH-CIRAOI ; 7.). T. 2, *Linguistique et anthropologie* (textes
         réunis par Jean-Luc Alber, Claudine Bavoux et Michel Watin), 323 p.]

3-556   ROBERT Frédérique, MANSARD Patrick : *Présentation de
         situations d'allocataires réunionnais du R.M.I. : Suzanne, Elisabeth,
         Marie, Yolande, Hugues, Eddy*, Observatoire départemental de la
         Réunion (Saint-Denis), 1992, 66 p. (Document O.D.R.).

3-557   ROCHAT Colette : "Réflexions sur la mortalité maternelle dans le
         département de la Réunion", p. 836-857, in *Fécondité, insularité*
         (actes du colloque international, Saint-Denis de la Réunion, 11-15
         mai 1992), Conseil général de la Réunion ; diff. AFI (Saint-Denis),
         1993, 2 vol., 1101 p.

3-558   SALVAT Robert : *La Course à pied longtemps à la Réunion*, Ed.
         CNH (Saint-Denis), 1992, 202 p.

3-559   SKRZYPCZAK Catherine : "L'Education pour la santé à la Réu-
         nion : action du Conseil général".
         (Th. : Méd. : Lille 2 : 1992.)

3-560   SOUFFRIN Emmanuel : "Ethno-histoire, appropriation et possesssion de la terre dans le cirque de Mafate, île de la Réunion", 419 p. + ann, 135 p.
(Th. : Anthropol. : Nice : 1992.)

3-561   SOUFFRIN Emmanuel : "Impact de la baisse des naissances sur l'économie domestique à la Réunion : quelques aspects ethno-psychologiques", p. 302-305, in *Fécondité, insularité* (actes du colloque international, Saint-Denis de la Réunion, 11-15 mai 1992), Conseil général de la Réunion ; diff. AFI (Saint-Denis), 1993, 2 vol., 1101 p.

3-562   SQUARZONI René : *Evolution de la famille à la Réunion*, Observatoire départemental de la Réunion, 1992, 49 p. (Etudes et synthèses / O.D.R. ; 17).

3-563   SQUARZONI René : "Evolution de la famille à la Réunion", p. 649-669, in *Fécondité, insularité* (actes du colloque international, Saint-Denis de la Réunion, 11-15 mai 1992), Conseil général de la Réunion ; diff. AFI (Saint-Denis), 1993, 2 vol., 1101 p.

3-564   SQUARZONI René : "Grossesse et maternité chez les adolescentes de 15 à 19 ans à la Réunion", p. 964-971, in *Fécondité, insularité* (actes du colloque international, Saint-Denis de la Réunion, 11-15 mai 1992), Conseil général de la Réunion ; diff. AFI (Saint-Denis), 1993, 2 vol., 1101 p.

3-565   SQUARZONI René : "Protection sociale et fécondité à la Réunion", p. 738-746, in *Fécondité, insularité* (actes du colloque international, Saint-Denis de la Réunion, 11-15 mai 1992), Conseil général de la Réunion ; diff. AFI (Saint-Denis), 1993, 2 vol., 1101 p.

3-566   THOMAS Louis-Vincent : "Mort et suicide", p. 19-55 in *Suicides et tentatives de suicide à la Réunion : épidémiologie, anthropologie, abord socio-culturel, essai de prévention*, INSERM ; Lémuria (Réunion), 1992, 352 p.

3-567   TROUSSIER Thierry, CATTEAU Christine, VAILLANT Jean-Yves : "Le Comportement de prévention sexuelle à la Réunion et en métropole", p. 858-874, in *Fécondité, insularité* (actes du colloque international, Saint-Denis de la Réunion, 11-15 mai 1992), Conseil général de la Réunion ; diff. AFI (Saint-Denis), 1993, 2 vol., 1101 p.

3-568   WATIN Michel : "Nouveaux espaces, nouvelles familles ?", p. 640-648, in *Fécondité, insularité* (actes du colloque international, Saint-Denis de la Réunion, 11-15 mai 1992), Conseil général de la Réunion ; diff. AFI (Saint-Denis), 1993, 2 vol., 1101 p.

AMENAGEMENT DE L'ESPACE
équipement, urbanisme, habitat
transports, tourisme

4-1   *Application (L') à la Réunion de la loi d'orientation foncière et de la loi du 3 janvier 1969 sur le permis de construire*, Centre universitaire de la Réunion, 1972, 120 p. (Journées d'études municipales ; 3).

4-2   GOURMAND J.F. : *La SEDRE* [Société d'équipement du département de la Réunion], Préfecture de la Réunion, 43 p. (Supplément au *Bulletin de conjoncture* n°16, 2e trim. 1973).

4-3   LEFEVRE Daniel : "Saint Pierre de la Réunion: la ville, sa campagne, sa région", IV-377 p., ill., cartes.
(Th. 3e cycle : Géographie : Aix-Marseille 1 : 1972.)

4-4   QUATREFAGES Urbain : *Le Phénomène d'urbanisation au Port de la Pointe des Galets : d'après quelques sondages, janvier 1973*, 6 p. multigr. [Texte rédigé à la suite de la journée de réflexion sur l'urbanisation, entre prêtres, à la Montagne, le 7 février 1973.]

4-5   SOCIETE D'AIDE TECHNIQUE ET DE COOPERATION, Saint-Denis : *Note sur le tourisme à la Réunion : proposition d'une stratégie*, SATEC, 1973, 35 p.

4-6   ASSOCIATION POUR LES ETUDES D'AMENAGEMENT ET D'URBANISME DE LA REUNION : *Inventaire des cases créoles : première phase*, A.U.R., 1974, [94] p., ill.

4-7   JACQUEMOT A. : "Installaton de radoub pour bateaux de pêche au port de la Pointe des Galets, la Réunion", *Construction*, 1974, n°4, 4 p.

4-8   LEFEVRE Daniel : "Quelques aspects du développement urbain à la Réunion", *Cahiers du Centre universitaire de la Réunion*, n°4 (n° spécial "Géographie"), 1974, p. 29-66.

4-9   "Modification (La) des infrastructures routières dans les départements d'outre-mer", *Bulletin d'information du CENADDOM*, n°22, 1974, p.15-23. [Pour la Réunion voir p. 15-18.]

4-10   REUNION. Direction départementale de l'agriculture. Atelier départemental d'études économiques et d'aménagement rural : *Aménagement hydro-agricole du Bras de Cilaos : plan d'occupation des sols partiel de la commune de Saint-Louis*, D.D.A., 1974 (Etude ; 3).

4-11   REUNION. Direction départementale de l'agriculture. Atelier départemental d'études économiques et d'aménagement rural : *Aménagement hydro-agricole du Bras de Cilaos : plan d'occupation des sols partiel des communes de l'Etang-Salé et des Avirons*, D.D.A., 1974 (Etude ; 4).

4-12   REUNION. Direction départementale de l'agriculture. Atelier départemental d'études économiques et d'aménagement rural : *Contribution à l'étude de la zone rurale pour l'élaboration du POS de la commune de Saint-Benoît*, D.D.A., 1974 (Etude : 6).

4-13   REUNION. Direction départementale de l'agriculture. Atelier départemental d'études économiques et d'aménagement rural : *Contribution à l'étude de la zone rurale pour l'élaboration du POS de la commune de Saint-Joseph*, D.D.A., 1974 (Etude : 2).

4-14   REUNION. Direction départementale de l'équipement. Groupe d'études et de programmation : *Aménagement du front de mer à St-Denis*, D.D.E., 1974, 9 p., cartes.

4-15   REUNION. Direction départementale de l'équipement. Groupe d'études et de programmation : *Desserte routière de Saint-Denis Est : éléments pour un schéma*, D.D.E., 1974, 42 p.

4-16   REUNION. Direction départementale de l'équipement. Groupe d'études et de programmation : [*Etude sur les espaces verts urbains : principalement à Saint-Denis*], D.D.E., 1974, 29 p.

1975

4-17   AGENCE D'URBANISME DE LA RÉUNION : *Schéma directeur d'aménagement et d'urbanisme du district urbain de Saint-Pierre*, A.U.R., 1975, 153 p., cartes.

4-18   BLATRIX A. : "Les Télécommunications dans les départements d'outre-mer", *Bulletin d'information du CENADDOM*, n°26, 1975, p. 17-30. [Pour la Réunion voir p. 17-20 *passim* et p. 28-30. Actualisation des données chiffrées (situation au 31 déc. 1975) dans le *Bulletin d'information du CENADDOM*, n°30, 1976, p. 30-31]

4-19   DEFOS DU RAU Jean : "Saint-Denis de la Réunion : d'une ville coloniale à une petite capitale moderne", t. 1, p. 183-197, in *Etudes géographiques : mélanges offerts à G. Viers*, Université Toulouse-Le Mirail, 1975.

4-20   DELCOURT Jean-François, *et al.* : *Aménagement des Bas de Bellepierre*, Ecole nationale des ponts et chaussées (Paris), [1975 ?], 92 p.-pl.

4-21   DELCOURT Jean-François, *et al.* : *Habitat et urbanisme à la Réunion*, Ecole nationale des ponts et chaussées (Paris), [1975 ?], 55 p.

4-22   GUERRIVE Jean-Louis : *Le Port : enquête sur l'habitat périphérique* (publié par le Groupe d'études et de programmation, Direction départementale de l'équipement), D.D.E., (Saint-Denis), 1975, 140 p., ill.

4-23   LEFEVRE Daniel : *Saint-Pierre de la Réunion : la ville, sa campagne et sa région : étude de géographie humaine*, Impr. Cazal (Saint-Denis), 286 p.-XII p. de pl., ill., cartes, bibliogr. (Collection des Travaux du Centre universitaire de la Réunion). [Version remaniée et mise à jour de la thèse de 3e cycle soutenue en 1972.]

4-24   *Ports et aéroports de la Réunion: le port de la Pointe des Galets, le port de plaisance de Saint-Gilles, l'aéroport de Saint-Denis-Gillot*, Centre d'Action et de Propagande économique (Paris), 1975, 27 p., ill.

4-25   "Qui fait quoi au port de la Pointe des Galets ?", *Revue de la Chambre de Commerce et d'Industrie,* suppl. au n° 22, sept. 1975, 8 p.

4-26   REUNION. Comité économique et social : *Problèmes de l'habitat : annexe au rapport d'orientation générale pour le VIIe Plan*, 1975, C.E.S., non paginé.

4-27   REUNION. Direction départementale de l'agriculture. Atelier départemental d'études économiques et d'aménagement rural : *Contribution à l'étude de la zone rurale pour l'élaboration du POS de la commune de Sainte-Marie*, D.D.A., 1975 (Etude ; 9).

4-28   REUNION. Direction départementale de l'agriculture. Atelier départemental d'études économiques et d'aménagement rural : *Documentation chiffrée concernant le développement agricole et rural, PAR de la région Ouest : fichiers communaux de la Possession, Saint-Paul, Trois-Bassins, Saint-Leu, les Avirons, l'Etang-Salé et Saint-Louis,* D.D.A., 1975 (Etude ; 13).

4-29   REUNION. Direction départementale de l'agriculture. Atelier départemental d'études économiques et d'aménagement rural : *Livre vert : schéma directeur d'aménagement et d'urbanisme du district de Saint-Pierre*, D.D.A., 1975 (Etude ; 6).

4-30   REUNION. Direction départementale de l'agriculture. Atelier départemental d'études économiques et d'aménagement rural : *Plan d'aménagement rural de la région Ouest : rapport de présentation*, D.D.A., 1975 (Etude ; 12).

4-31 REUNION. Direction départementale de l'agriculture. Atelier départemental d'études économiques et d'aménagement rural (en collab. avec l'A.U.R.) : *Plan d'occupation des sols de la commune de la Possesssion : rapport de présentation*, D.D.A., 1975 (Etude ; 11).

4-32 REUNION. Direction départementale de l'équipement. Groupe d'études et de programmation : *S.D.A.U. [Schéma directeur d'aménagement et d'urbanisme] Nord : état de la population et perspectives pour l'an 2000*, D.D.E., 1975, 19 p.

4-33 REUNION. Direction départementale de l'équipement. Groupe d'études et de programmation : *Schéma directeur d'aménagement et d'urbanisme de la côte Nord* (rapport de synthèse de la sous-commission démographique-emploi), D.D.E., 1975, 106 p.

4-34 REUNION. Direction départementale de l'équipement. Groupe d'études et de programmation : *Schéma directeur d'aménagement et d'urbanisme du district urbain de Saint-Pierre*, D.D.E., 1975, 151 p.

4-35 REUNION. Institut national de la statistique et des études économiques : *Statistiques des mouvements de voyageurs et de l'hôtellerie en 1974*, INSEE-Réunion, 1975, 56 p. (Etudes ; 2).

4-36 TOLLIN Jean : *Transformation en zone pastorale de la partie occidentale sèche du département de la Réunion*, Chambre d'Agriculture (Saint-Denis), 1975, 35 p.

1976

4-37 AGENCE D'AMÉNAGEMENT ET D'URBANISME DE LA REUNION : *Schéma directeur d'aménagement et d'urbanisme de la côte Nord : rapport de synthèse de la sous-commission*, 1976, A.U.R., 21 p., cartes.

4-38 AGENCE D'URBANISME DE LA RÉUNION : *Étude monographique expérimentale d'un groupement d'habitations sauvages en milieu rural : commune de Saint Paul, Grand Fond, la Réunion*, A.U.R., 1976, 133 p., ill.
⇒ Texte repris (46 p.) in ENDA : *L'Environnement des îles "surpeuplées" de l'ouest de l'océan Indien* (session de formation, Maurice, 9 21 mai 1977), Ministry of agriculture and natural resources (Port-Louis) ; ENDA (Dakar), 1977, pagination multiple ;
⇒ et (p. 102-154) in : *L'Environnement dans les îles surpeuplées du sud-ouest de l'océan Indien : Maurice, Réunion, Seychelles, Comores*, Fondation pour la recherche et le développement dans l'océan Indien (Saint-Denis), 1978, 261 p. (Documents et recherches / F.R.D.O.I. ; 5).

4-39 AIR FRANCE : *Air France et l'île de la Réunion*, 1976, 17 p.

4-40   "Analyse du Programme général d'aménagement des Hauts de la Réunion", *Bulletin d'information du CENADDOM*, n°32, 1976, p. 20-22.

4-41   BARETJE R. : *Le Tourisme en Afrique : essai bibliographique*, Centre des hautes études touristiques (Aix-en-Provence), 1976, 153 p. [Réunion p. 101.]

4-42   BAYLE Christophe : *Rapport sur l'architecture à la Réunion* (publié par la Direction départementale de l'équipement, Groupe d'études et de programmation), D.D.E.-GEP, 1976, 62 p., ill.

4-43   GROUPE REUNIONNAIS D'ETUDES SUR L'HABITAT SOCIAL : *Rapport sur l'habitat social à la Réunion*, 1976, pagination multiple. [Contient en annexe une *Enquête sur l'habitat* par le Groupe d'études et de programmation de la D.D.E. et un rapport des assistantes sociales *Amélioration de l'habitat social et service social.*]
              ⇒ Un extrait du rapport a été publié (14 p.) in ENDA *L'Environnement des îles "surpeuplées" de l'ouest de l'océan Indien* (session de formation, Maurice, 9 21 mai 1977), Ministry of agriculture and natural resources (Port-Louis) ; ENDA (Dakar), 1977, pagination multiple ;
              ⇒ et, p.155-165, in *L'Environnement dans les îles surpeuplées du sud-ouest de l'océan Indien : Maurice, Réunion, Seychelles, Comores*, Fondation pour la recherche et le développement dans l'océan Indien (Saint-Denis), 1978, 261 p. (Documents et recherches / F.R.D.O.I. ; 5).]

4-44   REUNION (Région) : *Aménagement des Hauts de la Réunion : avant-projet de programme d'action prioritaire d'initiative régionale (PAPIR)*, 1976, 60 p.

4-45   REUNION (Région) : *Programme général d'aménagement des Hauts de la Réunion : 1ère tranche, 1977-1980*, 1976, 45 p. (Seconde réunion ordinaire de 1976 des Assemblées régionales).

4-46   REUNION. Comité économique et social : *Avis des commissions du Comité économique et social sur le Programme général d'aménagement des Hauts de la Réunion*, C.E.S., 1976, 15 p.

4-47   REUNION. Direction départementale de l'agriculture. Statistique agricole (Service) : *Le Machinisme agricole à la Réunion : [en 1975]* (étude du service statistique de la D.D.A., pour le compte du Service d'utilité agricole de développement, publiée par le Ministère de l'agriculture, Service central des enquêtes et études statistiques), S.C.E.E.S. (Paris), 1976, 62 p. (DOM ; 10).

4-48   REUNION. Direction départementale de l'équipement : *Le Port de la Pointe des Galets*, D.D.E., 1976, 12 p. + 6 dépl. de graph.

4-49   REUNION. Direction départementale de l'équipement. Groupe d'études et de programmation : *Enquête sur l'habitat insuffisant*, D.D.E., 1976, 27 p., ill.

4-50   REUNION. Direction départementale de l'équipement. Groupe d'études et de programmation : *Etude préliminaire d'infrastructures de transports du sud de l'île*, D.D.E., 1976, 76 p., cartes.

4-51   REUNION. Institut national de la statistique et des études économiques : *Recensement général de la population de 1974 : population, logements, superficie et densité des districts*, INSEE-Réunion, 1976, 140 p. multigr.

4-52   REUNION. Institut national de la statistique et des études économiques : *Recensement général de la population du 16.10.1974 : répartition géographique de la population et des logements*, INSEE-Réunion, 1976, 65 p.

4-53   REUNION. Institut national de la statistique et des études économiques : *Statistiques des mouvements de voyageurs en 1975*, INSEE-Réunion, 1976, 57 p. (Etudes ; 4).

4-54   REUNION. Préfecture : *Programme général d'aménagement des Hauts de la Réunion : étude préliminaire*, 1976, 67 p., 7 cartes dépl.

4-55   RODA Jean-Claude : "Le Nouveau bâtiment de la bibliothèque du Centre Universitalre de la Réunion", *Bulletin des bibliothèques de France*, t. 21, n°7, 1976, p. 331-335.
        ⇒ Article repris. dans le *Bulletin d'information du CENADDOM*, n° 35, janvier -février 1977, p. 11-13.

4-56   THUROT Jean-Marie : "Réflexion sur le développement du tourisme de plaisance dans l'océan Indien", *Annuaire des pays de l'océan Indien*, vol. 1, 1974 (paru en 1976), p. 79-109. [Pour la Réunion voir *passim.*]

4-57   TIERCELIN J.R. : *L'Irrigation à la Réunion en 1976*, Préfecture de la Région Réunion, 8 p.- [2] f. dépl. de cartes (Supplément au *Bulletin de conjoncture* n°28, 2e trim. 1976).

4-58   ZIMMERMAN Bernard, MARBEZY Pierre : *La ZAC de Saint-Gilles-les-Bains*, Préfecture de la Région Réunion, 9 p., plan h.t. (Supplément au *Bulletin de conjoncture* n°27, 1e trim. 1976).

1977

4-59   AGENCE D'AMÉNAGEMENT ET D'URBANISME DE LA REUNION : *Schéma directeur d'aménagement et d'urbanisme de la côte Nord : première phase d'étude, rapport de synthèse*, A.U.R., 1977, 87-3 p.

4-60   BADOUIN Robert : *L'Aménagement des Hauts de la Réunion :
        quelques réflexions préalables*, Fondation pour la recherche et le
        développement dans l'océan Indien (Saint-Denis), 1977, 51 p.
        (Documents et Recherches / F.R.D.O.I. ; 4)

4-61   ELECTRICITE DE FRANCE. Centre de la Réunion : *Histoire de
        l'électrification de la Réunion* (par L. Pélissier, chef du service
        production), 68 p.

4-62   LEFEVRE Daniel : "L'Organisation de l'espace à Maurice et à la
        Réunion", 7 p. in ENDA : *L'Environnement des îles "surpeuplées" de
        l'ouest de l'océan Indien* (session de formation, Maurice, 9-21 mai
        1977), Ministry of agriculture and natural resources (Port-Louis) ;
        ENDA (Dakar), 1977, pagination multiple.

4-63   PELTIER G., LEFEVRE Daniel : "La Commune Prima : un
        exemple de bidonville subpériphérique à Saint-Denis, Réunion",
        4 p., in ENDA : *L'Environnement des îles "surpeuplées" de l'ouest de
        l'océan Indien* (session de formation, Maurice, 9-21 mai 1977),
        Ministry of agriculture and natural resources (Port-Louis) ; ENDA
        (Dakar), 1977, pagination multiple.

4-64   REUNION (Région) : *Programme régional de développement et
        d'aménagement : note de synthè*se, 1977, 60 p.

4-65   REUNION (Région) : *Programme régional de développement et
        d'aménagement : rapports sectoriels*, 1977, 317 p.

4-66   REUNION. Institut national de la statistique et des études écono-
        miques : *Logements et loyers à Saint-Denis en octobre 1974*, INSEE-
        Réunion, 1977, 25 p. (Documents ; 8).

4-67   SAINT-DENIS : *Saint-Denis vécue et projetée : livre blanc*, 1977,
        [44] p. , ill.

1978

4-68   AGENCE D'AMÉNAGEMENT ET D'URBANISME DE LA
        REUNION : *Commune de Le Port : aménagement du terrain Cotur-
        Gouriet*, A.U.R. (Saint-Denis), 1978.
            - *étude préalable*, 61 p.-7 f. dépl.
            - *cahier de recommandations*, 120 p., cartes.

4-69   ASSOCIATION POUR LES ETUDES D'AMENAGEMENT ET
        D'URBANISME DE LA REUNION : *Commune de Saint-Denis :
        étude préalable d'aménagement des pentes de Bellepierre : rapport
        final*, A.U.R., 1978, 44 p.- 13 f. dépl. de cartes.

4-70   BARAT Christian : *Les Paillotes de l'île de la Réunion*, Centre uni-versitaire de la Réunion (Saint-Denis), 1978, 79 p., ill. (Travaux de l'Institut d'anthropologie sociale et culturelle de l'océan Indien ; 3).

4-71   CENTRE DE FORMATION ET DE PROMOTION PROFESSIONNELLE, Saint-Denis : *Habitations et cours : étude de petits espaces ruraux* (sous la dir. de Claude Vogel), Centre Universitaire de la Réunion, 1978, pagination multiple (Travaux du C.F.P.P.). [Réunit cinq études rédigées dans le cadre de la formation des travailleurs sociaux, 1976-1978.]

4-72   CENTRE DE FORMATION ET DE PROMOTION PROFESSIONNELLE, Saint-Denis : *Le Chaudron* (sous la dir. de Claude Vogel), Centre Universitaire de la Réunion, 1978, 223 p., ill.

4-73   CENTRE DE FORMATION ET DE PROMOTION PROFESSIONNELLE, Saint-Denis : *Montgaillard* (sous la dir. de Claude Vogel), Centre Universitaire de la Réunion, 1978, 100 p., ill.

4-74   CENTRE DE FORMATION ET DE PROMOTION PROFESSIONNELLE, Saint-Denis : *Sainte-Clotilde* (sous la dir. de Claude Vogel), Centre Universitaire de la Réunion, 1978, 103 p., ill.

4-75   CHAMBRE DE COMMERCE ET D'INDUSTRIE DE LA REUNION : *Port de la Pointe des Galets : statistiques portuaires*, C.C.I.R., 1978, 42 p., 6 graph. h.t.

4-76   "Développement (Le) des communications à la Réunion", *Bulletin d'information du CENADDOM*, n°43, 1978, p. 27-36. [Extrait d'un document publié par la Chambre de commerce et d'industrie de la Réunion.]

4-77   GOYET Patrick, VILLETTE Michael : "Le Tourisme à la Réunion", *Bulletin d'information du CENADDOM*, n°46 ("Dossier Tourisme"), 1978, p. 9-18 + ann. p. 74-75.

4-78   LAURET Edmond : "Aspects géographiques, économiques et sociaux du programme général d'aménagement des Hauts de la Réunion", p. 77-90, in : *L'Environnement dans les îles surpeuplées du sud-ouest de l'océan Indien : Maurice, Réunion, Seychelles, Comores* (travaux du séminaire international org. par l'ENDA et le Ministère de l'agriculture et des resources naturelles de l'île Maurice, Maurice 9-21 mai 1977), Fondation pour la recherche et le développement dans l'océan Indien (Saint-Denis), 1978, 261 p. (Documents et recherches / F.R.D.O.I. ; 5).

4-79   REUNION. Direction départementale de l'agriculture. Atelier départemental d'études économiques et d'aménagement rural (en collab. avec l'A.U.R.) : *Plan d'occupation des sols de la commune de Saint-André : rapport de présentation*, D.D.A., 1978 (Etude ; 16).

4-80   REUNION. Direction départementale de l'équipement. Groupe d'études et de programmation : *Données sur le littoral réunionnais*, D.D.E., 1978, 27 p.

4-81   REUNION. Direction départementale de l'équipement. Service U.O.C. : *Habitat social : 2 opérations d'habitat social, St-André Ramassamy II, Ste Suzanne le Village Desprez*, D.D.E., 1978, 48 p.

4-82   REUNION. Direction départementale de l'équipement. Service U.O.C. : *Habitat social : programmation 1978*, D.D.E., 1978, pagination multiple [60 p.].

4-83   "Tourisme (Le) à la Réunion", 184 p., *Revue de la Chambre de commerce et d'industrie de la Réunion*, n°33, 2e trim. 1978.

1979

4-84   ASSOCIATION POUR LES ETUDES D'AMENAGEMENT ET D'URBANISME DE LA REUNION : *Commune de Saint-Benoît : étude préalable à l'aménagement de la zone Sud, Beaufonds, Bras-Canot, Bras-Fusil*, A.U.R., 1979, 40 p., cartes + [6] cartes.gd ft.

4-85   ASSOCIATION POUR LES ETUDES D'AMENAGEMENT ET D'URBANISME DE LA REUNION : *Commune de Trois-Bassins : étude préalable à l'arnénagement du littoral : rapport de présentation*, A.U.R., 1979, 37 p.- 12 f. dépl. de cartes.

4-86   ASSOCIATION POUR LES ETUDES D'AMENAGEMENT ET D'URBANISME DE LA REUNION : *Plan de référence de la commune de Saint-Denis de la Réunion*, A.U.R., 1979, 148 p.

4-87   ASSOCIATION POUR LES ETUDES D'AMENAGEMENT ET D'URBANISME DE LA REUNION : *Plan de référence de Saint-Louis de la Réunion*, A.U.R., 1979, 148 p.

4-88   CHUAT Claude : "Les Transports maritimes dans l'ocean Indien", *Bulletin d'information du CENADDOM*, n°52 ("Dossier La Mer"), 1979, p. 73-77. [Concerne les îles du sud-ouest de l'océan Indien et particulièrement la Réunion.]

4-89   GODARD J.C. : "Les Télécommurlications dans les départements d'outre-mer", *Bulletin d'information du CENADDOM*, n°50, 1979, p. 4-9.

4-90   LAMARQUE Philippe : "Habitat traditionnel à la Réunion", 91 p. (Mém. : Architect. : Versailles, Ecole d'architecture : 1979.)

4-91   LARONCHE C. : "Les Grandes cases créoles à Saint-Denis", 125 p. (Mém. : Architect. : Versailles, Ecole d'architecture : 1979.)

4-92   RAGOT Guy : "Aménagement d'espaces verts à la Réunion = The Planning of green spaces on Reunion island", *Planification, habitat, information*, n°93, janvier 1979, p. 57-66.

4-93   REUNION (Région) : *Aménagement des Hauts de la Réunion : actualisation du programme*, 1979, 103 p.

4-94   REUNION. Direction départementale de l'équipement : *Concours régional de modèles : logements très sociaux*, D.D.E., 1979, 66 p.[Plaquette réunissant les 7 modèles agréés comme L.T.S.]

4-95   REUNION. Direction départementale de l'équipement. Groupe d'études et de programmation : *Sondage : 01, Avirons : [recensement général de la population de la Réunion 1974]*, D.D.E., [1979], [54 p.], carte.

4-96   REUNION. Direction départementale de l'équipement. Groupe d'études et de programmation : *Sondage : 02, Bras-Panon : [recensement général de la population de la Réunion 1974]*, D.D.E., [1979], [46 p.], carte.

4-97   REUNION. Direction départementale de l'équipement. Groupe d'études et de programmation : *Sondage : 03, Entre-Deux : [recensement général de la population de la Réunion 1974]*, D.D.E., [1979], [44 p.], carte.

4-98   REUNION. Direction départementale de l'équipement. Groupe d'études et de programmation : *Sondage : 04, Etang-Salé : [recensement général de la population de la Réunion 1974]*, D.D.E., [1979], [74 p.], carte.

4-99   REUNION. Direction départementale de l'équipement. Groupe d'études et de programmation : *Sondage : 05, Petite Ile : [recensement général de la population de la Réunion 1974]*, D.D.E., [1979], [66 p.], carte.

4-100   REUNION. Direction départementale de l'équipement. Groupe d'études et de programmation : *Sondage : 06, Plaine des Palmistes : [recensement général de la population de la Réunion 1974]*, D.D.E., [1979], [62 p.], carte.

4-101   REUNION. Direction départementale de l'équipement. Groupe d'études et de programmation : *Sondage : 07, Le Port : [recensement général de la population de la Réunion 1974]*, D.D.E., [1979], [58p.], carte.

4-102   REUNION. Direction départementale de l'équipement. Groupe d'études et de programmation : *Sondage : 08, La Possession : [recensement général de la population de la Réunion 1974]*, D.D.E., [1979], [41 p.], carte.

4-103   REUNION. Direction départementale de l'équipement. Groupe
             d'études et de programmation : *Sondage : 09, Saint-André :
             [recensement général de la population de la Réunion 1974]*, D.D.E.,
             [1979], [112 p.], carte.

4-104   REUNION. Direction départementale de l'équipement. Groupe
             d'études et de programmation : *Sondage : 10, Saint-Benoit :
             [recensement général de la population de la Réunion 1974]*, D.D.E.,
             [1979], [124 p.], carte.

4-105   REUNION. Direction départementale de l'équipement. Groupe
             d'études et de programmation : *Sondage : 11, Saint-Denis :
             [recensement général de la population de la Réunion 1974]*, D.D.E.,
             [1979], [171p.], cartes.

4-106   REUNION. Direction départementale de l'équipement. Groupe
             d'études et de programmation : *Sondage : 12, Saint-Joseph :
             [recensement général de la population de la Réunion 1974]*, D.D.E.,
             [1979], [108 p.], carte.

4-107   REUNION. Direction départementale de l'équipement. Groupe
             d'études et de programmation : *Sondage : 13, Saint-Leu :
             [recensement général de la population de la Réunion 1974]*, D.D.E.,
             [1979], [90 p.], carte.

4-108   REUNION. Direction départementale de l'équipement. Groupe
             d'études et de programmation : *Sondage : 14, Saint-Louis :
             [recensement général de la population de la Réunion 1974]*, D.D.E.,
             [1979], [66 p.], carte.

4-109   REUNION. Direction départementale de l'équipement. Groupe
             d'études et de programmation : *Sondage : 15, Saint-Paul :
             [recensement général de la population de la Réunion 1974]*, D.D.E.,
             [1979], [74 p.], cartes.

4-110   REUNION. Direction départementale de l'équipement. Groupe
             d'études et de programmation : *Sondage : 16, Saint-Pierre :
             [recensement général de la population de la Réunion 1974]*, D.D.E.,
             [1979], [129p.], carte.

4-111   REUNION. Direction départementale de l'équipement. Groupe
             d'études et de programmation : *Sondage : 17, Saint-Philippe :
             [recensement général de la population de la Réunion 1974]*, D.D.E.,
             [1979], [64 p.], carte.

4-112   REUNION. Direction départementale de l'équipement. Groupe
             d'études et de programmation : *Sondage : 18, Sainte-Marie :
             [recensement général de la population de la Réunion 1974]*, D.D.E.,
             [1979], [52 p.], carte.

4-113 REUNION. Direction départementale de l'équipement. Groupe d'études et de programmation : *Sondage : 19, Sainte-Rose : [recensement général de la population de la Réunion 1974]*, D.D.E., [1979], [74 p.], carte.

4-114 REUNION. Direction départementale de l'équipement. Groupe d'études et de programmation : *Sondage : 20, Sainte-Suzanne : [recensement général de la population de la Réunion 1974]*, D.D.E., [1979], [84 p.], carte.

4-115 REUNION. Direction départementale de l'équipement. Groupe d'études et de programmation : *Sondage : 21, Salazie : [recensement général de la population de la Réunion 1974]*, D.D.E., [1979], [153 p.], carte.

4-116 REUNION. Direction départementale de l'équipement. Groupe d'études et de programmation : *Sondage : 22, Le Tampn : [recensement général de la population de la Réunion 1974]*, D.D.E., [1979], [74 p.], carte.

4-117 REUNION. Direction départementale de l'équipement. Groupe d'études et de programmation : *Sondage : 23, Trois-Bassins : [recensement général de la population de la Réunion 1974]*, D.D.E., [1979], [48p.], carte.

4-118 REUNION. Direction départementale de l'équipement. Groupe d'études et de programmation : *Sondage : 24, Cilaos : [recensement général de la population de la Réunion 1974]*, D.D.E., [1979], [66 p.], carte.

4-119 REUNION. Direction départementale de l'équipement. Groupe d'études et de programmation : *Sondage du recensement général de la population de la Réunion 1974*, D.D.E., [1979], [78 p.].

4-120 REUNION. Direction départementale des postes et télécommunications. Postes (Service) : "Le Fonctionnement de la poste à la Réunion", *Bulletin d'information du CENADDOM*, n°49, 1979, p. 13-18.

4-121 THEVENOT Yves : "La Géothermie à la Réunion", *Bulletin d'information du CENADDOM*, n°48 ("Dossier Réunion"), 1979, p. 23-26.

1980

4-122 ASSOCIATION POUR LES ETUDES D'AMENAGEMENT ET D'URBANISME DE LA REUNION : *Commune de Bras-Panon : étude préalable à l'aménagement de l'agglomération de Rivière du Mât : analyse, propositions, mise en œuvre*, A.U.R., 1980, 68 p., cartes.

4-123   ASSOCIATION POUR LES ETUDES D'AMENAGEMENT ET
         D'URBANISME DE LA REUNION : *Commune de Sainte-Rose :
         étude préalable à l'aménagement du centre ville,* A.U.R., [1980],
         32 p., cartes.

4-124   ASSOCIATION POUR LES ETUDES D'AMENAGEMENT ET
         D'URBANISME DE LA REUNION : *Zones inondables et zones de
         bidonvilles,* A.U.R., 1980, [350] p., cartes + [19] cartes gd format.

4-125   DELCOURT Jean-François : *Regards sur l'architecture à St-Denis,
         île de la Réunion* (publié par le Groupe d'études et de program-
         mation, Direction départementale de l'équipement), D.D.E., 1980,
         127 p., ill.

4-126   GARRIGUE Jean : "Les Communications maritimes entre la France
         métropolitaine et les DOM : rôle joué par la C.G.M.", *Bulletin
         d'information du CENADDOM,* n°58 ("Dossier Communications"),
         1980, p. 5-14. [Pour la Réunion voir p. 11-14.]

4-127   "H.L.M. trop beau pour les DOM ?", *H : revue de l'habitat social,*
         n°57, nov. 1980, p. 21-67, cartes.

4-128   PHILIPPOT Jean : "Contribution d'Air-France à la desserte long
         courrier des DOM", *Bulletin d'information du CENADDOM,* n°58
         ("Dossier Communications"), 1980, p. 65-69.

4-129   REUNION. Direction départementale de l'équipement : "L'Habitat
         social à la Réunion", *Bulletin d'informnation du CENADDOM,* n°56,
         1980, p. 18-24.

4-130   REUNION. Direction départementale de l'équipement. Groupe
         d'études et de programmation : *Commune du Port : extension
         portuaires et organisation de la ville : rapport de présentation,
         document détaillé,* D.D.E., 1980, 57-2 p., cartes.

4-131   REUNION. Direction départementale de l'équipement. Groupe
         d'études et de programmation : *Le Littoral de la Réunion,* D.D.E.,
         1980, 107 p.

4-132   REUNION. Direction départementale de l'équipement. Groupe
         d'études et de programmation : "Le Port autonome de la Pointe des
         Galets", *Bulletin d'information du CENADDOM,* n°58 ("Dossier
         Communications"), 1980, p. 20-30.

4-133   REUNION. Direction départementale de l'équipement. Groupe
         d'études et de programmation : *La Réunion entre terre et mer,*
         D.D.E., 1980, 13 p.

4-134   REUNION. Service départemental de l'architecture : *Le Patrimoine
         architectural de la Réunion,* 53 p.

1981

4-135   ABDOUL MADJIDI Abdallah : "Le Tourlsme dans l'océan Indien
         occidental : situation actuelle et perspective", 539-XXXIV p., cartes,
         bibliogr.
         (Th. 3e cycle : Econ et droit du tour. : Aix-Marseille 3 : 1981.)

4-136   ASSOCIATION DEPARTEMENTALE D'ETUDES ECONO-
         MIQUES ET D'AMENAGEMENT RURAL : *L'Habitat dans les
         Hauts : Grand Ilet, Salazie*, 1981, 132 p.

4-137   ASSOCIATION POUR LES ETUDES D'AMENAGEMENT ET
         D'URBANISME DE LA REUNION : *Commune de Le Tampon :
         étude préalable à l'arnénagement , Trois-Mares, Chatoire : rapport
         de présentation*, A.U.R., 1981, 76 p., cartes.

4-138   ASSOCIATION POUR LES ETUDES D'AMENAGEMENT ET
         D'URBANISME DE LA REUNION : *Commune de Saint-André :
         plan de référence,* A.U.R., 1981, pagination multiple [254 p.], cartes,
         ill. + [3] pl. de cartes gr ft.

4-139   ASSOCIATION POUR LES ETUDES D'AMENAGEMENT ET
         D'URBANISME DE LA REUNION : *Commune de Saint-Louis :
         étude préalable à l'aménagement, quartier de Ouaki,* A.U.R., 1981,
         61 p., cartes + [4] cartes gr ft.

4-140   ASSOCIATION POUR LES ETUDES D'AMENAGEMENT ET
         D'URBANISME DE LA REUNION : *Commune de Saint-Pierre :
         étude préalable à l'aménagement, Ethève Archambaud,* A.U.R.,
         1981, 89-7 p., cartes + cartes gr ft.

4-141   ASSOCIATION POUR LES ETUDES D'AMENAGEMENT ET
         D'URBANISME DE LA REUNION : *Communes de La Possession
         et du Port : restructuration du village de Rivière des Galets : étude
         préalable,* A.U.R., 123 p., cartes.

4-142   AUGEARD Yves : "Les villas créoles de la Réunion", *Monuments
         historiques,* n°117 (n° spécial "Architecture d'outre-mer"), 1981,
         p. 49-60, ill.,

4-143   DROUHET Yves : "La Réunion, identité régionale et dévelop-
         pement économique", *Monuments historiques,* n°117 (n° spécial
         "Architecture d'outre-mer"), 1981, p. 9-11, ill.

4-144   GODARD J.C. : "Plans et schémas directeurs d'équipement des
         télécommunications dans les départements d'outre-mer", *Bulletin
         d'information du CENADDOM,* n°59, p. 25-38. [Pour la Réunion voir
         particulièrement p. 30-37.]

4-145   PROBST Claude : "Eléments pour une politique des transports aériens et maritimes dans les DOM", *Bulletin d'information du CENADDOM*, n° 63 (n°spécial "La Conjoncture dans les DOM"), 1981, p. 14-26.

4-146   REUNION (Région) : *Programme régional de développement et d'aménagement : 1981-1985*, 1981, 335 p.

4-147   REUNION. Direction départementale de l'équipement : *Amélioration de la sécurité sur la route du littoral*, D.D.E., 1981, 37 p.

4-148   REUNION. Direction départementale de l'équipement. Groupe d'études et de programmation : *Les Moyens d'une politique foncière*, D.D.E., 1981, 29 p.

4-149   REUNION. Institut national de la statistique et des études économiques : *Annuaire statistique de la Réunion 1979. Fascicule 6, Transports, postes et télécommunications, information*, INSEE-Réunion, 1981, 80 p., cartes (Documents ; 36).

4-150   SAINT-AUBIN Jean-Paul : "L'Architecture agricole et industrielle de la Réunion", *Monuments historiques*, n°117 (n° spécial "Architecture d'outre-mer"), 1981, p. 73-79, ill.

4-151   SERVIABLE Mario : "L'Aménagement touristique dans les îles du sud-ouest de l'océan Indien, et son impact économique et social", 396 p., ill., bibliogr.
         (Th. 3e cycle : Paris 1 : 1981.)

1982

4-152   ASSOCIATION POUR LES ETUDES D'AMENAGEMENT ET D'URBANISME DE LA REUNION : *Commune de Sainte-Marie : urbaniser à Grande montée ? : étude préalable à l'aménagement, rapport définitif*, A.U.R., 1982, 42-15 p., ill; cartes, pl. de cartes.

4-153   CHAMBRE DE COMMERCE ET D'INDUSTRIE DE LA REUNION : *St-Denis - Gillot: un complexe aéroportuaire international dans l'océan Indien*, C.C.I.R., 1982, 23 p.

4-154   CHANE LA René : "Un Hôtel de ville au Port de la Réunion", 109 p.
         (Th. 3e cycle : Aix-Marseille, U. P. Archit.: 1982.)

4-155   "Extension (L') portuaire en baie de La Possession", 96 p., *La Revue de la C.C.I.R,* n°1, 1982.

4-156   FRANCE. Départements et territoires d'outre-mer (Secrétariat
         d'Etat) : *Bilan de la politique L.T.S. à la Réunion* (rapport de mission
         de O. Brachet et M.-H. Léna), 1982, 238 p.

4-157   GIORGI Christian : "Le Miel à tan rouge : de la forêt à la cour",
         Etudes créoles, vol. 4, n°2, 1981 (n° spécial "Ecologie des espaces
         restreints à la Réunion") (paru en 1982), p. 88-108, ill.

4-158   GROUPE DE RECHERCHE EN AMENAGEMENT ET
         PROGRAMMATION, Paris : *Construction nouvelle et tradition-
         nelle dans les DOM : le cas de l'île de la Réunion : bilan des
         conclusions de l'étude GRAP 1979*, GRAP, 1982, 15 p.

4-159   HUMBRECHT Eliane : "Ethnologie d'un écosystème urbain",
         Etudes créoles, vol. 4, n°2, 1981 (n° spécial "Ecologie des espaces
         restreints à la Réunion") (paru en 1982), p. 75-87.

4-160   INSTITUT D'AMENAGEMENT ET D'URBANISME DE LA
         REGION D'ILE DE FRANCE, Paris : *L'Habitat précaire regroupé
         dans l'île de la Réunion en 1982*, 1982, 82 p.

4-161   REUNION. Comité régional de l'énergie : *Rapport de synthèse du
         débat énergétique régional, septembre-novembre 1982*, 18 p.

4-162   WATIN Michel : "Dynamique foncière et stratégie familiale : étude
         d'un cas réunionnais", *Etudes créoles*, vol. 4, n°2, 1981 (n° spécial
         "Ecologie des espaces restreints à la Réunion") (paru en 1982),
         p. 40-54.

1983

4-163   AGENCE D'AMÉNAGEMENT ET D'URBANISME DE LA
         REUNION : *Recensement général de la population de 1974*, A.U.R.,
         1983, 101 p.

4-164   ASSOCIATION POUR LES ETUDES D'AMENAGEMENT ET
         D'URBANISME DE LA REUNION : *Etude socio-économique sur
         le parc de logements insalubres de la Réunion : communes de Saint-
         Denis, de Saint-Pierre, de Saint-Benoit, du Port et de Saint-Paul*,
         A.U.R., 1983, 405 p.

4-165   CHAMBRE DE COMMERCE ET D'INDUSTRIE DE LA
         REUNION : "Desserte maritime de la Réunion : éléments
         d'information, *Bulletin d'information du CENADDOM*, n°72
         ("Dossier Réunion"), 1983, p. 80-84.

4-166   CLUB MEDITERRANEE. Service Information-documentation :
         "Le Club Méditerranée aux Antilles et à la Réunion", *Bulletin
         d'information du CENADDOM*, n°70 ("Dossier Tourisme"), 1983,
         p. 116-127. [Pour la Réunion voir p. 124-127.]

4-167   DEPARDON Jacques : " Air France et la desserte des départements d'outre-mer", *Bulletin d'information du CENADDOM*, n°70 ("Dossier Tourisme"), 1983, p. 5-9.

4-168   DUMOND P. : "La Protection thermique à la Réunion (PROTHERE)", *Bulletin d'information du CENADDOM*, n°71 ("Dossier Fabriquer dans les DOM"), 1983, p. 99-101.

4-169   DURAND Charles : "Du département aux districts de recensement", *L'Economie de la Réunion*, n°5, mars 1983, p. 7-13.

4-170   FREUND Maurice : "La Desserte aérienne de la Réunion par Point-Air", *Bulletin d'information du CENADDOM*, n°70 ("Dossier Tourisme"), 1983, p. 33-37.

4-171   LE COINTRE Gilles : "Le Logement à la Réunion", *L'Economie de la Réunion*, n°5, mars 1983, p. 3-6.

4-172   ORAISON André : "Contre le gigantisme de Saint-Denis", *La Revue administrative*, vol. 36, 1983, n°213, p. 308-310.

4-173   RAULT M. : "La Desserte aérienne internationale de la Réunion", *Bulletin d'information du CENADDOM*, n°70 ("Dossier Tourisme"), p. 29-32.

4-174   REUNION (Région) : *Aménagement des Hauts de la Réunion : réalisation de la 1ère tranche, 1977-1983 ; proposition pour la 2e tranche, 1984-1988*, 1983, 32 p.

4-175   ROCHE Daniel-Rolland : "Inventaire général des monuments et richesses artistiques de la France : département de la Réunion", *Actualités réunionnaises* 1976 (paru en 1983), p. 153-154.

4-176   SERVIABLE Mario : "Le Tourisme à caractère social et éducatif à la Réunion en 1982", *Bulletin d'information du CENADDOM*, n°70 ("Dossier Tourisme"), 1983, p. 111-115.

4-177   SERVIABLE Mario : *Le Tourisme aux Mascareignes-Seychelles*, Centre universitaire de la Réunion (Saint-Denis), 1983, 182 p., carte (Collection des travaux du Centre universitaire). [Version partielle et remaniée de Th. 3e cycle : Géographie : Réunion : 1981.]

4-178   SINGER Yves : "Villages vacances familles outre-mer", *Bulletin d'information du CENADDOM*, n°70 ("Dossier Tourisme"), 1983, p. 38-46.

4-179   "Tourisme (Le) à la Réunion" (par les services régionaux du tourisme), *Bulletin d'information du CENADDOM*, n°70 ("Dossier Tourisme"), 2e trim. 1983, p. 103-110.

1984

4-180   ASSOCIATION POUR LES ETUDES D'AMENAGEMENT ET
         D'URBANISME DE LA REUNION : *Le Végétal dans l'aména-
         gement à l'île de la Réunion*, C.A.U.E. (Saint-Denis), 1984, 5 fasc.,
         142, 25, 29, 27, 19 p.

4-181   AUFFRET Pierre-Yves, GATINA Jean-Claude, HERVE Patrick :
         Habitat et climat à la Réunion : construire en pays tropical humide,
         Fondation pour la recherche et le développement dans l'océan Indien
         (Saint-Denis, Réunion), 1984, 159 p., ill. (Documents et recherches /
         F.R.D.O.I.)

4-182   CHAMBRE DE COMMERCE ET D'INDUSTRIE DE LA
         REUNION : "Tourisme et communication", 91 p., *La Revue de la
         C.C.I.R.*, n°50, 1984.

4-183   GERMON Serge : *Transport aérien dans les DOM, 1971-1982*,
         [Ministère des transports (Paris)], 1984, 101 p.

4-184   GOUSSEAU Sylvie : *«Beauregard», une plantation de la côte au
         vent*, Fondation pour la recherche et le développement dans l'océan
         Indien (Saint-Denis, Réunion), 1984, 184 p., ill.

4-185   HOARAU Alain : *L'Aviation à la Réunion : une page de notre
         histoire*, [s.n.] (Impr. Cazal, Sainte-Clotilde), 1984, 308 p., ill.,
         bibliogr., glossaire.

4-186   MICHEL Christian S. : "Le Tourisme dans les îles du sud-ouest de
         l'océan Indien : une gamme de produits variés pour des destinations
         complémentaires, mais une harmonisation nécessaire", 55 p.
         (Communication, 2nd International Conference on Indian Ocean
         Studies, Perth, 5-12 December 1984.) [Réunion : p. 4, 24-31.]

4-187   ROMUALE Martine : *Contribution à l'élaboration du schéma de
         mise en valeur de la mer à la Réunion* (réd. pour le Groupe d'études
         et de programmation de la Direction départementale de
         l'équipement), D.D.E., 1984, 52 p., ill.

1985

4-188   ASSOCIATION POUR LES ETUDES D'AMENAGEMENT ET
         D'URBANISME DE LA REUNION : (en collab. avec la Société de
         développement de la Réunion, SEDRE) "L'Extension portuaire en
         baie de la Possession (Réunion) : les conséquences sur l'urbani-
         sation", *Les Dossiers de l'outre-mer,* n°78/79, 1985, p.21-36, carte.

4-189   AUGEARD Yves : "Les Villas créoles à la Réunion", *Les Dossiers
         de l'outre-mer,* n°78/79, 1985, p. 208-229, ill.

4-190   BARONNET Frédéric : "Etude thermique de l'habitat individuel à la Réunion".
           (Th. 3e cycle : Energ. : Paris 7 : 1985.)

4-191   BERRON Henri : "L'Aménagement des Hauts de l'île de la Réunion", p. 190-201, in INSTITUT D'AMENAGEMENT REGIONAL, Aix-en-Provence : *Expériences étrangères d'aménagement : séminaire Aménagement comparé, 1984-1985*, [1985], 201 p.
           ⇒ Texte repris, p. 113-129, in INSTITUT D'AMENAGEMENT REGIONAL, Aix-en-Provence : *L'I.A.R. dans l'océan Indien : 1982-1992*, 1992, 143 p.

4-192   BERTILE Wilfrid : "Le Logement dans les départements d'outre-mer : un facteur essentiel du développement", *Les Dossiers de l'outre-mer,* 1985, n°78/79, p. 6-13.

4-193   BINESSE Michel, GUERLAIS Jean-Pierre : "L'Habitat dans l'aménagement des Hauts de la Réunion", *Les Dossiers de l'outre-mer,* n°78/79, 1985, p. 37-43, bibliogr.

4-194   BRACHET Olivier, LENA Maurice-Henri : "*Accédez à la propriété avec quatre oeufs par jour, 1960-1985* : la véritable histoire de 25 ans d'habitat très social à la Réunion", *Les Dossiers de l'outre-mer,* n°78/79, 1985, p. 146-164.

4-195   BURAC Maurice : "Aménagement du territoire et habitat dans les DOM", *Les Dossiers de l'outre-mer,* 1985, n°78/79, p. 14-20.

4-196   CHAMBRE DE COMMERCE ET D'INDUSTRIE DE LA REUNION : "Port de la Pointe des Galets : étude des conséquences du développement de la pêche industrielle sur les infrastructures et superstuctures portuaires", 58 p., *La Revue de la C.C.I.R.,* n°52, 1985.

4-197   CONSEIL D'ARCHITECTURE, D'URBANISME ET DE L'ENVIRONNEMENT, Saint-Denis : *Construire à la Réunion,* C.A.U.E.,1985, 63 p., ill.

4-198   DODEMAN Y.C. : "Les Logements sociaux urbains à St-Denis (Réunion)", *Les Dossiers de l'outre-mer,* n°78/79, 1985, p. 142-145.

4-199   DUMAS Marion, NAVARRO Jacques : "Conception et fonctionnement des quartiers L.T.S. à la Réunion", *Les Dossiers de l'outre-mer,* n°78/79, 1985, p. 165-185.

4-200   FAUVRE-VACCARO Christiane : *Des Cases et des couleurs à la Réunion* (avec le concours de Daniel Baggioni), Village Titan (Le Port, Réunion), 1985, 105 p., ill. [Ouvrage réalisé à la demande du C.A.U.E. de la Réunion dans le cadre de sa mission de sensibilisation à l'architecture en milieu scolaire. - Illustration abondante.]

4-201   FAUVRE-VACCARO Christiane : "La Réunion côté cour, côté
         jardin : recherche à propos des espaces privés d'agrément : jardins
         au sol ou suspendus, balcons, guettali...", p. 39-50, in *Culture(s)
         empirique(s) et identité(s) culturelle(s) à la Réunion* (éd. Daniel
         Baggioni, Martine Mathieu), Service des publications de l'Université
         de la Réunion, 1985, 132 p., ill., bibliogr.

4-202   FRANCE. Premier ministre : *Le Logement dans les départements
         d'outre-mer : rapport au Premier ministre* (par Wilfrid Bertile), La
         Documentation française (Paris), 1985, 408 p., ill. (Collection des
         rapports officiels).

4-203   GUIOT François : "Le Quartier St-Bernard à St-Denis (Réunion)",
         Les Dossiers de l'outre-mer, n°78/79, 1985, p. 93-107, ill.

4-204   LEVY Christian : "La Diversification de la lutte contre l'habitat
         insalubre dans les DOM", *Les Dossiers de l'outre-mer,* n°78/79,
         1985, p. 71-73.

4-205   PANISSE (de) Henri : "La Naissance et le développement de
         l'habitat social dans les DOM", *Les Dossiers de l'outre-mer,* n°78/79,
         1985, p. 135-141.

4-206   PAVAGEAU Colette : "Saint-Pierre : une nouvelle ville dans la
         ville", *L'Economie de la Réunion,* 1985, n°16, p. 3-8.

4-207   REUNION. Commissariat à l'artisanat : *Les Lambrequins,* Conseil
         général, 1985, tout en ill.

4-208   REUNION. Direction départementale des affaires sanitaires et
         sociales : *Habitat et conditions de vie des personnes âgées à la
         Réunion* (rapport réd. par C. Hamon et P. Catteau, avec la collab. de
         Jean-Yves Vaillant), DDASS, 1985, 75 p., ill.

4-209   REUNION. Institut national de la statistique et des études écono-
         miques : *Inventaire communal : le cadre de vie à travers l'inventaire
         des équipements, commerces et services des communes et lieux-dits
         communaux* (dossier réalisé par P. Canaguy, Yvon Cheung Chin
         Tun), INSEE-Réunion, 1985, 53 p. (Les Dossiers de l'économie
         réunionnaise ; 6).

4-210   RIVIERE-NOYRE Jacqueline, BAGGIONI Daniel, FAUVRE-
         VACCARO Christiane : "La Case et ses doubles", p. 53-67, in
         Culture(s) empirique(s) et identité(s) culturelle(s) à la Réunion (éd.
         Daniel Baggioni, Martine Mathieu), Service des publications de
         l'Université de la Réunion, 1985, 132 p., ill., bibliogr.

4-211   ROMERA A.M. : "L'Habitat insalubre dans un département
         d'outre-mer : la Réunion", *Les Dossiers de l'outre-mer,* n°78/79,
         1985, p. 84-92.

4-212   "Spécial «Inventaire communal»", *L'Economie de la Réunion*, n°18, 1985, p.2-17. [Trois articles signés Yvon Cheung Chin Tun et Patrick Momal, P. Momal et H. Murat, D. Auguste et P. Momal sur les équipements, commerces et services des communes : les équipements les plus fréquents, les lieux-dits les mieux équipés.]

4-213   *Témoins architecturaux et mécaniques actuels et passés de l'industrie sucrière à la Réunion*, Amicale du personnel de la culture à la Réunion, 1985,120 p., ill. (Choix de photogr. recueillies par concours org. par l'A.P.C.R. de janvier à avril 1985.)

4-214   TOULEMON R. : "Contribution à une réflexion sur quelques problèmes relatifs à l'architecture d'outre-mer", *Les Dossiers de l'outre-mer,* n°78/79, 1985, p.195-200.

1986

4-215   AGENCE FRANCAISE POUR LA MAITRISE DE L'ENERGIE : *Situation et perspectives énergétiques à la Réunion : 1983-1990*, Conseil régional (Réunion) ; A.F.M.E. (Paris), 1986, 147 p.

4-216   "Architecture à la Réunion", *Varangue,* 1986, n°1, 110 p.

4-217   ASSOCIATION POUR LES ETUDES D'AMENAGEMENT ET D'URBANISME DE LA REUNION : *Protégeons nos lagons* (plaquette élaborée par Catherine Gabrie et l'Association pour les études d'aménagement et d'urbanisme de la Réunion, à la demande du Conseil régional), 1986, [20] p., ill.

4-218   BERRON Henri : "Les Petites activités dans le développement des Hauts de la Réunion : le cas des chambres d'hôtes", p. 181-189, in INSTITUT D'AMENAGEMENT REGIONAL, Aix-en-Provence : *Expériences étrangères d'aménagement : séminaire Aménagement comparé, 1985-1986,* [1986], 189 p.
⇒ Egalement publié, p. 295-303, in *Iles tropicales : insularité, insularisme* (actes du colloque, Bordeaux-Talence, 23-25 octobre 1986), CRET (Talence), 1987, 499 p., cartes, ill. (Iles et archipels ; 8) ;
⇒ et repris, p. 79-89, in INSTITUT D'AMENAGEMENT REGIONAL, Aix-en-Provence : *L'I.A.R. dans l'océan Indien : 1982-1992*, 1992, 143 p.

4-219   CAZES G. : "Transport aérien et développement touristique : des relations vitales et dialectiques : le cas de la Réunion", *Travaux de l'Institut de géographie de Reims*, 1986, p. 45-59.

4-220   DUCOUDRE François : "L'Organisation des transports maritimes dans le sud-ouest de l'océan Indien", *Les Dossiers de l'outre-mer,* n°84, 1986, p. 32-39.

4-221 FICQUELMONT (de) Gérard-Marie, CRUSOL Jean : "Les Progrès technologiques dans les DOM-TOM", *Les Dossiers de l'outre-mer,* n°83, 1986, p. 88-95.

4-222 FOURNIER Yves : "Des Dessertes maritimes fréquentes", *Les Dossiers de l'outre-mer,* n°83, 1986, p. 6-11.

4-223 FOURNIER Yves : "Ports et flotte d'outre-mer", *Les Dossiers de l'outre-mer,* n°83, 1986, p. 12-16.

4-224 GODERIAUX Claude-Francis : "Communications et télécommunications", p. 127-139, in *La Réunion dans l'océan Indien* (colloque organisé par le Centre des hautes études sur l'Afrique et l'Asie modernes, 24-25 octobre 1985), CHEAM (Paris), 1986, 239 p. (Publications du CHEAM).

4-225 LEFEVRE Daniel : "L'Organisation de l'espace à Maurice et à la Réunion : étude de géographie comparée", 4.t. en 6 vol., 3839 p., ill., bibliogr.
(Th. : Géographie : Nice : 1986.)

4-226 "Logement (Le) : un défi pour l'avenir", *L'Economie de la Réunion,* n°24, 1986, p. 3-15.
[Réunit des articles signés François Lepingle, Colette Pavageau, Philippe Lapierre, Jean-Pierre Wacker.]

4-227 REUNION. Comité économique et social : *Mise en valeur des bassins naturels de la Ravine Divon,* 1986, C.E.S., 16 p.

4-228 *Saint-Paul : données historiques et géographiques,* Centre régional de documentation pédagogique de la Réunion, 1986, 142 p., cartes.

4-229 SOCIETE CENTRALE POUR L'EQUIPEMENT DU TERRITOIRE, Paris : *Plan Export (Réunion),* SCET (Paris), 1986, 80 p.

4-230 WATIN Michel "Mutations foncières et changement social à la Réunion : continuités et ruptures", p. 199-214, in *Enjeux fonciers dans la Caraïbe, en Amérique centrale et à la Réunion* (éd. C. Deverre), Karthala (Paris), 1986, 230 p. (Hommes et sociétés.)

1987

4-231 BLANC Yves, OUTREQUIN Philippe : "Comprendre et programmer la demande d'énergie dans les départements d'outre-mer", *Les Dossiers de l'outre-mer,* 1987, n°86, p. 10-27.

4-232   CONDELLO Montagna, DELVAUX-PAYET Anne : "Habitat traditionnel et habitat social à la Réunion : un exemple d'opération R.H.I. au Port", p. 73-86, in INSTITUT D'AMENAGEMENT REGIONAL, Aix-en-Provence : *Expériences étrangères d'aménagement : séminaire Aménagement comparé, 1986-1987,* [1987], 145 p.
⇒ Texte repris, p. 63-77, in INSTITUT D'AMENAGEMENT REGIONAL, Aix-en-Provence : *L'I.A.R. dans l'océan Indien : 1982-1992,* 1992, 143 p.

4-233   GREAUME François : "Energie et habitat dans les DOM", *Les Dossiers de l'outre-mer,* n°86, 1987, p. 93-104.

4-234   *Jardin de l'Etat, Saint-Denis,* O.M.T.L ; Ed. Lacaze (Saint-Denis, Réunion), 1987, 19 p., ill. (Les Cahiers de notre histoire ; 2).

4-235   LEFEVRE Daniel : "La Réunion : espace et développement", *Bulletin de l'Association de géographes français,* vol. 64, n°5, 1987, p. 355-376.

4-236   LEFEVRE Daniel : "Les Structures spatiales réunionnaises", p. 241-259, in *Iles tropicales : insularité, insularisme* (actes du colloque, Bordeaux-Talence, 23-25 octobre 1986), CRET (Talence), 1987, 499 p., cartes, ill. (Iles et archipels ; 8).

4-237   MORAND Yves : "Production et distribution d'électricité dans les départements d'outre-mer", *Les Dossiers de l'outre-mer,* n°86, 1987, p. 61-72.

4-238   PAYET SERE Marie-Joëlle : "Le Thermalisme à la Réunion". (Th. : Pharm. : Montpellier 1: 1987.)

4-239   REUNION. Commissariat à l'aménagement des Hauts : *Dynamique de développement dans les secteurs prioritaires du programme général d'aménagement des Hauts* (par Jean-Marie Elliautou, Michel Ehrart *et al.*), 1987, 214 p., cartes.

4-240   REUNION. Direction départementale des affaires sanitaires et sociales (en collab. avec le Laboratoire départemental d'épidémiologie et d'hygiène du milieu, et l'Office national des forêts) : *Bilan de la qualité des eaux de consommation distribuées à Mafate,* 1987, 81 p., ill.

4-241   REUNION. Institut national de la statistique et des études économiques : *Réunion : l'île aux contrastes : zones et micro régions,* INSEE-Réunion, 1987, 60 p., 25 cartes par ordinateur + 2 cartes de repérage (Les Dossiers de l'économie réunionnaise ; 8).

4-242   SCET AGRI, Paris : *Aménagement du terrain Couilloux,* 1987, 86 p.

4-243   *Thermes (Les) de Cilaos*, O.M.T.L : Ed. Lacaze (Saint-Denis, Réunion), 1987, 20 p., ill. (Les Cahiers de notre histoire ; 4).

4-244   VERGNET Marc : "La Politique de maîtrise de l'énergie, l'application dans les DOM-TOM", *Les Dossiers de l'outre-mer*, n°86, 1987, p. 81-92.

4-245   VIDAL Philippe : "La Politique de l'électricité dans les départements d'outre-mer", *Les Dossiers de l'outre-mer*, n°86, 1987, p. 3-9.

1988

4-246   AGENCE D'URBANISME DE LA REUNION : *Z.H.P.I., zone d'habitat précaire et insalubre : inventaire des îlots d'habitat groupé particulièrement dégradé : descriptif communal, septembre 1988*, A.U.R., 1988, non paginé.

4-247   AGENCE D'URBANISME DE LA REUNION : *Z.H.P.I., zone d'habitat précaire et insalubre : inventaire des îlots d'habitat groupé particulièrement dégradé : rapport intermédiaire, août 1988*, A.U.R., 1988, [8]-35 p.

4-248   BARAT Christian *et al.* : *Cases cachées : les maisons de la Réunion*, Ed. du Pacifique, 1988, 175 p.

4-249   CHEVALIER Michel : "Station de traitement des eaux usées de Saint-Gilles-Trois Bassins (La Réunion)", *The Journal of nature = Le Journal de la nature* (Réunion), vol. 1, n°1 (n° spécial : Atelier AIRDOI, 1987 : Récifs coralliens des îles du sud-ouest de l'océan Indien), 1988, p. 88-90.

4-250   DUPONT Guy :"Saint-Denis de la Réunion, ville tropicale en mutation", 2 vol., 926 p., ill., cartes, bibliogr.
         (Th. 3e cycle : Econ. rég. et aménage. du territ. : Aix-Marseille 3 : 1988.)
         ⇒ Texte éd. en 1990, Ed. L'Harmattan (Paris).

4-251   *Il était une fois Saint-Denis*, O.M.T.L ; Ed. Lacaze (Saint-Denis, Réunion), 1988, 23 p., ill. (Les Cahiers de notre histoire ; 12).

4-252   *Itinéraire historique : sur la route des statues*, O.M.T.L ; Ed. Lacaze (Saint-Denis, Réunion), 1988, 24 p., ill. (Les Cahiers de notre histoire ; 5).

4-253   JACOD Michel : "La Défiscalisation des investissements : un premier bilan", *L'Economie de la Réunion*, n°33, 1988, p. 7-14.
         [Réunit deux articles :"Bâtiment : le coup de fouet de la défiscalisation" et "1987 : une année favorable pour investir".]

4-254   LOUARN Yann : "L'Equipement des ménages", *L'Economie de la Réunion*, n°38, 1988, p. 2-10, 15-22.

4-255   REUNION. Conseil général : *L'Irrigation du littoral ouest*, 1988, [4] p., ill.

4-256   REUNION. Direction départementale de l'équipement Groupe d'études et de programmation : *La Mise en œuvre de l'aménagement : document de travail* (Séminaire, Saint-Gilles-les-Bains, 1988), 64 p.

4-257   REUNION. Direction départementale de l'équipement. Groupe d'études et de programmation : *La Mise en œuvre de l'aménagement urbain* (actes du séminaire de Saint-Gilles-les-Bains, 1988), D.D.E., 96 p., ill.

4-258   *Route (La) Rontaunay : de la Source à Bellepierre au Brûlé*, O.M.T.L ; Ed. Lacaze (Saint-Denis, Réunion), 1988, 19 p., ill. (Les Cahiers de notre histoire ; 10).

4-259   *Rue (La) de Paris*, O.M.T.L ; Ed. Lacaze (Saint-Denis, Réunion), 1988, 19 p., ill. (Les Cahiers de notre histoire ; 11).

4-260   *Thermes Les) de Salazie*, UDIR (Saint-Denis, Réunion), 1988, 8 p., ill. (Dossier réalisé par des élèves du Collège de Salazie, dans le cadre de la Semaine nationale du livre pour la jeunesse 1987).

                                                                    1989

4-261   ASSOCIATION POUR LA PROMOTION EN MILIEU RURAL, Réunion : *Opération locale d'aménagement du terroir de Simambry (Trois-Bassins)* (réd. Alain Hébert), A.P.R., 1989, 26-[18] p.-5 cartes dépl. h.t.

4-262   BADETZ Florence, DUTEIL Alain : *Habitations coloniales : Antilles et Réunion* (aquarelles Florence Badetz, textes Alain Duteil), diff. L'Harmattan (Paris), 1989, 64 p. [Réunion p. 45-63.]

4-263   BULLIER Antoine : "Three cases of shantytowns on Reunion island", *The Indian Ocean review*, vol. 2, n°2, 1989, p. 8-11.

4-264   FLEURANT Yann-Eric : *La Réunion : un tourisme tropical différent ?*, CENADOM (Talence), 1989, 106 p,, ill,, cartes, bibliogr. (Collection Zoom sur l'outre-mer).

4-265   GAUD Isabelle : "La Station thermale et climatique de Cilaos (la Réunion)".
         (Th. : Pharm. : Montpellier 1 : 1989.)

4-266   JACOD Michel : "Logements : seulement 50% de logements satisfaisants", *L'Economie de la Réunion*, n°39, 1989, p. 3-9.

4-267   REUNION. Commissariat à l'aménagement des Hauts : *Schéma d'aménagement régional : propositions pour les Hauts*, 1989, 24 p.

4-268   REUNION. Inventaire permanent du littoral : *La Réunion : mode d'occupation du sol*, (Impr. Publipress, Réunion), 1987, 2 fasc. + 8 cartes.

1990

4-269   BOYER Jean-Max, JACOD Michel : "Le Logement à la Réunion aujourd'hui et demain", *L'Economie de la Réunion*, 1990, n°47 (n° spécial), 44 p.

4-270   CHEUNG CHIN TUN Yvon : "Tourisme à la Réunion : le poids des touristes affinitaires", *L'Economie de la Réunion*, n°49, 1990, p. 19-22.

4-271   "Port (Le) de la pointe des Galets", *L'Economie de la Réunion*, n°46, 1990, p. 2-11.

4-272   REUNION. Institut national de la statistique et des études économiques : *La Fréquentation hôtelière à la Réunion : années 1988 et 1989* (dossier réalisé par Yvon Cheung Chin Tun, S. Balbolia), INSEE-Réunion, 1990, 36 p. (Les Dossiers de l'économie réunionnaise ; 12).

4-273   REUNION. Institut national de la statistique et des études économiques : *La Fréquentation touristique à la Réunion : enquête auprès des voyageurs à l'aéroport de Gillot* (dossier réalisé par Yvon Cheung Chin Tun), INSEE-Réunion, 1990, 96 p. (Les Dossiers de l'économie réunionnaise ; 13).

1991

4-274   CIMBARO Philippe : "Progression spectaculaire de l'équipement des ménages : quand la consommation ne rime pas avec modération", *L'Economie de la Réunion*, n°56, 1991, p. 27-32.

4-275   HOAREAU Béatrice : *L'Habitat des bénéficiaires du RMI à la Réunion*, Observatoire départemental de la Réunion, 1991, 71 p. (Etudes et synthèses / O.D.R. ; 12).

4-276   JACOD Michel, PAVAGEAU Colette : "Aides au logement : un éventail de scénarios pour 1995", *L'Economie de la Réunion*, 1991, n°52, p. 2-19.

4-277   JACOD Michel, PAVAGEAU Colette : "Le Logement à la Réunion : entre tradition et modernité", *Economie et statistique*, n°240, fév. 1991, p. 47-57.

4-278   LE COINTRE Gilles : "L'Electricité à la Réunion : course poursuite entre production et consommation", *L'Economie de la Réunion*, n°54, 1991, p. 34-36.

4-279   LEFEVRE Daniel : "L'Irrigation dans les deux principales îles des Mascareignes", p. 39-56, in *Eau et aménagement dans les régions inter-topicales* (éd. Pierre Vennetier). T.2., Centre d'études de géographie tropicale (Talence), 1991, 286 p., ill, cartes (Espaces tropicaux ; 3).

4-280   PAVAGEAU Colette : "Quand ils ont réussi à s'installer, les jeunes sont les plus mal logés", *L'Economie de la Réunion*, n°56, 1991, p. 20-25.

4-281   REUNION. Institut national de la statistique et des études économiques : *La Fréquentation hôtelière à la Réunion en 1990* (dossier réalisé par Yvon Cheung Chin Tun), INSEE-Réunion, 1991, 23 p. (Les Dossiers de l'économie réunionnaise ; 19).

4-282   REUNION. Institut national de la statistique et des études économiques (en collab. avec le Comité du tourisme de la Réunion) : *La Fréquentation touristique à la Réunion en 1990 : enquête auprès des voyageurs à l'aéroport de Gillot* (dossier réalisé par Yvon Cheung Chin Tun), INSEE-Réunion, 1991, 96 p. (Les Dossiers de l'économie réunionnaise ; 18).

4-283   WATIN Michel : "Habiter : approche anthropologique de l'espace domestique à la Réunion", 430 p.
(Th. nouv. rég. : Anthropol. : Réunion : 1991.)

1992-(1993)

4-284   ANGRAND Jean-Pierre : "Les Enjeux théoriques et méthodologiques du schéma d'aménagement régional de la Réunion", p. 131-139, in INSTITUT D'AMENAGEMENT REGIONAL, Aix-en-Provence : *L'I.A.R. dans l'océan Indien : 1982-1992*, 1992, 143 p.

4-285   BARLOGIS Olivier : "Trois pôles d'emploi attirent 25 000 travailleurs", *L'Economie de la Réunion*, n°58, 1992, p. 19-23.
[Concentration des emplois à St-Denis, le Port et St-Pierre.]

4-286   CALMARD Pierre, HERBET Jean-Baptiste : "Saint-Denis découpé en 20 quartiers bien typés", *Economie de la Réunion*, n°61, 1992, p. 10-15 (dossier "Spécial Ville").`

4-287   CHEUNG CHIN TUN Yvon : "Tourisme : ça marche ?... pas trop
          mal", *Economie de la Réunion*, 1992, n°60, p. 8-9, 22.

4-288   ELLIAUTOU Jean-Marie : "La Reconquête de l'espace par de
          jeunes agriculteurs des Hauts de la Réunion", *Annuaire des pays de
          l'océan Indien*, 12, 1990-1991 (paru en 1992), p. 523-531.

4-289   GROUPE POUR LA RECHERCHE APPLIQUEE ET LA
          FORMATION EN SCIENCES HUMAINES, Saint-Paul, Réunion :
          La SICA habitat rural à la Réunion : dix années d'expérience (sous
          la dir. d'E. Souffrin), 1992, 115-[55] p. [SICA = Société d'Intérêt
          Collectif Agricole.]

4-290   HERBET Jean-Baptiste : "Vivre en D.S.Q. [Développement Social
          des Quartiers]", *Economie de la Réunion*, n°61, 1992, p. 6-9
          (dossier"Spécial Ville").

4-291   LE COINTRE Gilles : "Automobile : toujours plus de véhicules",
          L'Economie de la Réunion, n°61, 1992, p. 16-18.

4-292   PAVAGEAU Colette : "Une Croissance urbaine plutôt modérée",
          Economie de la Réunion, n°61, 1992, p. 2-5 (dossier "Spécial
          Ville").

4-293   PAVAGEAU Colette : "Logement : la clientèle privée conteste le
          locatif et boude l'accession", *Economie de la Réunion*, n°64, 1993,
          p. 8-11.

4-294   PAVAGEAU Colette : "Logement : les besoins augmentent, la
          construction sauvage aussi", *Economie de la Réunion*, n°60, 1992,
          p. 2-7.

4-295   REUNION. Institut national de la statistique et des études écono-
          miques : *Enquête logement 1989* (dossier réalisé par Guy
          Broussaudier), INSEE-Réunion, 1993, 190 p. (Les Dossiers de
          l'économie réunionnaise ; 28).

4-296   REUNION. Institut national de la statistique et des études écono-
          miques : *La Fréquentation hôtelière à la Réunion en 1991* (dossier
          réalisé par Yvon Cheung Chin Tun), INSEE-Réunion, 1992, 23 p.
          (Les Dossiers de l'économie réunionnaise ; 23).

4-297   REUNION. Institut national de la statistique et des études écono-
          miques (en collab. avec le Comité du tourisme de la Réunion) : *La
          Fréquentation touristique à la Réunion en 1991 : enquête auprès
          des voyageurs à l'aéroport de Gillot* (dossier réalisé par Yvon
          Cheung Chin Tun), INSEE-Réunion, 1992, 96 p. (Les Dossiers de
          l'économie réunionnaise ; 24).

4-298   WATIN Michel : "La *Kour* à la Réunion : un espace métis ?", t. 2, p.
             139-147, <u>in</u> *Métissages* (actes du colloque international de Saint-
             Denis de la Réunion, 2-7 avril 1990), L'Harmattan (Paris), 1992, 2
             vol. [T. 1, *Littérature-histoire* (textes réunis par Jean-Claude Carpanin
             Marimoutou et Jean-Michel Racault), 304 p. (Cahiers CRLH-CIRAOI ; 7.).
             T. 2, *Linguistique et anthropologie* (textes réunis par Jean-Luc Alber,
             Claudine Bavoux et Michel Watin), 323 p.]

                                                                              ↔

4-299   REUNION. Direction départementale de l'agriculture. Atelier
             départemental d'études économiques et d'aménagement rural :
             *Répartition communale et évolution de la production agricole
             commercialisée* ↔ [Vérifié pour années 1972 à 1980]

ECONOMIE
production, échanges, emploi
vie économique

5-1   CHARRIER Marcel : *La SATEC-Bourbon*, Préfecture de la Réunion, 25 p. (Supplément au *Bulletin de conjoncture* n°15, 1er trim. 1973).

5-2   "Conjoncture (La) économique et sociale dans les DOM", *Bulletin d'information du CENADDOM*, n°16, 1973, p.1-20. [Pour la Réunion voir p. 2, 16-20.]

5-3   DEBAY, *inspecteur général de la FOM* : "Sur la voie de l'industrialisation", *Bulletin d'information du CENADDOM*, n°15, 1973, p. 1-12. [Concerne les DOM ; pour la Réunion voir *passim*.]

5-4   EIGLIER Pierre : *Problèmes et perspectives de l'emploi à la Réunion*, Centre universitaire de la Réunion (Saint-Denis), 1972, 317 p., bibliogr. (Collection des travaux du Centre universitaire de la Réunion). [Texte de Th. : Sciences économiques : Aix-Marseille 3 : 1970.]

5-5   FRANCE. Agriculture et développement rural (Ministère) (en collab. avec le ministère des Départements et territoires d'outre-mer) : *Rapport sur la situation de l'économie agricole réunionnaise : perspectives et programmes d'action* (établi par M. Sauger, chef de mission avec la collab. des membres de la mission), 1973, 122 p.

5-6   FRANCE. Départements et territoires d'outre-mer (Ministère). DOM (Secrétariat général) : *Perspectives de l'économie des DOM*, 1973, 62 p.

5-7   *Marché (Le) des fruits et légumes et la SICAMA*, Préfecture de la Réunion, 28 p. (Supplément au *Bulletin de conjoncture* n°17, 3e trim. 1973).

5-8   REUNION (Département puis Région) *Statistiques et indicateurs économiques*, 1971, 202 p.
        ⇒ puis mises à jour (1972 à 1976 ?)

5-9   REUNION. Direction départementale de l'agriculture. Statistique agricole (Service) : *La Culture de la canne à sucre à la Réunion*, D.D.A., 1973, 79 p. (Etude ; 2).

5-10   SYNDICAT DES FABRICANTS DE SUCRE DE LA REUNION :
        *Plan de redressement de la production sucrière réunionnaise grâce
        à l'amélioration de la productivité des terres cultivées par les
        moyens et petits producteurs de canne*, 1973, 10 p.

5-11   SYNDICAT DES FABRICANTS DE SUCRE DE LA REUNION :
        Rapport de la station d'essai et de génétique de la canne : 1972,
        1973, 141 p.

5-12   "Tableau de bord : Réunion", *Bulletin d'information du
        CENADDOM*, n°16, 1973, p. 133-153. [Tableaux statistiques
        (situation au 30 septembre 1973)]
        ⇒ Rubrique tenue jusqu'en 1976 (situation au 30 septembre ou au
        30 juin ou au 31 décembre) [voir n°19, 23, 27, 30, 33.]

1974

5-13   *Artisanat (L') à la Réunion* (texte préparé par la Fédération
        réunionnaise des maisons des jeunes et de la culture ; photos et
        croquis par Tony Manglou), UNIREG (Paris) ; diff. F.R.M.J.C.
        (Saint-Denis, Réunion), 1974, 72 p., ill. (n° spécial de *Synchro*,
        suppl. au n°10).

5-14   BERTILE WIlfrid : "La Réunion en transition", *Cahiers du Centre
        universitaire de la Réunion*, n°4 (n° spécial "Géographie"), 1974,
        p. 6-28.

5-15   CAISSE CENTRALE DE COOPERATION ECONOMIQUE :
        "Bilan des concours accordés par la Caisse centrale de coopération
        économique aux départements d'outre-mer : 1973", *Bulletin
        d'information du CENADDOM* n°21, 1974, p. 5-13.

5-16   CHAMBRE D'AGRICULTURE DE LA REUNION : *Avant-projet
        de relance porcine à la Réunion* (réd. B. Espinassous), 1974, 45 p.

5-17   CHAMBRE D'AGRICULTURE DE LA REUNION : *Dossier pré-
        étude du plan de relance porcine* (réd. J.P. Troucelier), 1974, 21 p.

5-18   CHANE-TUNE Richard : "La Conjoncture économique et sociale
        des DOM en 1973 et perspectives en 1974", *Bulletin d'information
        du CENADDOM*, n°19,1974, p. 3-22. [Pour la Réunion voir p. 3-9
        passim et p. 19-22.]
        ⇒ Rubrique tenue jusqu'en 1981, voir *Bulletin d'information du
        CENADDOM*, n°23, 27, 30, 33, 36, 39, 45, 51, 57, 63 (numéros
        spéciaux "la Conjoncture dans les DOM").

5-19   CHANE-TUNE Richard : "L'Evolution des prix dans les DOM et les
        mesures de contrôle", *Bulletin d'information du CENADDOM*, n°18,
        1974, p. 3-10.

5-20   COLLOMB Armand : "Les Interventions du Fonds d'orientation et
          de régularisation des marchés agricoles (FORMA) dans les
          départements d'outre-mer", *Bulletin d'information du CENADDOM*,
          n°20, 1974, p. 6-8.

5-21   DADANT R. : "IRAT : douze ans de recherches agronomiques à la
          Réunion", *L'Agronomie tropicale* (série agronomie générale), n°11,
          1974, p. 1159-1192.

5-22   FRANCE. Départements et territoires d'outre-mer (Secrétariat
          d'Etat). DOM (Secrétariat général) : *Bilan 1973 de l'économie des
          DOM*, 1974, 89 p.

5-23   GILIBERT J. : *La Production de viande bovine à la Réunion*,
          Préfecture de la Réunion, 16 p. (Supplément au *Bulletin de
          conjoncture* [n°21], 3e trim. 1974).

5-24   INSTITUT SCIENTIFIQUE ET TECHNIQUE DES PECHES
          MARITIMES, Nantes : *La Pêche maritime et la recherche
          scientifique à la Réunion : rapport de mission du 2 au 19 avril 1974*
          (par. Ch. Allain),1974, 24 p. multigr.

5-25   ISNARD Hildebert : "Le Tertiaire à la Réunion", *Economie et
          Humanisme,* n°215, 1974, p. 27-32.

5-26   JEUNE CHAMBRE ECONOMIQUE DE LA REUNION : *Pleins
          feux sur la Réunion*, 1974, 110 p.

5-27   LEFEVRE Daniel : "La Situation économique de la Réunion au
          début du VIe Plan", *Annales de Géographie*, n°457, 1974, p. 318-
          349.

5-28   MARTIN Jean-Claude : "La Statistique agricole dans les
          départements d'outre-mer", *Bulletin d'information du CENADDOM*,
          n°22, 1974, p. 30-36.

5-29   REUNION. Direction départementale de l'agriculture : *La Structure
          du troupeau bovin en 1973*, D.D.A., 1974, 43 p. (Etude ; 4).

5-30   REUNION. Direction départementale de l'agriculture. Statistique
          agricole (Service) : *La Culture du géranium*, D.D.A., 1974,
          55 p.(Etude ; 8).

5-31   REUNION. Direction départementale de l'agriculture. Statistique
          agricole (Service) : *La Culture du vétyver*, D.D.A., 1974, 49 p.
          (Etude ; 9).

5-32   REUNION. Direction départementale de l'agriculture. Statistique
          agricole (Service) : *Les Productions légumières*, D.D.A., 1974, 81 p.
          (Etude ; 7).

5-33   REUNION. Direction départementale de l'agriculture. Statistique agricole (Service) : *La Structure du cheptel porcin au 1er décembre 1973*, D.D.A., 1974, 43 p. (Etude ; 5).

5-34   REUNION. Institut national de la statistique et des études économiques : *Résultats de l'enquête sur l'emploi dans le département de la Réunion, novembre 1971*, INSEE-Réunion, 1974, 37 p. (Etudes ; 1).

                                                                           1975

5-35   AUBERT B., LICHOU J. : *L'Agrumiculture à la Réunion*, IFAC (Saint-Denis), 1975, 84 p.

5-36   AUBERT B. : "Possibilité de production de mangues greffées à la Réunion", *Fruits* (Paris), vol. 30, n°7/8, 1975, p. 444-479.

5-37   AUBERT B. : *Production de l'ananas Victoria à la Réunion : écologie de l'ananas*, IFAC (Saint-Denis), 1975, 34 p.

5-38   AUBERT B., LICHOU J., FOURNIER P., MOREUIL C. : *Recherches et expérimentations sur les fruitiers à la Réunion : l'IRFA* Préfecture de la Réunion, 42 p.-[12] p. de pl. (Supplément au *Bulletin de conjoncture* n°26, 4e trim. 1975).

5-39   BIDOIS C. : *Le Secteur des métiers à la Réunion*, Préfecture de la Réunion, 21 p. (Supplément au *Bulletin de conjoncture* [n°23], 1er trim. 1975).

5-40   COOPERATIVE DES PRODUCTEURS DE PORCS A LA REUNION : *Plan de relance de la production porcine à la Réunion*, Chambre d'agriculture de la Réunion, 1975, 157 p.

5-41   DADANT R. : "Les Diversifications possibles de l'agriculture réunionnaise", *Bulletin d'information du CENADDOM*, n°26, 1975, p. 15-16.

5-42   DEFOS DU RAU Jean : "Deux expériences agricoles à la Réunion : géranium et thé", p. 281-297, in *Types de cultures commerciales paysannes en Asie du Sud-Est et dans le monde insulindien* (table ronde Centre d'études de géographie tropicale, septembre 1972), CEGET (Talence) (Travaux et documents de géographie tropicale ; 20).

5-43   DUPASQUIER Jean-Michel : "La Consommation à l'Ile de la Réunion : essai d'analyse des budgets de famille", 300 p.
        (Th. : Sci. écon. : Grenoble : 1975.)

5-44   FRANCE. Départements et territoires d'outre-mer (Secrétariat d'Etat). DOM (Secrétariat général) : *L'Economie des DOM en 1974*, 1975, 101 p.

5-45   GUEZE Paul : *Les Possibilités de pêche aux crevettes de profondeur à l'île de la Réunion*, 1975, 18 p. multigr.

5-46   HELLY Denise : *Petits planteurs de la Réunion : étude de bilan d'exploitation*, Fondation pour la Recherche et le Développement dans l'océan Indien (Saint-Denis), 1975, 150 p. (Documents et recherches / F.R.D.O.I. ; 3).

5-47   LIMOUZIN-LAMOTHE Philippe : "Le Développement des investissements productifs dans les départments d'outre-mer : industrie et tourisme", *Bulletin d'information du CENADDOM*, n°28, 1975, p. 20-22.

5-48   REUNION. Comité économique et social : *L'Exploitation des richesses océaniques indiennes : annexe au rapport d'orientation générale*, 1975, 27 p. (2ème réunion ordinaire de 1975, séance du 8 septembre 1975).

5-49   REUNION. Direction départementale de l'agriculture. Production (Service) : *Rapport sur l'exécution du plan de modernisation de l'industrie sucrière au....*, D.D.A., 1975 → (plan de modernisation puis plan de consolidation)

5-50   REUNION. Direction départementale de l'agriculture. Statistique agricole (Service) : *L'Elevage porcin à la Réunion : 1973-1974* (étude du service statistique de la D.D.A., publiée par le Ministère de l'agriculture, Service central des enquêtes et études statistiques), S.C.E.E.S. (Paris), 40 p. (DOM ; 2.)

5-51   ROBERT René : "Note sur les essais d'aquaculture à la Réunion", *Madagascar, revue de géographie*, n°26, 1975, p. 101-102.

5-52   SARAGONI H. : *Coût partiel de production, qualité et rentabilité d'une culture de tabac à la Réunion*, IRAT-Réunion, 1975, 42 p. (n°104).

5-53   SYNDICAT DES IMPORTATEURS GROSSISTES DE LA REUNION : *Vérités sur le commerce réunionnais*, 1975, 51 p.

5-54   TILLON Robert : "La Production et le marché du sucre", *Bulletin d'information du CENADDOM*, n°25, 1975, p. 12-13.

5-55   TILLON Robert : "La Production forestière", *Bulletin d'information du CENADDOM*, n°25, 1975, p. 14-16. [Pour la Réunion voir p. 16.]

5-56   BOISSON Jean-Marie : "Chronique économique de la Réunion :
            année 1974", *Annuaire des pays de l'océan Indien*, vol. 1, 1974
            (paru en 1976), p. 375-422.

5-57   BOISSON Jean-Marie, LAURET Edmond, PAYET Serge :
            *Emergence historique et adaptation des rapports de production
            dans le cadre d'une économie de plantation insulaire : le cas de la
            Réunion* (publié par University of Mauritius, School of
            administration), 38 p. multigr. (Communication au séminaire "The
            Characteristics of island economies", University of Mauritius, août
            1976.)
            ⇒ Publié, p. 103-163 in *The Characteristics of islands economies*
            (ed. Raj Virahsawmy), University of Mauritius, 1977, 163 p.

5-58   BOISSON Jean-Marie : "Note sur la suppression du franc C.F.A. à
            la Réunion", *Cahiers du Centre universitaire de la Réunion*, n°7 (n°
            spécial "Economie"), 1976, p. 162-174.

5-59   BUCHOT Jean-Claude : "Vingt-huit ans de départementalisation
            dans les départements d'outre-mer".
            (Th. 3e cycle, Economie du développement : Grenoble : 1976.)

5-60   CHAMBRE DE COMMERCE ET D'INDUSTRIE DE LA
            REUNION : *Mémoire sur la situation du commerce réunionnais*,
            1976, 25 p.

5-61   DEFOS DU RAU Jean : "Evolution et problèmes actuels de
            l'économie de la Réunion", *Problèmes économiques*, 24 nov. 1976.

5-62   DUPASQUIER Jean-Michel : "L'Analyse des budgets de famille à
            St-Denis de la Réunion", *Cahiers du Centre universitaire de la
            Réunion*, n°7 (n° spécial "Economie"), 1976, p. 64-105. [Extrait de la
            thèse soutenue en 1975.]

5-63   FRANCE. Agriculture (Ministère). Enquêtes et études statistiques
            (Service) : *L'Emploi en agriculture à la Réunion : 1974-1975*, 1976,
            49 p. (DOM. ; 7).

5-64   GUEZE Paul : "Compte rendu des essais de pêche aux crevettes de
            profondeur sur les côtes de la Réunion", p. 267-283, in *Biologie
            marine et exploitation des ressources de l'océan Indien occidental*
            (commnications présentées au Colloque Commerson, la Réunion,
            16-24 octobre 1973), ORSTOM (Paris), 1976, IV-367 p. + 5 f. de
            graphiques, ill. (Travaux et documents de l'ORSTOM ; 47).

5-65   HIESSE R. : *L'Elevage porcin à la Réunion*, Préfecture de la
            Région Réunion, 31 p. (Supplément au *Bulletin de conjoncture*
            n°29, 3e trim. 1976).

5-66   LEBEAU Alain : "Compte rendu des essais de pêches profondes de crevettes aux casiers", p. 257-265, <u>in</u> *Biologie marine et exploitation des ressources de l'océan Indien occidental* (commnications présentées au Colloque Commerson, la Réunion, 16-24 octobre 1973), ORSTOM (Paris), 1976, IV-367 p. + 5 f. de graphiques, ill. (Travaux et documents de l'ORSTOM ; 47).

5-67   LEBEAU Alain, LEBRUN Guy : "Elevage expérimental de la tortue marine *Chelonia Mydas*", p. 209-219, <u>in</u> *Biologie marine et exploitation des ressources de l'océan Indien occidental* (commnications présentées au Colloque Commerson, la Réunion, 16-24 octobre 1973), ORSTOM (Paris), 1976, IV-367 p. + 5 f. de graphiques, ill. (Travaux et documents de l'ORSTOM ; 47).

5-68   LE FOL Jacques : "Réflexions sur les possibilités de développement industriel dans les départements d'outre-mer", *Bulletin d'information du CENADDOM*, n°29, 1976, p. 5-10.

5-69   LOYNET G. : "L'IRAT et l'amélioration du maïs en zone tropicale : la Réunion", *Agronomie tropicale*, 1976, n°3, p. 292.

5-70   PONCET E. : "Antilles, Réunion : quelques éléments sur la nature de la crise", *Economie et politique*, n° 260, 1976, p. 87-100.

5-71   REUNION. Direction départementale de l'agriculture. Statistique agricole (Service) : *Les Industries agricoles et alimentaires et le secteur coopératif à la Réunion : [1971, 1972, 1973]* (étude du service statistique de la D.D.A., publiée par le Ministère de l'agriculture, Service central des enquêtes et études statistiques), S.C.E.E.S. (Paris), 62 p. (DOM ; 6).

5-72   ROBERT René : "Réalités et perspectives de l'aquaculture en eau douce à la Réunion", *Cahiers du Centre universitaire de la Réunion*, n°7 (n° spécial "Economie"), 1976, p. 154-161.

5-73   SAUGER René : "Le Plan de modernisation de l'économie sucrière de la Réunion". *Bulletin d'information du CENADDOM*, n°31, 1976, p. 21-26.

5-74   "Situation (La) économique à la Réunion", *Bulletin d'information du CENADDOM*, n°34, 1976, p. 23-29.

5-75   TILLON Robert : "La Production et le marché du sucre en 1975 dans les DOM", *Bulletin d'information du CENADDOM*, n°31, 1976, p. 16-20.

1977

5-76   "Agriculture (L') à la Réunion", *L'Information agricole, n° 484*, oct. 1977, 6 p., carte.

5-77   BENOIST Jean : "Ajustement et ruptures du système de plantation à la Réunion, à la Martinique et à la Guadeloupe", p. 22-42, in *The Characteristics of islands economies* (communications présentées au séminaire tenu à Maurice, University of Mauritius, août 1976,.ed. Raj Virahsawmy), University of Mauritius, 1977, 163 p.

5-78   BOISSON Jean-Marie : "Chronique économique de la Réunion : année 1975", *Annuaire des pays de l'océan Indien*, vol. 2, 1975 (paru en 1977), p. 357-371.

5-79   CHAMBRE DE COMMERCE ET D'INDUSTRIE DE LA REUNION : *Les Départements francais d'outre-mer et leur avenir, perspectives de développement : la région Réunion*, Nouvelle Imprimerie Dionysienne (Saint-Denis), 1977, 227 p., ill.

5-80   CHARDONNET J. : "La Situation économique et sociale dans les départements francais insulaires des tropiques (Antilles, Réunion)", *Géographie et recherche*, n°24, 1977, p. 31-93, ill., bibliogr.

5-81   FRANCE. Agriculture (Ministère) : *Le Recensement général de l'agriculture 1973 à la Réunion*, 1977, 129 p. (Collection de statistique agricole, étude n°154).

5-82   FRANCE. Départements et territoires d'outre-mer (Secrétariat d'Etat). Affaires économiques (Service) : "Le Géranium à la Réunion" *Bulletin d'information du CENADDOM*, n°35, 1977, p. 14-18.

5-83   FRANCE. Départements et territoires d'outre-mer (Secrétariat d'Etat). Affaires économiques (Service) : "Le Tabac dans les DOM", *Bulletin d'information du CENADDOM*, n°37, 1977, p. 25-34. [Pour la Réunion voir *passim* et p. 31-33.]

5-84   FRANCE. Départements et territoires d'outre-mer (Secrétariat d'Etat). DOM (Secrétariat général) : *L'Economie des DOM en 1976*, 1977, 85 p.

5-85   FRANCE. Direction générale de la concurrence et des prix : "Le Nouveau dispositif réglementaire des prix dans les DOM", *Bulletin d'information du CENADDOM*, n°40, 1977, p.18-20.

5-86   "Pêche (La) maritime à la Réunion : dossier", *Revue de la Chambre de commerce et d'industrie de la Réunion*, n° 31, 1977, p. 58-107

5-87   REUNION. Direction départementale de l'agriculture. Production (Service) : *Organisations professionnelles agricoles de production et de commercialisation de la Réunion*, D.D.A., 1977, 66 p.

5-88   REUNION. Institut national de la statistique et des études économiques : *Agrégats économiques provisoires : année 1976*, INSEE-Réunion, 1977, [5] p. (Documents ; 10).

5-89   REUNION. Institut national de la statistique et des études écono-
           miques : *Comparaison des salaires dans le secteur public et le
           secteur privé à la Réunion : 1956 à 1975*, INSEE-Réunion, 1977,
           95 p. (Etudes ; 6). [La couv. porte :"Comparaison des <u>revenus</u>...]

5-90   REUNION. Institut national de la statistique et des études écono-
           miques : *Comptes économiques de la Réunion 1972-1973*, INSEE-
           Réunion, 1977, 40 p. (Etudes ; 5).

5-91   REUNION. Institut national de la statistique et des études écono-
           miques : *Enquête sur les revenus et les dépenses de ménage de la
           Réunion : 1976-1977 : résultats provisoires*, INSEE-Réunion, 1977,
           74 p. (Etudes ; 7).

5-92   REUNION. Institut national de la statistique et des études écono-
           miques : *Indice des prix de détail : à la consommation des familles
           de condition moyenne de l'agglomération de Saint-Denis ...*, INSEE-
           Réunion, 1977, 64 p. (Documents; 13).

5-93   REUNION. Institut national de la statistique et des études écono-
           miques : *Un Modèle simplifié de l'économie de la Réunion,* INSEE-
           Réunion, 1977, 60 p. (Etudes ; 10).

5-94   REUNION. Institut national de la statistique et des études écono-
           miques : *Les Salaires à la Réunion : tableaux de 1968 à 1974*,
           INSEE-Réunion, 1977, 33 p. (Documents ; 7).

5-95   ROBERT René : *Pêche et aquaculture à la Réunion*, Centre
           Universitaire de la Réunion, 1977, 93 p., ill., bibliogr (Collection
           des travaux du Centre Universitaire de la Réunion). [Bibliogr. sur la
           pêche et l'aquaculture dans le S.-O. de l'océan Indien, p. 85-92.]

5-96   SYNDICAT DES IMPORTATEURS GROSSISTES DE LA
           REUNION : *Revenus et prix à la Réunion* , 1977, 62 p.

1978

5-97   BARAT Christian : "La Pêche des bichiques à la Réunion", *Cahiers
           du Centre universitaire de la Réunion*, n°9 (n° spécial
           "Géographie"), 1978, p. 127-137.

5-98   BARRE Raymond : "Allocution de M. Raymond Barre, Premier
           ministre, lors du déjeuner-débat des chambres de commerce d'outre-
           mer : [le 29 novembre 1977]", *Bulletin d'information du
           CENADDOM*, n°41, 1978, p. 7-13.

5-99   BOGREAU Claude : "Développement économique de l'île de la
           Réunion à partir d'un programme d'expansion de l'élevage bovin".
           (Th. : Montpellier : 1978.)

5-100   CAMPAGNE Pierre : "Synthèse des travaux du séminaire tenu à
          l'île Maurice, 6-11 novembre 1978", 32 p., in ENDA : *Réponses
          locales aux besoins de base dans l'environnement des îles de l'ouest
          de l'océan Indien* (session de formation, Maurice, 6-12 novembre
          1978 , Ministry of agriculture and natural resources (Port-Louis) ;
          ENDA O.I.,1978, pagination multiple.

5-101   CHANE-TUNE Richard : "Les Tendances récentes de l'économie
          des DOM", *Bulletin d'Information du CENADDOM*, n°44, p. 34-48.

5-102   CONAN Jean-Yves : "L'Huile essentielle de géranium", *Cahiers du
          Centre universitaire de la Réunion*, n°9 (n° spécial "Géographie"),
          1978, p. 117-124.

5-103   "Données sur alimentation et production alimentaire : extraites des
          statistiques de la F.A.O.", 17 p., in ENDA : *Réponses locales aux
          besoins de base dans l'environnement des îles de l'ouest de l'Océan
          Indien* (session de formation, Maurice, 6-12 novembre 1978 ,
          Ministry of agriculture and natural resources (Port-Louis) ; ENDA
          O.I., 1978, pagination multiple.

5-104   FAUCHER Claude : "Etude de l'organisation d'un plan de relance
          économique : exemple d'un projet d'élevage à l'île de la Réunion".
          (Th. 3e cycle : Gest. : Montpellier 1 : 1978.)

5-105   FRANCE. Départements et territoires d'outre-mer (Secrétariat
          d'Etat) : *L'Economie des DOM en 1977*, 1978, 109 p.

5-106   LAURET Edmond : "Recherche sur le sous-développement de la
          Réunion : rôle joué par la monoculture sucrière dans le dévelop-
          pement de ce sous-développement.
          (Th. 3e cycle : Sci. écon. : Aix-Marseille 2 : 1978.)

5-107   MOREAU Martin : *70 moyens de gagner de l'argent à la Réunion*,
          (Impr. NID, Saint-Denis), 1978, 92 p.

5-108   REUNION. Conseil général : *Situation, problèmes et perspectives
          de l'élevage bovin à la Réunion* (rapport de la commission spéciale
          Elevage bovin), 1978, 59 p.

5-109   REUNION. Institut national de la statistique et des études écono-
          miques : *Agrégats économiques des DOM, 1977 : résultats
          provisoires*, INSEE-Réunion, 1978, 14 p. (Documents ; 20).

5-110   REUNION. Institut national de la statistique et des études écono-
          miques : *Economie de la Réunion : séries statistiques mensuelles
          1977*, INSEE-Réunion, 1978, 56 p. (Documents ; 22).

5-111   REUNION. Institut national de la statistique et des études écono-
          miques : *Enquête sur les revenus et les dépenses de ménage de la
          Réunion : 1976-1977*, INSEE-Réunion, 1978, 170 p. (Etudes ; 11).

5-112   SELWYN Percy : *Small, poor and remote : islands at a geographical disadvantage*, Institute of development studies, University of Sussex (Brigthon), 1978, 53 p. (Discussion paper ; 123).

5-113   SYNDICAT NATIONAL DES IMPORTATEURS DE RHUM : "Le Rhum", *Bulletin d'information du CENADDOM*, n°41, 1978, p. 14-18.

1979

5-114   ALLAIN Charles : "L'Institut scientifique et technique des pêches maritimes outre-mer", *Bulletin d'information du CENADDOM*, n°52 ("Dossier La Mer"), 1979, p. 57-72. [Pour la Réunion voir p. 65-69.]

5-115   BOGREAU Claude : "L'Elevage bovin : une solution à nos problèmes", *Les Cahiers de la Réunion et de l'Océan Indien* , nouv. série, n°3, 1979, p.16-27.

5-116   BOISMERY Hervé : "Les Déséquilibres structurels de l'économie de la Réunion", *Annuaire des pays de l'océan Indien*, vol. 4, 1977 (paru en 1979), p. 501-571.

5-117   CHAMBRE D'AGRICULTURE DE LA REUNION. Service d'utilité agricole de développement : *Programme pluriennal 1979-1980-1981 : document de synthèse*, 1979, 30 p. [Document de janvier 1979 complétant divers documents précédents (programme de juin 1978, programmes régionaux pour 1979) dont il constitue la synthèse.]

5-118   ECHANGES SANS FRONTIERES, Réunion : "Pour l'abaissement des tarifs aériens à la Réunion", *Bulletin d'information du CENADDOM*, n°51 (n°spécial "La Conjoncture dans les DOM"), 1979, p. 47-53.

5-119   FERLIN Philippe : "Quelques données sur l'aquaculture dans les départements d'outre-mer", *Bulletin d'Information du CENADDOM*, n°52 ("Dossier La Mer"), 1979, p. 25-38. [Réunion, p. 32-35.]

5-120   FRANCE. Agriculture (Ministère) : *Les Services du Ministère de l'agriculture à la Réunion*, 1979, 160 p., ill.

5-121   FRANCE. Départements et territoires d'outre-mer (Secrétariat d'Etat) : *L'Economie des DOM-TOM en 1978*, 1979, 93 p.

5-122   FRANCE. Institut national de la statistique et des études économiques (Direction générale) : "Comparaison des niveaux des prix entre certaines localités des DOM et Paris en 1978", *Bulletin d'information du CENADDOM*, n°50, 1979, p. 18-22.

5-123   GIRAN J.-P. : "Industrie et développement économique à la
         Réunion", *Annuaire des pays de l'océan Indien*, vol. 4, 1977 (paru
         en 1979), p. 175-207.

5-124   HENNEQUIN : "La Pêche maritime à la Réunion", *Bulletin
         d'information du CENADDOM*, n°48 ("Dossier Réunion"), p. 19-22.

5-125   LENTZ Bernard : "Les Etudes réalisées sur l'industrialisation des
         départements d'outre-mer de 1975 à 1979", *Bulletin d'information
         du CENADDOM*, n°51, 1979, p. 54-58.

5-126   MASSABO Jean-Claude : *Les Petites structures d'élevage porcin à
         La Réunion : propositions pour un programme d'actions*, 1979,
         26 p. multigr.

5-127   REUNION. Direction départementale de l'agriculture. Production
         (Service) : *Importations, exportations des principaux produits
         agricoles de 1965 à 1978*, D.D.A., 1979, 23 p.

5-128   REUNION. Direction départementale de l'agriculture. Statistique
         agricole (Service) : *Résultats du recensement de l'aviculture
         intensive à la Réunion, 1978*, Ministère de l'agriculture, Service
         central des enquêtes et études statistiques (Paris), 20 p. (Coll.
         Ouvrage ; 25).

5-129   REUNION. Institut national de la statistique et des études écono-
         miques : *Les Agents des services publics à la Réunion en mai 1976*,
         INSEE-Réunion, 1979, 29 p. (Documents ; 25).

5-130   REUNION. Institut national de la statistique et des études écono-
         miques : *Annuaire statistique de la Réunion 1979. Fascicule 4,
         pêche, forêts, agriculture*, INSEE-Réunion, 1979, 132 p. (Documents
         ; 28).

5-131   REUNION. Institut national de la statistique et des études écono-
         miques : *Economie de la Réunion : séries statistiques mensuelles
         1978*, INSEE-Réunion, 1979, 54 p. (Documents ; 26).

5-132   REUNION. Institut national de la statistique et des études écono-
         miques : *Evolution comparée des pouvoirs d'achat du SMIC et du
         salaire minimum de la fonction publique : 1967 -1976*, INSEE-
         Réunion, 1979, 20 p. (Etudes ; 8).

5-133   ROBERT René : "Activités de pêche maritime à la Réunion", *Les
         Cahiers d'outre-mer*, vol. 32, n°127, 1979, p. 253 280.

5-134   VILLETTE Michaël : "Aspects du commerce extérieur à la
         Réunion", *Bulletin d'information du CENADDOM*, n°48 ("Dossier
         Réunion"), 1979, p. 36-48.

1980

5-135   BOYER Monique : "La Réunion : chronique économique et démographique", *Annuaire des pays de l'océan Indien*, vol. 5, 1978 (paru en 1980), p. 413-421.

5-136   FRANCE. Institut national de la statistique et des études économiques : *Comptes économiques de la Réunion, série 1970-1978 : système élargi de comptabilité nationale*, 149 p. (Archives et documents ; 11). [Publié ensuite par le Service départemental de la Réunion.]

5-137   PARAIN Claude : "Approche des revenus de l'agriculture réunionnaise", *Bulletin d'information du CENADDOM*, n°56, 1980, p. 25-41. [Extrait de la thèse de C. Parain.]

5-138   PARAIN Claude : "Etudes des revenus de l'agriculture réunionnaise", 2 vol., 240, 141 p.
(Th. 3e cycle : Economie du développement, : Paris 1 : 1980.)

5-139   REUNION. Institut national de la statistique et des études économiques : *Economie de la Réunion : séries statistiques mensuelles 1979*, INSEE-Réunion, 1980, 73 p. (Documents : 32).

5-140   REUNION. Institut national de la statistique et des études économiques : *L'Emploi à la Réunion : [résultats partiels et provisoires de l'enquête de novembre-décembre 1978]* (réd. par P. Canaguy et C. Durand), INSEE-Réunion, 1980, 96 p. (Etudes ; 13).

5-141   REUNION. Institut national de la statistique et des études économiques : *L'Indice des prix à la consommation des ménages urbains de condition moyenne*, INSEE-Réunion, 1980, 37 p. (Documents ; 33).

5-142   REUNION. Institut national de la statistique et des études économiques : *Les Salaires à la Réunion dans l'industrie, le commerce et les services du secteur privé : années 1977 et 1978*, INSEE-Réunion, 1980, 20 p. (Documents ; 31).

5-143   REUNION. Institut national de la statistique et des études économiques : *Structure des emplois à la Réunion en 1980 : dans les établissements de plus de 10 salariés*, INSEE-Réunion, 1980, 167 p. (Documents ; 34).

5-144   SARAGONI H. : *Combustibilité et nicotine des tabacs cultivés à la Réunion*, IRAT-Réunion, 1980, 51 p. (n°148).

5-145   SEBASTIEN Georges : "Sous-développement et émigration des départements d'outre-mer".
(Th. 3e cycle : Anal. écon. des problèmes d'emploi, de formation et de santé : Grenoble : 1980.)

5-146   TOURRET Georges : "Quelle politique tarifaire pour la desserte maritime des DOM ?", *Bulletin d'information du CENADDOM*, n°58 ("Dossier Communications"), 1980, p. 15-19.

5-147   VIALELLE Christiane : *La Canne* à *sucre à la Réunion* (éd par le Centre départemental de documentation pédagogique), C.D.D.P., 1980, 62 p.

1981

5-148   ASSOCIATION RÉUNIONNAISE POUR LA MODERNISATION DE L'ECONOMIE SUCRIERE. Comité technique : *Plan de consolidation de l'économie sucrière réunionnaise*, 1981, 49-8-11p.

5-149   ASSOCIATION RÉUNIONNAISE POUR LA MODERNISATION DE L'ECONOMIE SUCRIERE. Comité technique : *Plan de modernisation de l'économie sucrière de la Réunion : 1974-1981*, 1981, 36 p.

5-150   CHAMBRE D'AGRICULTURE DE LA REUNION. Service d'utilité agricole de développement : *Programme pluriennal 1979-1980-1981 : document de synthèse*, 1981, 35 p. [Document de février 1981 présentant l'état d'avancement du programme.]

5-151   CHAMBRE DE COMMERCE ET D'INDUSTRIE DE LA REUNION : "Réglementation des prix", 209 p., *Revue de la C.C.I.R.*, n°41 (n° spécial), 1981.

5-152   DOMENACH Hervé, GUENGANT Jean-Pierre : "Chômage et sous-emploi dans les DOM", *Economie et statistique*, n°137.
⇒ Article repris par le *Bulletin d'information du CENADDOM*, n°65, 1981, p. 4-30.]

5-153   FRANCE. Agriculture (Ministère). Enquêtes et études statistiques (Service central) : *Les Revenus de l'agriculture réunionnaise*, 1981, 142 p. (DOM ; 39).

5-154   FRANCE. Agriculture (Ministère). Enquêtes et études statistiques (Service central) : *Structure des exploitations agricoles de la Réunion en 1976* , 56 p. (DOM ; 42).

5-155   GUILLERMAIN Bernard : "Problèmes agricoles du département de la Réunion, commercialisation des fruits et légumes, étude de la filière et perspectives d'organisation", 4 vol., 506 p.
(Th. 3e cycle : Econ. rurale et agro-aliment. : Paris 1 : 1981.)

5-156   INSTITUT DE RECHERCHES SUR LES FRUITS ET AGRUMES. IRFA-Réunion : *Dix ans d'activité à la Réunion*, 1981, 249 p., ill.

5-157   REUNION. Comité local de la recherche agronomique : *Projet de programme pour 1981 : rapport* (présenté par Michel Hoarau, 107 p. (Annexe au rapport n°47, Conseil général, 2e session ordinaire de 1980, séance du 13 janvier 1981).

5-158   REUNION. Commissariat à l'artisanat : *L'Artisanat du bois à la Réunion : études et perspectives*, 1981, 51 p.

5-159   REUNION. Direction départementale de l'agriculture : *L'Agriculture réunionnaise hier, aujourd'hui, demain : de la plantation à l'entreprise agricole*, D.D.A., 1981, 26 p.

5-160   REUNION. Institut de développement régional : *Impact et conséquences d'une hausse des bas salaires et des transferts sociaux*, I.D.R., 1981, 102 p.

5-161   REUNION. Institut national de la statistique et des études économiques : *Les Dépenses des ménages à la Réunion : résultats extraits de l'enquête sur les revenus et dépenses des ménages de la Réunion 1976-1977*, INSEE-Réunion, 1981, 387 p. (Documents ; 37).

5-162   REUNION. Institut national de la statistique et des études économiques : *Panorama de l'économie de la Réunion,* INSEE-Réunion, 1981-1988.
(Suppl. annuel de *l'Economie de la Réunion*).
⇒ Variante du titre : *L'Economie de la Réunion : panorama* [Ed. 1985 à 1988].
⇒ Devient *Tableau économique* [1989 →]

5-163   REUNION. Institut national de la statistique et des études économiques : *Les Revenus monétaires individuels perçus à la Réunion : résultats extraits de l'enquête de 1976-1977 sur les revenus et dépenses des ménages de la Réunion*, INSEE-Réunion, 1981, 69 p. (Etudes ; 14).

5-164   REUNION. Institut national de la statistique et des études économiques : *Les Salaires à la Réunion en 1979 : mesure des effectifs d'établissements et de salariés, masses salariales brutes*, INSEE-Réunion, 1981, 53 p. (Etudes ; 15).

5-165   RODIONOFF M. : "La Pêche à la Réunion", *Bulletin d'information du CENADDOM*, n°61, 1981, p. 19-28.

                                                                          1982

5-166   CAMBIAIRE (de) Jean : "La Caisse régionale de crédit agricole mutuel de la Réunion", *Bulletin d'information du CENADDOM*, n°67 ("Dossier Monnaie et crédit"), 1982, p. 24-35.

5-167   CHAMBRE D'AGRICULTURE DE LA REUNION : *Bilan des trois années de développement agricole*, 1982, 85 p.

5-168   CHAMBRE DE COMMERCE ET D'INDUSTRIE DE LA REUNION : *Enquête P.M.I. 1980*, [1982], 52 p.[Enquête effectuée de février à mai 1982 sur exercices clos en décembre 1980 ou juin 1981.]

5-169   DARCEL André : "Rôle du Crédit maritime mutuel dans le financement de la pêche", *Bulletin d'information du CENADDOM*, n°67 ("Dossier Monnaie et crédit"), 1982, p. 51-53.

5-170   HAGGAI Jean-Pierre : "Etude de la S.D.R. de l'île de la Réunion (SODERE)", *Bulletin d'information du CENADDOM*, n°67 ("Dossier Monnaie et crédit"), 1982, p. 54-64.

5-171   HERBIN Christian : "Economie de plantation et développement : cas de l'île de la Réunion", 2 vol., 745 p., ill.
(Th. : Sci. écon. : Paris 2 : 1982.)

5-172   JARNAC Guy : "La Banque : reflet ou moteur du développement", *Bulletin d'information du CENADDOM*, n°67 ("Dossier Monnaie et crédit"), 1982, p. 70-73. [Concerne la Réunion.]

5-173   LE MAROIS Michel : "Les Comptes économiques de l'année 1981", *L'Economie de la Réunion*, n°4, décembre 1982, p. 17-20.

5-174   PIERIBASTTESTI Jean-Claude : "Contribution à l'étude de quelques huiles essentielles de la Réunion", 242 p.
(Th. : Sciences physiques : Aix-Marseille : 1982.)

5-175   REUNION. Direction départementale de l'agriculture. Production (Service) : *Importations, exportations des principaux produits agricoles de 1970 à 1982*, D.D.A., 1982, 22 p.

5-176   REUNION. Institut national de la statistique et des études économiques : *Comptes économiques de la Réunion, série 1975-1978 : système élargi de comptabilité nationale* (réd. Gérard Abramovici, Laurent Vernière), INSEE-Réunion, 1982, 133 p. (Dossiers de l'économie réunionnaise ; 2).

5-177   REUNION. Institut national de la statistique et des études économiques : *Evolution comparée des pouvoirs d'achat du SMIC et du salaire minimum de la fonction publique : la Réunion 1971 à 1980* (réd. par G. Le Divelec), INSEE-Réunion, 1982, 35 p. (Dossiers de l'économie réunionnaise ; 1).

5-178   "Revenus 1976 : 864 francs mensuels par adulte", *L'Economie de la Réunion*, n°1, mars 1982, p. 11-17.

5-179   "Zones (Les) industrielles à la Réunion", *La Revue de la Chambre de commerce et d'industrie de la Réunion*, n°45 (n° spécial), 1982, 108 p., ill., cartes.

5-180   "Activité de l'antenne CEEMAT à la Réunion", *Machinisme agricole tropical*, n°84, 1983, p. 3-75, ill.

5-181   ASSISES REGIONALES DES PETITES ET MOYENNES INDUSTRIES : *Rapport des commissions*, pagination multiple [63 p.] (Journées sur les P.M.I. et le développement régional, 5-28 avril 1983).

5-182   BOISMERY Hervé : "L'Année économique et démographique", *Actualités réunionnaises* 1976 (paru en 1983), p. 68-84.
         ⇒ Rubrique tenue dans chaque volume des *Actualités réunionnaises*, de 1976 (paru en 1983) à 1983 (paru en 1986).

5-183   CAMBIAIRE (de) Jean : *La Certitude du développement : une référence mutualiste à la Réunion*, Atya (Paris), 1983, 286 p.

5-184   CHAMBRE DE COMMERCE ET D'INDUSTRIE DE LA REUNION : "Etude de l'appareil commercial réunionnais", 96 p., *La Revue de la C.C.I.R.*, n°48, 1983.

5-185   CHAMBRE DE COMMERCE ET D'INDUSTRIE DE LA REUNION : "Le Fret aérien", *Bulletin d'information du CENADDOM*, n°72 ("Dossier Réunion"), 1983, p. 72-79.

5-186   CHAMBRE DE COMMERCE ET D'INDUSTRIE DE LA REUNION : "Le Rôle de la Chambre de commerce et d'industrie de la Réunion en matière de développement industriel", *Bulletin d'information du CENADDOM*, n°71 ("Dossier Fabriquer dans les DOM"), 1983, p. 58-61.

5-187   CHAMBRE DE METIERS DE LA REUNION : *Enquête par sondage sur le secteur des métiers*, [1983], 109 p. (rapport n°3).

5-188   CHAMBRE DE METIERS DE LA REUNION : *Etude sur l'artisanat : enquête sur le secteur du bois*, [1983], 111 p. (rapport n°4).

5-189   CHAMBRE DE METIERS DE LA REUNION : *Etude sur l'artisanat : recensement de l'artisanat*, [1983], 202 p. (rapport n°2). [Etude réalisée en 1982 par l'Institut de développement régional.]

5-190   CHANE-NAM Raphaël : "Le Groupe Chane-Nam", *Bulletin d'information du CENADDOM*, n°71 ("Dossier Fabriquer dans les DOM"), 1983, p. 89-91.

5-191   DECRE Michel : "L'ANDDOM, les associations départementales et le Commissariat à l'industrialisation", *Bulletin d'information du CENADDOM*, n°71 ("Dossier Fabriquer dans les DOM"), 1983, p. 52-54. [ANDDOM = Association nationale pour le développement des départements d'outre-mer.]

5-192   DURAND Charles : "Bâtiment : une main-d'œuvre peu qualifiée et sous-employée", *L'Economie de la Réunion*, n°8, décembre 1983, p. 7-15.

5-193   DURAND Charles : "Emploi : il y a recherche... et recherche", *L'Economie de la Réunion*, n°5, mars 1983, p. 15-18.

5-194   DURAND Charles : "Revenus : le poids du secteur public" *L'Economie de la Réunion*, n°7, septembre 1983, p. 15-21.

5-195   FRANCE. Agriculture (Ministère) : *Recensement général de l'agriculture 1980-1981 : premiers résultats : Réunion*, 1983, 23 p.

5-196   FRANCE. Premier ministre : *Etude sur les mécanismes de formation des prix en Réunion* (rappport présenté par Bernard Vimay), Inspection générale des affaires d'outre-mer (Paris), 1983, 80-127-56 p.

5-197   HELLER Claude : "Delta Sun", *Bulletin d'information du CENADDOM*, n°71 ("Dossier Fabriquer dans les DOM"), 1983, p. 97-98.

5-198   LE MAROIS Michel : "Economie réunionnaise : croissance de 6,5% en 1982", *L'Economie de la Réunion*, n°8, décembre 1983, p. 3-6.

5-199   MARTINEL Paul : "La Compagnie Laitière des Mascareignes (CILAM) : une industrie de pointe dans l'agro-alimentaire réunionnais", *Bulletin d'information du CENADDOM*, n°71 ("Dossier Fabriquer dans les DOM"), 1983, p. 92-96.

5-200   REUNION. Institut de développement regional : *Le Secteur des métiers à la Réunion c'est... : résultats de l'étude réalisée en 1982 sur les secteur des métiers* (pour la Chambre de métiers de la Réunion), I.D.R., 1983, 39 p.

5-201   RICQUEBOURG G. : "La Chambre des métiers de la Réunion", *Bulletin d'information du CENADDOM*, n°71, ("Dossier Fabriquer dans les DOM"), 1983, p. 65.

5-202   SQUARZONI René : *Le Transfert métropolitain : fait structurant de l'édifice économique et social réunionnais* (publié par l'Observatoire démographique, économique et social de la Réunion), O.D.E.S.R. (Saint-Denis), 1983, 9 p. (Etudes et recherches).

5-203   TROTET Albert : "Revenu brut agricole : 39 000 F par exploitation en 1982", *L'Economie de la Réunion*, n°8, décembre 1983, p. 17-20.

5-204   *Bilan et perspectives : bilan 1983, perspectives 1984* (publ. par l'Institut de développement régional et la Chambre de commerce et d'industrie de la Réunion), 1984, 48 p.

5-205   CELIMENE Fred : "Analyse statistique et économétrique des DOM-TOM", 339 p.
         (Th. 3e cycle : Sci. écon. : Paris 10 : 1984.)

5-206   COMMISSION D'EVALUATION DE L'AQUACULTURE, Paris : *Avis de la commission pour les DOM-TOM,* 1984, 195 p.

5-207   HAINZELIN E. : "Le Maïs à la Réunion", 14 p. (Communication, 2nd International Conference on Indian Ocean Studies, Perth, 5-12 December 1984.)

5-208   INSTITUT FRANCAIS DE LA MER : "Les Chances de l'outre-mer français", *La Nouvelle revue maritime,* n°389, 1984.

5-209   LE GALL J.Y. : "Actualités maritimes dans l'océan Indien : l'île de la Réunion et la mer", *La Pêche maritime,* n°1277, 1984, p. 223-228.

5-210   LE GALL J.Y. : "L'Ile de la Réunion : base arrière des thoniers-senneurs dans l'océan Indien", *La Pêche maritime,* n°1277, 1984, p. 439-443.

5-211   LEFEVRE Daniel : "Quelques aspects de l'évolution récente de l'agriculture réunionnaise", p. 505-521, in *Mélanges offerts en hommage à F.Gay,* Université de Nice, 1984.

5-212   MICHELON R. : "La Patate douce : rationalisation de sa culture à la Réunion", *Agronomie tropicale,* vol. 39, n°1, 1984, p. 76-80.

5-213   PARSEVAL (de) G. : "Régénération des prairies et des parcours dans les Hauts de la Réunion", *Machinisme agricole tropical,* n°88, 1984, p. 29-34.

5-214   REUNION. Commissariat à la rénovation rurale : *Diversification des cultures dans les Hauts : plan d'action 1985-1988 : document préparatoire,* C.C.R. (Saint-Denis), 1984, 6 p.

5-215   REUNION. Direction départementale de l'agriculture : *Plan de relance de la production du géranium à la Réunion,* D.D.A., 1984, 16 p.

5-216   REUNION. Institut national de la statistique et des études écono-miques : *L'Emploi à la Réunion, 1978-1979,* INSEE-Réunion, 1984, 242 p. (Les Dossiers de l'économie réunionnaise : 5).

5-217   REUNION. Institut national de la statistique et des études écono-
         miques : *Structure des emplois à la Réunion en 1981, dans les
         établissements de plus de dix salariés* (document préparé par Luce
         Vergoz), INSEE-Réunion, 1984, 165 p. (Les Dossiers de l'économie
         réunionnaise ; 3).

5-218   ROCHOUX Jean-Yves : "Une Région française sous les tropiques :
         la Réunion", *Revue d'économie régionale et urbaine*, n°4, 1984, p.
         577-590.

5-219   SILLI Martine : "Le Géranium, le vétiver et la vanille à la Réunion :
         leurs huiles essentielles et leurs applications dans les parfums".
         (Th. : Pharm. : Limoges : 1984.)

5-220   SQUARZONI René : *Emploi et IXe Plan à la Réunion : vers une
         société de chômage généralisé* (publié par l'Observatoire
         démographique, économique et social de la Réunion), O.D.E.S.R.
         (Saint-Denis), 1984, 26 p. (Etudes et recherches).

5-221   SQUARZONI René : "La Réunion : chronique économique et
         démographique", *Annuaire des pays de l'océan Indien*, vol. 8, 1981
         (paru en 1984), p. 347-352.

                                                                    1985

5-222   ALEXANDER   AND   BALDWIN   AGRIBUSINESS
         INTERNATIONAL Inc., Honolulu : *La Production de canne à la
         Réunion : bilan et perspectives* (rapport de la mission des experts
         hawaiens, présenté par ABA International Inc. en association avec
         Bouvet and associates Inc.), Syndicat des fabricants de sucre de la
         Réunion (Saint-Denis), 1985, pagination multiple, ill.

5-223   BERTRAND J. : "La Pêche maritime à la Réunion : trente années
         d'effort de développement de la production", *L'Economie de la
         Réunion*, n°15, 1985, p. 3-8.

5-224   CAISSE CENTRALE DE COOPERATION ECONOMIQUE, Paris:
         *L'Industrie hôtelière dans les départements et territoires d'outre-
         mer* (par Françoise Duriez), C.C.C.E. (Paris), 1985, 60 p.

5-225   CENTRE DE COOPERATION INTERNATIONALE EN
         RECHERCHE AGRONOMIQUE POUR LE DEVELOPPEMENT.
         Agence de la Réunion : *Bilan de la recherche système dans les
         Hauts de l'Ouest de la Réunion*, CIRAD (Saint-Denis), 1985, 365 p.
         (Journées du 25 au 27.11.1985).

5-226   CHAMBRE DE COMMERCE ET D'INDUSTRIE DE LA
         REUNION : "Enquête PMI 1983 : données générales 1985", 54 p.,
         La Revue de la C.C.I.R., n°53, 1985.

5-227   "Economie (L') agricole des départements et territoires d'outre-mer", *Bulletin technique d'information* (Ministère de l'agriculture, Paris), 1985, n°403.

5-228   FRANCE. Départements et territoires d'outre-mer (Secrétariat d'Etat) : *5 ans d'action pour l'outre-mer, en métropole*, [1985], [20]p., ill.

5-229   GENERE Benoît : "Elaboration d'un programme multilocal de recherches agroclimatiques sur canne à sucre à la Réunion", XII-115 p., ill., bibliogr.
(Th. doct.-ing. : Agron. (phytotechnie) : Montpellier, Ecole nationale supérieure agronomique : 1985.)

5-230   HENRIETTE Clency : "Contribution à l'étude des systèmes d'exploitation de la Réunion : essai de typologie", 2 vol., 355 p.annexes, ill., bibliogr.
(Th. 3e cycle : Géogr. : Nice : 1985.)

5-231   INSTITUT DE RECHERCHES SUR LES FRUITS ET AGRUMES, Paris : *Recherche agronomique et productions fruitières à la Réunion : bilan et nouvelles perspectives* (par J.P. Gaillard), IRFA ; CIRAD (Paris), 1985, 148 p.

5-232   REUNION. Comité économique et social : *La Pêche côtière et la pêche au large*, C.E.S., 1985, 39 p.

5-233   REUNION. Institut de développement régional : *Etude préparatoire à une opération intégrée de développement*, Préfecture de la Réunion, 1985, 237 p., ill.

5-234   REUNION. Institut national de la statistique et des études économiques : *Les Industries agro-alimentaires à la Réunion : les problèmes de la modernisation*, INSEE-Réunion, 1985, 40 p. (Les Dossiers de l'économie réunionnaise ; 7).

5-235   REUNION. Préfecture : *Guide des aides publiques au développement des entreprises*, 1985, 80 p.

5-236   ROUMAIN de LA TOUCHE Y. : "Cultures fruitières à la Réunion : de la cour au verger", *L'Economie de la Réunion*, n°17, 1985, p. 2-5.

5-237   SERVANT J. : "Le Centre de coopération internationale en recherche agronomique pour le développement (CIRAD) dans les DOM en 1985", *Les Dossiers de l'outre-mer*, n°80, 1985, p. 10-18.

5-238   "Spécial «Revenus»", *L'Economie de la Réunion*, n°19 (n° spécial), 1985, 28 p.

5-239   AMABLE Gérard, LE COINTRE Gilles : "Radioscopie du chômage", *L'Economie de la Réunion*, n°25 (n° spécial), 1986, 32 p.

5-240   BARE J.F. : "La Dépendance alimentaire dans les zones créolophones de l'océan Indien et les conditions économiques et sociales de sa réversion : le cas de l'île de la Réunion : avant-projet" (rapport à la Commission CORDET), 1986, 20 p.

5-241   CHAMBRE D'AGRICULTURE DE LA REUNION : *Les Organisations professionnelles agricoles : île de la Réunion*, 1986, 124 p.

5-242   CHANE-TUNE Richard : "Des Niveaux de vie assez élevés", *Les Dossiers de l'outre-mer*, n°83, 1986, p. 103-110.

5-243   CHEUNG CHIN TUN Yvon, BELON Daniel, AUGUSTE Jean-Claude : "50 premières entreprises", *L'Economie de la Réunion*, n°26 (n°spécial), 1986, 52 p. et n°28, 1987, p. 24.

5-244   DEMANGEOT Patrick : "Un Soutien économique aux productions locales : l'exemple de l'agriculture", *Les Dossiers de l'outre-mer*, n°83, 1986, p. 115-121.

5-245   FAVRE Jean-Jacques : "Analyse d'un essai d'intensification de l'élevage bovin en pâturage permanent de Kikuyu à la Réunion", 89 p.
(Th. : Méd. vét. : Toulouse; Ecole vétérinaire : 1986.)

5-246   GOLDMINC Myriam : "Les Agricultrices à la Réunion : un facteur dynamique du monde rural", *Les Dossiers de l'outre-mer*, n°82, 1986, p. 69-70.

5-247   *Jours de Cilaos : broderies de l'île de la Réunion*, Conseil général (Réunion), Commissariat à l'artisanat, 1986, 69 p.

5-248   LOUGNON Jacques : *Les Parfums de Bourbon : géranium, vétyver et autres essences*, Azalées Ed. (Saint-Denis, Réunion), 1986, 31 p., ill. (Connaissance de l'île de la Réunion).

5-249   MAISON Bernadette : "Economie informelle en zone rurale défavorisée : les Hauts de l'île de la Réunion", 206-60 p., bibliogr.
(Th. 3e cycle : Urban. : Aix-Marseille 3 : 1986.)
• C. R. par H. Berron, *Les Cahiers d'outre-mer*, n°160, p. 392-397 ; repris, p. 17-20, in INSTITUT D'AMENAGEMENT REGIONAL, Aix-en-Provence : *L'I.A.R. dans l'océan Indien : 1982-1992*, 1992, 143 p.

5-250   MOMAL Patrick : "La Réunion : une économie sur des échasses", *Economie et statistiques*, n°188, 1986, p. 55-65. [Article rédigé à partir du dossier "Spécial «Revenus»", *L'Economie de la Réunion*, n°19, 28 p.]

5-251   PINEDE M.C. : "La Bagasse : un atout majeur !", *Print Industrie*, n°5, 1986, p. 45-52.

5-252   REUNION. Commissariat à l'artisanat : *Bois de l'île de la Réunion*, 1986, 102 p, ill.

5-253   ROCHOUX Jean-Yves : *De l'Intérêt d'une zone franche à la Réunion*, Université de la Réunion, 1986 (Les Cahiers de l'EREDI ; 3).

5-254   ROCHOUX Jean-Yves : *Du sucre aux services ou du Développement économique à la Réunion*, Université de la Réunion, 1986 (Les Cahiers de l'EREDI ; 5).
           ⇒ Texte également publié, p. 261-272, in *Iles tropicales : insularité, insularisme* (actes du colloque, Bordeaux-Talence, 23-25 octobre 1986), CRET (Talence), 1987, 499 p., cartes, ill. (Iles et archipels ; 8).

5-255   SOMMIER Jean-Yves : "Des Produits agricoles tropicaux", *Les Dossiers de l'outre-mer,* n°83, 1986, p. 33-39.

5-256   SQUARZONI René : *L'Emploi à la Réunion : quelques réflexions et propositions* (publié par l'Observatoire démographique, économique et social de la Réunion), O.D.E.S.R. (Saint-Denis), 1986, 27 p. (Etudes et recherches).
           ⇒ Egalement publié, p. 273-294, in *Iles tropicales : insularité, insularisme* (actes du colloque, Bordeaux-Talence, 23-25 octobre 1986), CRET (Talence), 1987, 499 p., cartes, ill. (Iles et archipels ; 8).

5-257   SQUARZONI René : *La Balance commerciale de la Réunion : propositions pour une lecture simple* (publié par l'Observatoire démographique, économique et social de la Réunion), O.D.E.S.R. (Saint-Denis), 1986, 13 p. (Etudes et recherches).

5-258   TECHOPTION, Valbonne : *Etude d'une nouvelle stratégie de développement industriel pour la Réunion*, 1986, 413 p.

                                                                           1987

5-259   AMABLE Gérard, MOMAL Patrick : "La Réunion, département le plus touché par le chômage", *Economie et statistique*, n°198, 1987, p. 15-20.

5-260   BERRON Henri : "Les Activités du secteur informel en Côte d'Ivoire et à la Réunion", *Cahiers d'outre-mer*, n°160, 1987, p. 392-397.

5-261   BERTILE Wilfrid : "La Réunion sur la voie du développement", *Annales de géographie*, n°533, 1987, p. 33-51.

5-262   CASTAGNEDE Bernard : *La Défiscalisation des investissements outre-mer : article 22 de la loi n°86-824 du 11 juillet 1986*, Presses universitaires de France (Paris), 1987, 237 p., bibliogr. index.

5-263   CHAMBRE DE COMMERCE ET D'INDUSTRIE DE LA RÉUNION : *Données pratiques de l'économie réunionnaise : document d'information économique*, 1987, 26 p.

5-264   FRANCE. Conseil économique et social : *La Situation économique et les conditions du développement des départements d'outre-mer* (rapport présenté le 10 novembre 1987 par Guy Jarnac), 128 p.
⇒ Extraits de ce rapport publiés par *Problèmes économiques*, n°2.056 (6 janv. 1988).

5-265   LE BOURDIEC Françoise, LE BOURDIEC Paul : "Problèmes socio-économiques de la façade orientale africaine et des îles du sud-ouest de l'océan Indien", *Annales de géographie*, n°533, 1987, p. 1-32. [Pour la Réunion voir *passim..*]

5-266   MAGNE Laurent : "Spécial «Embauche dans les entreprises»", *L'Economie de la Réunion*, n°32 (n°spécial), 1987, 16 p.

5-267   MORAND Yves : "Les Structures tarifaires de l'électricité dans les départements d'outre-mer", *Les Dossiers de l'outre-mer*, n°86, 1987, p. 73-76.

5-268   PELAGE A., LEOTIN A. : "Le Pétrole et le développement des départements d'outre-mer", *Les Dossiers de l'outre-mer,* n°86, 1987, p.28-52.

5-269   RÉUNION. Institut national de la statistique et des études économiques : *Comptes économiques 1970-1985 : la croissance tranquille*, INSEE-Réunion, 1987, 103 p. (Les Dossiers de l'économie réunionnaise ; 9).

5-270   RIVIERE Maxime : "Valorisation de la biomasse des cannes à sucre à l'île de la Réunion", *Les Dossiers de l'outre-mer,* n°86, 1987, p. 105-108.

5-271   ROCHOUX Jean-Yves : *L'Industrie à la Réunion : des P.M.I.*, Université de la Réunion, 1987, 15 p. (Les Cahiers de l'EREDI ; 7).

5-272   ROCHOUX Jean-Yves : *Les Effets macroéconomiques de la défiscalisation en 1987*, Université de la Réunion, 1987, 26 p. (Les Cahiers de l'EREDI ; 6).

5-273   ROCHOUX Jean-Yves : *Memorandum de l'industrie* (étude réalisée pour l'Association pour le développement industriel de la Réunion), Université de la Réunion, 1987, 23 p. (Les Cahiers de l'EREDI ; 8).

5-274   SERE Denis : "De la canne à sucre au saccharose : production à l'île
           de la Réunion".
           (Th. : Pharm. : Montpellier 1 : 1987.)

5-275   SQUARZONI René : "La Balance commerciale de la Réunion :
           propositions pour une lecture simple", *Economie* (Université de
           Perpignan), 1987.

1988

5-276   ASSOCIATION REUNIONNAISE POUR LE DEVELOPPEMENT
           DE LA TECHNOLOGIE AGRICOLE ET SUCRIERE :
           Communications présentées au 3e Congrès international de l'ARTAS
           (Saint-Gilles), 1988, 462 p.

5-277   ASSOCIATION REUNIONNAISE POUR LE DEVELOPPEMENT
           DE LA TECHNOLOGIE AGRICOLE ET SUCRIERE : *Panorama
           agricole et sucrier : 1978-1988*, ARTAS (Réunion), 1988, 201 p.,
           cartes (Publié à l'occasion du 3e Congrès international de l'ARTAS,
           16-23 octobre 1988.)

5-278   COSTES Evelyne : "Analyse architecturale et modélisation du litchi
           (litchi Chinensis Sonn) : contribution à l'étude de son irrégularité de
           production à l'île de la Réunion".
           (Th. : Biol. organ. popul. : Montpelllier 2 : 1988.)

5-279   PAYET Serge : *L'Alignement des SMICS,* High Tech (Saint-Denis,
           Réunion), 1988, 31 p. (Rapport présenté au COLIER pour servir de
           base de réflexion à l'alignement des SMICS.)

5-280   REUNION. Conseil général : *Etude de motivation auprès des
           agriculteurs de l'île de la Réunion : synthèse des entretiens réalisés
           auprès des agriculteurs et des responsables agricoles du
           département : rapport final,* Cédrat (Meylan, 38240), 1988, 181 p.

5-281   ROCHOUX Jean-Yves : *Les Aides directes régionales aux
           entreprises et leur efficacité* (étude réalisée pour le Conseil régional
           de la Réunion), Université de la Réunion, 1988, 39 p. (Les Cahiers
           de l'EREDI ; 9).

5-282   TARDY A., CHASTEL J.M. : *Evaluation économique du progrès
           agricole à la Réunion : 1970-1988,* Chambre d'agriculture de la
           Réunion, 1988.

1989

5-283   FRIEZ Adrien : "La Consommation des ménages", *L'Economie de
           la Réunion*, n°43, 1989, p. 2-14.

5-284   JACOD Michel : "Les Salaires du privé à la Réunion", *L'Economie de la Réunion*, n°45, 1989, p. 2-15.

5-285   LAM YAM Lynda : "Contribution à l'étude de la croissance et de la fructification du pêcher (prunus persica L. Batsch) dans les conditions climatiques de type tropical de l'île de la Réunion". (Th. 3e cycle : Biol. org. popul. : Montpellier 2 : 1989.)

5-286   LEFEVRE Daniel : "L'Evolution des modes de production agricole à la Réunion depuis la départementalisation", p. 317-335, in *Fragments pour une histoire des économies et sociétés de plantation à la Réunion* (éd. Claude Wanquet), Publications de l'Université de la Réunion, 1989, 351 p.

5-287   MAURICE Pierre : "Le Chômage à la Réunion, situation et perspectives", p. 133-144, in *Les Economies insulaires : stratégies de développement des économies insulaires à pouvoir d'achat élevé* (actes du colloque de Saint-Denis de la Réunion, 7-10 novembre 1989), Association pour la recherche et la technologie à la Réunion, 1989, 236 p.

5-288   NARASSIGUIN Philippe, SQUARZONI René : *La Balance commerciale de la Réunion : perspective historique et analyse régionale*, Observatoire départemental de la Réunion, 1989, 38 p., bibliogr. (Etudes et synthèses / O.D.R. ; 3).
           ⇒ Egalement publié par *Annuaire des pays de l'océan Indien*, vol. 11, 1986-1989 (publié en 1991), p. 103-133.

5-289   PAYET Michel-Jean : "Le Développement industriel dans les petites économies insulaires à pouvoir d'achat élevé : exemple de la Réunion", p. 145-156, in *Les Economies insulaires : stratégies de développement des économies insulaires à pouvoir d'achat élevé* (actes du colloque de Saint-Denis de la Réunion, 7-10 novembre 1989), Association pour la recherche et la technologie à la Réunion, 1989, 236 p.

5-290   PAYET Serge : *Gagner l'égalité*, (Impr. I.G.R., Sainte-Clotilde), 1989, 72 p.

1990

5-291   CHAMBRE D'AGRICULTURE DE LA REUNION : *Le Vétiver à la Réunion : situation en avril 1990*, Chambre d'agriculture de la Réunion, 1990.

5-292   LUCAS Raoul : *La Réunion, île de vanille*, Océan Ed. (Saint-André), 1990, 143 p., ill.

5-293   REUNION. Comité économique et social : *L'Economie réunion-naise : l'agriculture, bilan et perspectives : actes du colloque, 6 juillet 1990*, 1990, 189 p.

5-294   REUNION. Comité économique et social : *L'Economie réunion-naise : l'agriculture, bilan et perspectives : travaux des commissions, avril-mai 1990*, 1990, 122 p.

5-295   REUNION. Direction départementale de l'agriculture : *Premiers résultats du recensement agricole 1988/1989*, D.D.A., 1990.

5-296   REUNION. Institut national de la statistique et des études écono-miques : *Les Salaires du secteur privé en 1986 : déclarations annuelles des salaires 1986* (dossier réalisé par M. Jacod), INSEE-Réunion, 1990, 68 p. (Les Dossiers de l'économie réunionnaise ; 11).

5-297   TOUBALE Tarek : "Les Revenus des ménages", *L'Economie de la Réunion*, n°49, 1990, p. 2-13.

5-298   TROTET Albert, LE COINTRE Gilles : "L'Agriculture réunion-naise", *L'Economie de la Réunion*, n°48, 1990, p.6-17.

5-299   VALY Amine : *L'Installation des jeunes agriculteurs dans les Hauts de l'Ouest : le modèle «géranium/diversification»*, Obser-vatoire départemental de la Réunion, 1990, 93 p., bibliogr. (Etudes et synthèses / O.D.R. ; 7).

5-300   VALY Amine : *La Main-d'oeuvre agricole et le revenu minimum d'insertion à la Réunion,* Observatoire départemental de la Réunion, 1990, 14 p. (La Note d'information de l'O.D.R. ; 10).

5-301   VALY Amine : *Les Petites exploitations dans les Hauts de l'ouest de la Réunion : production agricole et formation du revenu familial,* Observatoire départemental de la Réunion, 1990, 89 p., bibliogr. (Etudes et synthèses / O.D.R. ; 6).

5-302   VALY Amine, SQUARZONI René : *L'Agriculture réunionnaise : analyse globale et perspectives*, Observatoire départemental de la Réunion, 1990, 46 p., bibliogr. (Etudes et synthèses / O.D.R. ; 8).

1991

5-303   BERRON Henri : "La Récupération des bouteilles à la Réunion : une source intéressante de profit", *Annuaire des pays de l'océan Indien*, vol. 11, 1986-1989 (paru en 1991), p. 225-235
⇒ Texte repris, p. 91-100, in INSTITUT D'AMENAGEMENT REGIONAL, Aix-en-Provence : *L'I.A.R. dans l'océan Indien : 1982-1992*, 1992, 143 p.

5-304   BIAIS Gérard : "La Pêche maritime à la Réunion dans les années 80", *L'Economie de la Réunion*, 1991, n°54, p.2-10.

5-305   CAILLERE Alain : "Vingt ans de croissance économique réunionnaise", *L'Economie de la Réunion*, n°55, 1991, p. 23-27.

5-306   CAILLERE Alain, PAVAGEAU Colette : "Quatre ans de défiscalisation pour les particuliers", *L'Economie de la Réunion*, n°53, 1991, p. 40-44.

5-307   CHEUNG CHIN TUN Yvon : "Grandes entreprises de la Réunion" (dossier réalisé par Yvon Cheung Chin Tun, avec la participation de Mihange Beton, Alain Caillere et la collab. du Service du Développement de la C.C.I. Réunion), *L'Economie de la Réunion*, n°50/51 (n°spécial), 1991, 126 p.

5-308   CHEUNG CHIN TUN Yvon : "Les Petites entreprises industrielles à la Réunion en 1988", *L'Economie de la Réunion*, n°52, 1991, p. 21-27.

5-309   CHEVILLON Myriam : "Premier contact avec le marché du travail", *L'Economie de la Réunion*, n°55, 1991, p. 8-12.

5-310   CIMBARO Philippe : "Le Tabac dans tous ses états", *L'Economie de la Réunion*, n°53, 1991, p. 30-33.

5-311   FAYAND Cyrille : "L'Elevage porcin à la Réunion : approche technico-économique". (Th. : Méd. vét. : Paris 12, Alfort : 1991.)

5-312   GAMEL Claude : "Perspectives d'emploi et de compétitivité dans une région de la C.E.E. excentrée dans l'océan Indien : l'île de la Réunion", *Annuaire des pays de l'océan Indien*, 11, 1986-1989 (paru en 1991), p. 89-102.

5-313   MAURICE Pierre : "L'Economie de la Réunion en 1989 : éléments d'un bilan", *Annuaire des pays de l'océan Indien*, vol. 11, 1986-1989 (paru en 1991), p. 203-223.

5-314   MINET Jean-Pierre, LEGROUX André-Yves : "Vers un nouvel essor de la pêche à la Réunion", *L'Economie de la Réunion*, n°54, 1991, p. 11-17.

5-315   PERRIN Martine : "Plus d'emplois qualifiés et plus de femmes : analyse de l'effectif salarié de 345 entreprises depuis 1985", *L'Economie de la Réunion*, n°55, 1991, p. 18-22.

5-316   REUNION. Institut national de la statistique et des études économiques : *Comptes économiques 1980-1990 : la décennie industrielle (estimations pour 1989 et 1990)* (dossier réalisé par A. Caillere et M. Beton), INSEE-Réunion, 1991, 95 p. (Les Dossiers de l'économie réunionnaise ; 16).

5-317 REUNION. Institut national de la statistique et des études économiques : *Enquête budget de famille, 1986-1987 : logement des ménages* (dossier réalisé par M. Jacod), INSEE-Réunion, 1991, 84 p. (Les Dossiers de l'économie réunionnaise ; 17).

5-318 REUNION. Institut national de la statistique et des études économiques : *Enquête budget de famille, 1986-1987 : revenus des ménages* (dossier réalisé par J.P. Colliez), INSEE-Réunion, 1991, 69 p. (Les Dossiers de l'économie réunionnaise ; 15).

5-319 SCHAFF J.-Y., SQUARZONI René : *La Petite et moyenne industrie à la Réunion*, Observatoire départemental de la Réunion, 1991, 18 p. (La Note d'information de l'O.D.R. ; 17).

5-320 VALY Amine : "Systèmes de production agricoles et politique économique et sociale à la Réunion : l'exploitation familiale en question".
(Th. nouv. rég. : Sci. écon. : Dijon : 1990.)

1992-(1993)

5-321 ARMAND Françoise : "L'Esprit d'entreprise chez les femmes réunionnaises : de véritables initiatives ou un prétexte à subventions ?", p. 101-111, in INSTITUT D'AMENAGEMENT REGIONAL, Aix-en-Provence : *L'I.A.R. dans l'océan Indien : 1982-1992*, 1992, 143 p.

5-322 BERTILE Wilfrid : "Développement économique et fécondité à la Réunion", p. 257-264, in *Fécondité, insularité* (actes du colloque international, Saint-Denis de la Réunion, 11-15 mai 1992), Conseil général de la Réunion ; diff. AFI (Saint-Denis), 1993, 2 vol., 1101 p.

5-323 CAILLERE Alain : "Commerce extérieur : voitures allemandes, carrelages italiens et whisky anglais", *L'Economie de la Réunion*, n°63, 1993, p. 3-5 (dossier "Spécial Europe").

5-324 CALMARD Pierre : "La Crise réactive le chômage", *Economie de la Réunion*, n°66, 1993, p. 16-19.

5-325 CHEUNG CHIN TUN Yvon : "Boutiques et supermarchés : le nombre et la puissance", *L'Economie de la Réunion*, n°59, 1992, p. 17-19.

5-326 CHEUNG CHIN TUN Yvon : "Les Grandes surfaces dominent le commerce alimentaire", *Economie de la Réunion*, n°66, 1993, p. 2-5.

5-327 CIMBARO Philippe : "Emploi : un pied à l'étrier avec les contrats emploi solidarité", *Economie de la Réunion*, n°62, 1992, p. 14-17.

5-328   CIMBARO Philippe : "Fonction publique territoriale : beaucoup d'emplois, peu de qualification", *L'Economie de la Réunion*, n°59, 1992, p. 2-6.

5-329   HAUTCŒUR Jean-Claude : "Concentration des salaires du privé autour du SMIC", *L'Economie de la Réunion*, n°58, 1992, p. 11-14.

5-330   INSTITUT D'EMISSION DES DEPARTEMENTS D'OUTRE-MER, Paris : *La Filière canne-sucre-rhum dans les départements d'outre-mer*, 1992, 117 p. [Pour la Réunion voir p. 38-54 et *passim* p. 5-37.]

5-331   MARTIN Laurent : "Suivi d'un panel de jeunes chômeurs : après quatre ans, l'emploi fait jeu égal avec le chômage", *L'Economie de la Réunion*, n°58, 1992, p. 15-18.

5-332   PERRIN Martine : "Bonnes performances pour l'emploi jusqu'en 1991", *Economie de la Réunion*, n°65, 1993, p. 2-5.

5-333   REUNION. Comité économique et social : *Organiser la production et la mise en marché des fruits et légumes frais à la Réunion : une urgence*, C.E.S., 1992, 31 p.

5-334   REUNION. Institut national de la statistique et des études économiques : *Enquête budget de famille, 1986-1987 : démographie et emploi* (dossier réalisé par J.P. Colliez), INSEE-Réunion, 1992, 131 p. (Les Dossiers de l'économie réunionnaise ; 20).

5-335   REUNION. Institut national de la statistique et des études économiques : *Enquête budget de famille, 1986-1987 : équipement des ménages* (dossier réalisé par Y. Louarn), INSEE-Réunion, 1992, 131 p. (Les Dossiers de l'économie réunionnaise ; 21).

5-336   REUNION. Institut national de la statistique et des études économiques : *Les Entreprises de service en 1990 : résultats de l'enquête annuelle d'entreprise* (dossier réalisé par Yvon Cheung Chin Tun), INSEE-Réunion, 1992, 63 p. (Les Dossiers de l'économie réunionnaise ; 25).

5-337   REUNION. Institut national de la statistique et des études économiques : *Les Entreprises du commerce en 1990 : résultats de l'enquête annuelle d'entreprise* (dossier réalisé par Yvon Cheung Chin Tun), INSEE-Réunion, 1992, 179 p. (Les Dossiers de l'économie réunionnaise ; 22).

5-338   REUNION. Institut national de la statistique et des études économiques : *L'Industrie à la Réunion en 1990 : résultats de l'enquête annuelle d'entreprise* (dossier réalisé par Yvon Cheung Chin Tun), INSEE-Réunion, 1992, 50 p. (Les Dossiers de l'économie réunionnaise ; 26).

5-339   ROCHOUX Jean-Yves : "Même si elle se poursuit la performance économique ne réduira pas le chômage", *L'Economie de la Réunion*, n°57, 1992, p. 19-27 (Dossier "La Réunion de l'an 2000").

5-340   SHUM CHEONG SINE Alain : "Etude des composants aromatiques de *jumellea fragrans* : recherche des critères de qualité des rhums de la Réunion".
(Th. : Aliment. : Toulouse, I.N.P. : 1992.)

↔

5-341   CENTRE TECHNIQUE INTERPROFESSIONNEL DE LA CANNE ET DU SUCRE, Réunion : *Enquête planteur.* ↔

5-342   INSTITUT D'EMISSION DES DEPARTEMENTS D'OUTRE-MER, Paris : *Rapport d'activité.* [Rapport annuel en 6 fascicules : Généralités, Guadeloupe, Guyane, Martinique, Réunion, Saint-Pierre et Miquelon. (Consulter aussi le *Bulletin de conjonture,* trimestriel).]

5-343   INSTITUT DE RECHERCHES SUR LES FRUITS ET AGRUMES. IRFA-Réunion, Saint-Pierre : *Rapport annuel.*

5-344   INSTITUT FRANCAIS DE RECHERCHES FRUITIERES OUTRE-MER. IFAC, Saint-Denis : *Rapport annuel.*

5-345   REUNION. Direction départementale de l'agriculture : *Bilan et perspectives agricoles : année....*
⇒ Extraits du bilan 1977 ("Production agricole à la Réunion"), 48 p., in ENDA : *Réponses locales aux besoins de base dans l'environnement des îles de l'ouest de l'Océan Indien* (session de formation, Maurice, 6-12 novembre 1978 , Ministry of agriculture and natural resources (Port-Louis) ; ENDA O.I., 1978, pagination multiple.

5-346   REUNION. Direction départementale de l'agriculture. Statistique agricole (Service) : *Annuaire de statistique agricole du département de la Réunion : année ....*

5-347   REUNION. Institut national de la statistique et des études économiques : *Bilan économique ....* [Publication annuelle]
⇒ Le Bilan 1974 a également été publié par le *Bulletin d'information du CENADDOM*, n°25, p.20-23 ; le Bilan 1976 par l'*Annuaire des pays de l'océan Indien*, vol. 3, 1976 (paru en 1978), p. 525-535.

INSTITUTIONS
organisation politique, administrative, juridique
vie politique

(1972)-1973

6-1   BAYLONGUE-HONDAA André : "L'Octroi de mer à La Réunion : son incidence sur l'économie locale", 195-[70] p. (Th. 3e cycle : Réunion, Institut d'Etudes Juridiques : 1972.)

6-2   DEBRE Michel : *Pour un nouveau bond..., la Réunion, en avant ! : Michel Debré vous parle*, [s.n. (s.l.)], 1973, 63 p., ill.

6-3   FRANCE. Sénat : *Rapport d'information fait ...à la suite de la mission effectuée du 9 au 29 février 1972 ...chargée d'étudier les conditions d'application de la réforme foncière à la Réunion et les problèmes généraux de l'administration du territoire des Comores* (par Jacques Piot, Robert Bruyneel, Paul Guillard, Jacques Rosseli), 1972, 63 p. (Première session ordinaire de 1972-1973, annexe au procès-verbal de la séance du 20 décembre 1972, n°200).

6-4   FRANCE. Sénat : *Rapport d'information fait ...à la suite de la mission effectuée pour l'étude des divers problèmes d'ordre social et sanitaire qui se posent à la Réunion* (par Marcel Daron, Hubert d'Andigné, Jean-Baptiste Mathias, Jacques Maury, et Hector Viron), 1972, 174 p. (Première session ordinaire de 1972-1973, annexe au procès-verbal de la séance du 18 décembre 1972, n°165).

6-5   LEYMARIE Philippe : "La Réunion : les déboires de la gauche", *Revue française d'études politiques africaines*, n°88, 1973 (4), p. 40-42.

6-6   LEYMARIE Philippe : "La Réunion : une tension persistante", *Revue française d'études politiques africaines*, n°96, 1973 (12), p. 28-29 [signé Ph. L.].

6-7   *Lois et décrets spécifiques à la Réunion*, 1973, 53 p. (Les Dossiers du Centre d'études administratives).

6-8   RAMASSAMY Albert : *La Réunion : les problèmes posés par l'intégration*, 1973, 20 f. multigraph.

1974

6-9   DEBRE Michel : *Une Politique pour la Réunion*, Plon (Paris),1974, 222 p.

6-10 FRANCE. Commissariat général du Plan : *Rapport général : approches du VIIe Plan des départements d'outre-mer*, (Paris), 1974, 2 vol., pagination multiple.

6-11 HIBON Maurice : *Indépendance*, Impr. Patel (Saint-Denis), 1974, 63 p.

6-12 LIMOUZIN-LAMOTHE Philippe : "Le Commissariat à la promotion des investissements dans les départements et les territoires d'outre-mer et l'Association pour la promotion des investissments dans l'outre-mer français", *Bulletin d'information du CENADDOM*, 1974, n°20, p. 3-5.

6-13 MAESTRE Jean-Claude : *Le Département de la Réunion, 23e Région* (publié par le Centre d'études administratives du Centre universitaire de la Réunion), CUR, 1974, 88 p. (Les Dossiers du C.E.A. ; 2).
⇒ Le texte de l'étude, sans les annexes, a également été publié par l'*Annuaire des pays de l'océan Indien*, vol. 1, 1974 (publié en 1976), p. 289-323.

6-14 MICLO François : *Essai sur l'applicabilité des textes dans les départements d'outre-mer* (suivi du) *Répertoire des textes parus en 1973 et concernant la Réunion* (établi par Mlle S. Annette), (publié par le Centre d'études administratives du Centre universitaire de la Réunion), CUR, 53 p. (Les Dossiers du C.E.A. ; 1).

6-15 ORAISON André : *Le Particularismes des tribunaux administratifs des département d'outre-Mer*, 1974, 51 p. multigr.
⇒ Publié par les *Cahiers du Centre universitaire de la Réunion*, n°5 (n° spécial "Droit"), 1975, p. 47-81 ;
⇒ et par *Penant*, oct.-déc. 1975, p. 460-503.

6-16 REVEILLARD François : "Le Service militaire adapté aux départements d'outre-mer", *Bulletin d'information du CENADDOM*, n°21, 1974, p. 20-26.

1975

6-17 *Commentaire(s) des principales décisions du tribunal administratif de la Réunion* (publié par le Centre d'études administratives du Centre universitaire de la Réunion), CUR, 1975-1981.
- *rendues en 1974,* 1975, 110 p. (Les Dossiers du C.E.A.; 3).
- *rendues en 1975,* 1976, 107 p. (Les Dossiers du C.E.A.; 7).
- *rendues en 1977 et 1978,* 1979, 67 p. (Les Dossiers du C.E.A.; 11).
- *rendues en 1979 et 1980,* 1981, 76 p. (Les Dossiers du C.E.A.; 15).

6-18 "DOM (Les) et la préparation du VIIe Plan dans le cadre de la réforme régionale", *Bulletin d'information du CENADDOM* n°23, 1975 (n°spécial "La Conjoncture dans les DOM"), p. 37-40.

6-19   FRANCE. Commissariat général du Plan : "Les Orientations préliminaires du VIIe Plan : la consultation des régions d'outre-mer", *Bulletin d'information du CENADDOM*, n°26, 1975, p. 7-14.

6-20   FRANCE. Commissariat général du Plan : *Préparation du Vlle Plan : rapport de la Commission des DOM* 1975, 79 p.

6-21   LEYMARIE Philippe : "La Réunion : le *parti Bondié*", *Revue française d'études politiques africaines*, n°116, 1975, p. 12-14 [signé Ph. L.].

6-22   MAESTRE Jean-Claude : "La Réparation des dommages causés aux usagers des routes réunionnaises par les éboulements de pierres", *Cahiers du Centre universitaire de la Réunion*, n°5 (n° spécial "Droit"), 1975, p. 38-46.

6-23   MARQUARDT   W. : "Neue Entwicklungen im westlichen Indischen Ozean. IV, Réunion", *Internationales Afrika Forum* , vol. 11, n°5, 1975, p. 270-283.

6-24   NICOLAS François : "Les Récents avantages sociaux accordés aux habitants des départements d'outre-mer", *Bulletin d'information du CENADDOM*, n°28, 1975, p. 23-25.

6-25   PARTI COMMUNISTE REUNIONNAIS, Le Port : *Un Plan immédiat de survie* (conférence extraordinaire du Parti communiste réunionnais, Le Port, 27 avril 1975), 269 p.

6-26   PARTI SOCIALISTE : *L'Autonomie avec le Parti socialiste : contribution au projet de statut d'organisation politique de la Réunion*, 31-30 p. (suppl. à : *Combat socialiste*, septembre 1975).

6-27   STIRN Olivier : "Présentation du budget 1976 des départements d'outre-mer : discours prononcé devant l'Assemblée nationale par M. Olivier Stirn, secrétaire d'Etat aux DOM-TOM, le 13 novembre 1975", *Bulletin d'information du CENADDOM*, n°28, 1975, p. 7-15.

6-28   VIE Jean-Emile : "Situation de la Fonction publique dans les départements d'outre-mer : répartition des emplois administratifs entre les fonctionnaires métropolitains et locaux", *Bulletin d'information du CENADDOM*, n°26, 1975, p. 5-6.

1976

6-29   COLLECTIF DES CHRÉTIENS POUR L'AUTODETERMINA-TION DES DOM-TOM : *Encore la France coloniale : Djibouti, Antilles, Guyane, Mayotte, Nouvelle-Calédonie, Réunion, Tahiti*, Ed. l'Harmattan (Paris), 1976, 164 p. (Extr. de *Paroles et Société*, 1976, n°4/5). [Textes reprenant et prolongeant les interventions du colloque tenu à la Sorbonne le 15 mai 1976. - Pour la Réunion voir p. 95-102 "La Réunion : île militarisée", et *passim* p. 14-68 et 152-162.]

6-30   DAVID René : "Les Droits de l'océan Indien", *Annuaire des pays de l'océan Indien*, vol. 1, 1974 (paru en 1976), p. 111-119. [Réunion : p. 112.]

6-31   DEFOS DU RAU Jean : "La Réunion: une expérience originale de décolonisation", *Croissance des jeunes nations*, n° 176, 1976.

6-32   EYRAL Huguette : "Le Rôle du Conseil général dans les départements d'outre-mer", *Bulletin d'information du CENADDOM*, n°31, 1976, p. 32-36.

6-33   FRANCE. Assemblée nationale : *Rapport ... sur le projet de loi relatif aux bois et forêts du département de la Réunion* (par M. Cointat), 1976, 64 p. (Seconde session ordinaire de 1975-1976, annexe au procès-verbal de la séance du 24 juin 1976, n°2423). [Présentation du projet d'extension du code forestier à la Réunion.]

6-34   GUILLEBAUD Jean-Claude : *Les Confettis de l'Empire : Martinique, Guadeloupe, Guyane française, la Réunion, Nouvelle-Calédonie, Wallis-et-Futuna, Polynésie française, Territoire français des Afars et des Issas, Saint-Pierre-et-Miquelon, Terres australes et antarctiques françaises, Nouvelles-Hébrides, Archipel des Comores*, Ed. du Seuil, 1976, 320 p., cartes (L'Histoire immédiate). [Pour la Réunion voir *passim* et p. 280-282.]

6-35   LAMY, *préfet de la Réunion :* "Situation économique et politique du département de la Réunion" *Bulletin d'information du CENADDOM*, n°33, 1976, p. 20-30. [Extrait d'un exposé de M. Lamy, préfet de la région Réunion, 26 avril 1976, Conférence de la zone de défense du sud de l'océan Indien.]

6-36   LEYMARIE Philippe : "Un Volcan sous les nuages", *Afrique-Asie*, n°120, 1976, p. 13 14.

6-37   MAESTRE Jean-Claude : "L'Indivisibilité de la République francaise et l'exercice du droit d'autodétermination", *Revue du droit public et de la science politique en France et à l'étranger*, vol. 92, n°2, 1976, p. 431-461.

6-38   *Répertoire des textes législatifs et réglementaires et des questions parlementaires concernant la Réunion* (publié par le Centre d'études administratives du Centre Universitaire de la Réunion), 1976-1981. [Variantes du titre selon les années.]
          - *publiés en 1975* , 1976, 159 p. (Les Dossiers du C.E.A. ; 6).
          - *publiés en 1976* , 1977, 200 p. (Les Dossiers du C.E.A. ; 8).
          - *publiés en 1977* , 1978, 144 p. (Les Dossiers du C.E.A. ; 9).
          - *publiés en 1978* , 1979, 299 p. (Les Dossiers du C.E.A. ; 10).
          - *publiés en 1979*, 1980, 190 p. (Les Dossiers du C.E.A. ; 13).
          - *publiés en 1980*, 1983, 267 p. (Les Dossiers du C.E.A. ; 17).
          - *publiés en 1981*, 1984, 151 p. (Les Dossiers du C.E.A. ; 18).

6-39   ROBERT Michel : *Combats pour l'autonomie à l'île de la Réunion*,
          IDOC-France (Paris) ; L'Harmattan (Paris), 1976, 246 p., bibliogr.

6-40   VIE Jean-Emile : "Trente ans de départementalisation outre mer",
          Administration (Paris), n°94, 1976, p. 136-153.

                                                                        1977

6-41   AUDIER Jacques : "Un Exemple d'informatique juridique: la
          constitution d'un fichier des textes applicables aux départements et
          territoires d'outre-mer", *Annuaire des pays de l'océan Indien*, vol. 2,
          1975 (paru en 1977), p. 305-308. ⇒ Egalement publié par *Revue de
          droit prospectif*, 1978, n°2 (juil.-déc.), p. 67-69.

6-42   CENTRE UNIVERSITAIRE DE LA REUNION : *Conventions
          entre le Centre universitaire de la Réunion et des universités
          métropolitaines*, [1977], 48 p. [Conventions passées avec les universités
          d'Aix-Marseille 1, Aix-Marseille 2, Aix-Marseille 3, Nice, Paris 13.]

6-43   CHATAIN Jean : "Réunion: le gâchis de la départementalisation",
          Economie et politique, n°279, 1977, p. 49-53.

6-44   FRANCE. Assemblée nationale : *Projet de loi modifié par le Sénat,
          relatif aux bois et forêts du département de la Réunion*, 1977, 11 p.
          (Seconde session ordinaire de 1976-1977, annexe au procès-verbal
          de la séance du 11 mai 1977, n°2866).

6-45   FRANCE. Assemblée nationale : *Rapport ... sur le projet de loi
          modifié par le Sénat, relatif aux bois et forêts du département de la
          Réunion* (par M. Cointat), 1977, 27 p. (Seconde session ordinaire de
          1976-1977, annexe au procès-verbal de la séance du 25 mai 1977,
          n°2922).

6-46   FRANCE. Sénat : *Projet de loi adopté par l'Assemblée nationale
          relatif aux bois et forêts du département de la Réunion*, 1977, 19 p.
          (Seconde session ordinaire de 1976-1977, annexe au procès-verbal
          de la séance du 19 avril 1977, n°250).

6-47   FRANCE. Sénat : *Rapport ... sur le projet de loi adopté par
          l'Assemblée nationale relatif aux bois et forêts du département de la
          Réunion* (par Raymond Brun), 1977, 19 p. (Seconde session
          ordinaire de 1976-1977, annexe au procès-verbal de la séance du 5
          mai 1977, n°282).

6-48   HONORE Serge : "L'Administration préfectorale dans les DOM",
          Bulletin d'information du CENADDOM, n°36, 1977, p. 31-35.

6-49   LOUIT Christian : "Le Versement représentatif de la taxe sur les
          salaires : ses particularités dans les départements d'outre-mer",
          Annuaire des pays de l'océan Indien, vol. 2, 1975 (paru en 1977),
          p. 309-314.

6-50   MICHEL Reynolds : *Reynolds Michel et marxisme et foi chrétienne*, Ed. Mouvement chrétien pour le socialisme (Maurice), 1977, 177 p. [Recueil d'articles dont plusieurs sur la Réunion (consulter le sommaire).]

6-51   ROUARD Michel : "La Réunion : pays en voie de développement ?", 271 p.
        (Th. : Sci. polit. : Paris 1 : 1977.)

6-52   VERLET Martin : "Territoires d'outre mer: à l'heure du changement démocratique", *Cahiers du Communisme*, vol. 53, n°9, 1977, p. 86-101.

6-53   VEYRIER M. : "La Réunion, Madagascar, le droit des peuples", *Cahiers du Communisme*, vol. 53, n°1, 1977, p. 81-91.

1978

6-54   CHEROT Jean-Yves : "La Réunion : chronique administrative et juridique", *Annuaire des pays de l'océan Indien*, vol. 3, 1976 (paru en 1978), p. 487-506.

6-55   COLLECTIF DES CHRÉTIENS POUR L'AUTODETERMINA-TION DES DOM-TOM : *Quel avenir pour les DOM ? : Guadeloupe, Martinique, Guyane, Réunion*, Ed. l'Harmattan (Paris), 1978, 187 p. [Textes des interventions au colloque du 19 novembre 1977 et documents complémentaires.]

6-56   DEVOUE Anatole : "L'Application de la réforme régionale aux départements d'outre-mer", 566 p.
        (Th. : Droit publ. : Bordeaux 1 : 1978.)

6-57   "Elections (Les) législatives des 12 et 19 mars 1978 dans les départements d'outre-mer et à Mayotte", *Bulletin d'information du CENADDOM*, n°43, 1978, p. 4-18. [Pour la Réunion voir p. 4-5 *passim* et p. 14-16.]

6-58   ENJOUVIN Bernard : "Le Tribunal administratif de Saint-Denis-de-la-Réunion en 1976 : le retour d'un président permanent", *Annuaire des pays de l'océan Indien*, vol. 3, 1976 (paru en 1978), p. 507-511.

6-59   GISCARD D'ESTAING Valéry : "Déclaration de M. Valéry Gicard d'Estaing, Président de la République à FR3 DOM : [le 24 novembre 1977]", *Bulletin d'information du CENADDOM*, n°41, 1978, p. 5-6.

6-60   ORAISON André : *Le Parti communiste réunionnais et l'autonomie démocratique et populaire*, Centre universitaire de la Réunion, 1978, 114 p.

6-61   PENA (de) Lucien : "Le Régime juridique des dépenses d'inves-
        tissement de l'État à la Réunion", 246 p.
        (Th. 3e cycle : Droit : Aix-Marseille 3, Institut d'études juridiques,
        économiques et politiques de la Réunion : 1978.)

6-62   "Plate-forme d'orientation du mouvement Témoignage chrétien de la
        Réunion", p. 166-170, in COLLECTIF DES CHRÉTIENS POUR
        L'AUTODETERMINATION DES DOM-TOM : *Quel avenir pour les
        DOM ? : Guadeloupe, Martinique, Guyane, Réunion*, Ed.
        l'Harmattan (Paris), 1978, 187 p.

6-63   STECK Philippe : "Les Prestations familiales dans les départements
        d'outre mer : revendications de la parité", *Bulletin CAF*, n° 10/11,
        1978, p. 31 38.
        ⇒ Article repris par le *Bulletin d'information du CENADDOM*, n°50,
        juil./août/sept. 1979, p. 23-32.

6-64   VERGES Paul : "Le Parti communiste réunionnais et l'autonomie"
        (d'après une conférence de presse de Paul Vergès), p. 68-79, in
        COLLECTIF DES CHRÉTIENS POUR L'AUTODETERMINATION DES
        DOM-TOM : *Quel avenir pour les DOM ? : Guadeloupe, Martinique,
        Guyane, Réunion*, Ed. l'Harmattan (Paris), 1978, 187 p.

6-65   VIE Jean-Emile : *Faut-il abandonner les départements d'outre-
        mer ?*, Economica (Paris), 1978, VII-140 p.

                                                                      1979

6-66   ALUTHER J.P. : "La Réforme de l'administration centrale des
        départements d'outre-mer", *Revue juridique et politique*, vol. 33,
        n°3, juil -sept. 1979, p. 319 329.

6-67   ASSOCIATION POUR LES ETUDES D'AMENAGEMENT ET
        D'URBANISME DE LA REUNION : *Une Approche des finances
        locales de la Réunion : analyse rétrospective 1975-1978 : exemples
        des communes de St-Paul, St-Pierre, Tampon, St-Louis, St-André,
        Le Port, St-Leu*, A.U.R., 1979, 158 p.

6-68   CHANE-TUNE Richard : "Le Bilan des principales actions
        gouvernementales depuis 1978", *Bulletin d'information du
        CENADDOM*, n°51 (n°spécial "La Conjoncture dans les DOM"),
        1979, p. 15-24.

6-69   COTE Pierre : "Fiscalité et départements d'outre-mer", *Bulletin
        d'information du CENADDOM*, n°50, 1979, p. 10-17.

6-70   VILLOING Franck : "Le Droit de la mer et les départements d'outre
        mer", *Bulletin d'lnformation du CENADDOM*, n°52 ("Dossier La
        Mer"), 1979, p. 5-10.

1980

6-71 BELAYE Jean-Yves : "La Fiscalité des départements d'outre-mer, 209 p.
(Th. 3e cycle : Fiscal. : Bordeaux : 1980.)

6-72 FRANCE. Commissariat général du Plan : *Rapport du Comité des DOM-TOM : VIIIe Plan*, La Documentation française (Paris), 1980, 112 p.

6-73 GODINOT Alain : "La Division des DOM de l'INSEE", *Courrier des statistiques*, n°15, 1980.
⇒ Article repris par le *Bulletin d'information du CENADDOM*, n°64, janv./fév./mars 1982, p. 15-24.

6-74 HOUBERT Jean : "Réunion : French decolonization in the Mascareignes", *The Journal of Commonwealth and comparative politics*, vol. 18, n°2 (July 1980), p. 145-171 et vol. 18, n°3 (November 1980), p. 325-347.

6-75 NARFEZ Roger : "Sur l'ambiguïté du statut des départements d'outre-mer".
(Th. : E.H.E.S.S. : 1980.)

6-76 NEGRE Jean-Charles, CHATAIN Jean : "Les DOM à l'heure du mépris giscardien", *Cahiers du communisme*, vol. 56, n°10, 1980, p. 68-76.

6-77 ORAISON André : "Quelques réflexions critiques sur le Parti comuniste réunionnais", *Annuaire des pays de l'océan Indien*, vol. 5, 1978 (paru en 1980), p. 107-133.

6-78 PAYET Joëlle : *La Zone dite des 50 pas géométriques à la Réunion* (publié par l'Association pour les études d'aménagement et d'urbanisme de la Réunion), 1980, 24 p. [Texte d'un rapport de stage effectuée à l'Agence d'urbanisme de la Réunion en juillet-août 1980.]

6-79 ROUSSEAU Bernard : "Le Fonds d'investissement des départements d'outre-mer (FIDOM)", *Bulletin d'information du CENADDOM*, n°55, 1980, p. 20-26.

1981

6-80 DIJOUD Paul : "La Réorganisation du secrétariat d'Etat aux DOM-TOM", *Administration*, n°111, 1981, p. 54-59.

6-81 "DOM (Les) et le Plan intérimaire de deux ans", *Bulletin d'information du CENADDOM*, n° 63 (n°spécial "La Conjoncture dans les DOM"), 1981, p. 27-30.

6-82   "Elections (Les) législatives des 14 et 21 juin 1981 dans les départements d'outre-mer", *Bulletin d'information du CENADDOM*, n°61, sept. 1981, p.4-18. [Pour la Réunion voir p. 4-5 *passim* et p. 15-17.]

6-83   ELUTHER Jean-Paul : "L'Evolution des prestations familiales dans les départements d'outre-mer", *Revue juridique et politique*, vol.35, n°3, 1981, p. 783-795.

6-84   ESPERANCE Martin : "Ile de la Réunion : chronique politique et constitutionnelle", *Annuaire des pays de l'océan Indien*, vol. 6, 1979 (paru en 1981), p. 351-363.

6-85   GUEMAS Bernard : "Les Caisses d'épargne dans les départements d'outre-mer", *Bulletin d'information du CENADDOM*, n°59, 1981, p. 4-12.
        ⇒ Egalement publié par le *Journal des caisses d'épargne*, vol. 100, n°5, mai 1981, p. 281-291.

6-86   *Institutions publiques des départements d'outre-mer : textes et documents* (éd. François Miclo), (publié par le Centre d'études administratives du Centre Universitaire de la Réunion), 1981, CUR, 175 p. (Les Dossiers du C.E.A. ; 14).

6-87   JACQUEMART Sylvie : "Etude de la départementalisation outre-mer", 474 p.
        (Th. : Droit publ. : Paris 2 : 1981.)

6-88   JACQUEMART Sylvie : "La Naissance des départements d'outre-mer", *Bulletin d'information du CENADDOM*, n°62, 1981, p. 19-26.

6-89   LEMOINE Jean-Pierre : "Les Départements et territoires d'outre-mer", in FRANCE. Commission du bilan : *La France en mai 1981*, La Documentation française (Paris),1981.
        ⇒ Le rapport de J.-P. Lemoine esr repris par le *Bulletin d'information du CENADDOM*, n°65, 1982, p. 39-58.

6-90   LUCE E.P. : "Un Tribunal administratif d'outre-mer: Saint-Denis-de-la Réunion", *L'Actualité juridique. Droit administratif*, 20 avril 1981, p. 171-175.

6-91   MICLO François : "L'Evolution du régime législatif et réglementaire des départements d'outre-mer", 2 vol., 594 p., bibliogr.
        (Th. : Droit publ. : Aix-Marseille 3 : 1981.)

6-92   PARTI COMMUNISTE REUNIONNAIS, Le Port : *L'Autonomie : comment y parvenir, son contenu : le programme du Parti communiste réunionnais*, 1981, 114 p.

6-93 PARTI SOCIALISTE. Fédération de la Réunion : *Projet socialiste: changer la vie à la Réunion* (réd. Wilfrid Bertile), 1981, 224 p.

6-94 WALLON-LEDUCQ Sylvie : "Etude de la départementalisation outre-mer", 475 p.
(Th. : Droit : Paris 2 : 1981.)

1982

6-95 LAURET Edmond, PAYET Serge : *Quel avenlr pour la Réunion ?*, E. Lauret ; S. Payet (Saint-Denis), 1982, 197 p.

6-96 LUCE E.P. : "La Réserve domaniale dite des "cinquante pas géométriques", *L'Actualité juridique. Droit administratif,* 20 avril 1982, p. 236-242.

6-97 MEDA Charles : "Rôle de l'IEDOM dans les domaines de la monnaie et du crédit", *Bulletin d'information du CENADDOM,* n°67 ("Dossier Monnaie et crédit"), 1982, p. 5-10.

6-98 MICLO François : *Le Régime législatif des départements d'outre-mer et l'unité de la République,* Economica (Paris), 1982, VIII-378 p., bibliogr., index (Collection Droit public collectif).
• C.R. par Jean-Paul Négrin, *Annuaire des pays de l'océan Indien,* vol. 8, 1981 (paru en 1984), p. 377-380.

6-99 NEGRIN Jean-Paul : "L'Exécution de la chose jugée en 1977 et 1978 par le Tribunal administratif de Saint-Denis de la Réunion", *Annuaire des pays de l'océan Indien,* vol. 7, 1980 (paru en 1982), p. 413-419.

6-100 PETIT René : "La Société de crédit pour le développement des départements d'outre-mer (SOCREDOM)", *Bulletin d'information du CENADDOM,* n°67 ("Dossier Monnaie et crédit"), 1982, p. 37-43.

6-101 SAULNIER Frédéric : "Les Institutions locales des départements français d'outre-mer", *Revue juridique et politique,* vol. 36, n°2, 1982, p. 776-796.

6-102 TOUSSAINT André : "La Décentralisation : signification dans les départements d'outre-mer", *Après-demain,* n°240, 1982.
⇒ Article repris par le *Bulletin d'information du CENADDOM,* n°65, 1982, p. 31-38.

1983

6-103 FOUILLET Michel : "Les Conseillers du commerce extérieur de la France", *Bulletin d'information du CENADDOM,* n°71 ("Dossier Fabriquer dans les DOM"), 1983, p. 50-51.

6-104   FOUILLET Michel : "Les Directeurs régionaux du commerce extérieur dans les DOM", *Bulletin d'information du CENADDOM*, n°71 ("Dossier Fabriquer dans les DOM"), 1983, p. 48-49.]

6-105   HOUBERT Jean : "Décolonisation en pays créole: l'île Maurice et la Réunion", *Politique africaine*, n°10, 1983, p. 78-96.

6-106   JACQUEMART Sylvie : *La Question départementale outre-mer*, Presses universitaires de France (Paris), 1983, 288 p. (Collection GRAL. Etudes et recherches juridiques ; 14).

6-107   LE TAVERNIER Brigitte : "La Caisse d'investissement des départements d'outre-mer (CIDOM)", *Bulletin d'information du CENADDOM*, n°71 ("Dossier Fabriquer dans les DOM"), 1983, p. 45-47.

6-108   LIVET Pierre : "L'Année politique", *Actualités réunionnaises* 1976 (paru en 1983), p. 58-67.
⇒ Rubrique tenue dans chaque volume des *Actualités réunionnaises*, de 1976 (paru en 1983) à 1982 (paru en 1985) ou 1983 [article non signée] (paru en 1986).

6-109   LUCHAIRE François : "La Réforme régionale dans les départements d'outre-mer", *Revue juridique et politique*, vol. 37, n°3 (juin 1983), p. 567-573.

6-110   PORT (Le) : *Convention de développement culturel Ville-Etat*, Mairie du Port, 1983, 11 p.

1984

6-111   *Administration (L') des départements d'outre-mer* (recherches coordonnées par les universités Antilles-Guyane, Paris 1, La Réunion), *Revue française d'administration publique*, n°31 (n° spécial), 1984.

6-112   BESSON Isabelle : "La Réunion : chronique politique et constitutionnelle", *Annuaire des pays de l'océan Indien*, vol. 8, 1981 (paru en 1984), p. 317-320. [Sur les élections de 1980-1981.]

6-113   DOUENCE Jean-Claude : "Les Communes des DOM", *Bulletin d'information du CENADDOM*, n°76, 1984, p. 21-31.

6-114   FERSTENBERG Jacques : "Départements et régions d'outre-mer : de *l'assemblée unique* à la répartition des compétences", *Bulletin d'information du CENADDOM*, n°76, 1984, p. 81-94.

6-115   FRANCE. Premier ministre : *Rapport au Premier ministre sur les mesures susceptibles d'améliorer le solde des opérations courantes* des *DOM-TOM* (par R. Toulemon), Inspection général des finances (Paris), 1984, 77 p.

6-116   HOUBERT Jean : "Décolonisation et dépendance : Maurice et la Réunion", *Annuaire des pays de l'océan Indien*, vol. 8, 1981 (paru en 1984), p. 103-123.
⇒ Egalement publié in *L'Europe et l'océan Indien : un cas particulier des relations Nord-Sud*, Ed. du CNRS. (Paris) ; Presses universitaires d'Aix-Marseille (Aix-en-Provence), 1984, 191 p. (Extraits de l'*Annuaire des pays de l'océan Indien*, vol. 7 et 8).

6-117   JACQUEMART Sylvie : "De la Colonie à la Région : l'évolution institutionnelle des DOM", *Bulletin d'information du CENADDOM*, n°76, 1984, p. 5-20.

6-118   JACQUEMART Sylvie : "Les Elections régionales du 20 février 1983 : alignements et originalités des comportements électoraux", *Bulletin d'information du CENADDOM*, n°76, 1984, p. 73-80.

6-119   REUNION (Région) : *Contrat de plan 1984-1988 conclu entre l'Etat et la région Réunion*, 1984, 34 p.

6-120   REUNION. Conseil général : *Conseil général de la Réunion*, 1984, 44 p.

6-121   REUNION. Conseil général : *Décentralisation et DOM : projet neuf et vieilles idée*s, 1984, 66 p.

6-122   REUNION. Conseil général : *Les Particularités de la couverture sociale à la Réunion*, 1984, 56 p.

6-123   SAINT-BENOIT : *Convention culturelle Ville-Etat*, Mairie de Saint-Benoit, 1984, 18 p.

6-124   SAINTE-MARIE : *Convention culturelle Ville-Etat*, Mairie de Sainte-Marie, 1984, 19 p.

6-125   THUAU Rémi : "La Décentralisation dans les DOM : la mise en place des nouvelles institutions régionales en Guadeloupe, en Martinique et à la Réunion" *Bulletin d'information du CENADDOM*, n°76, 1984, p. 60-72.

6-126   VIOLET Béatrice : "La Prise en compte par l'Etat et les collectivités locales de la dimension culturelle des départements d'outre-mer", *Bulletin d'information du CENADDOM*, n°73, 1984, p. 5-17.

6-127   ZIEGLER Luc : "Une Politique pour la jeunesse dans les DOM", *Bulletin d'information du CENADDOM*, n°74, 1984, p. 4-9.

1985

6-128   AUDIER Jacques : "La Loi sur le développement et la protection de la montagne dans les départements d'outre-mer", *Revue française de droit administratif*, n°6, 1985, p. 818-828.

6-129   AUDOUARD Christian : "Quelques notions juridiques sur la toxicomanie", *Revue de l'Association réunionnaise de criminologie*, n°2 (n° spécial "Toxicomanie"), 1985, p. 21-24.

6-130   ENTRE-DEUX (L') : *Convention culturelle entre l'Etat et la ville de l'Entre-Deux*, Mairie de l'Entre-Deux, 1985, 16 p.

6-131   ORAISON André : *Quelques réflexions critiques sur l'organisation et les attributions des régions d'outre-mer : les avatars de la décentralisation dans les DOM*, Service des publications de l'Université de la Réunion, 1985, 140 p.

6-132   PETITE-ILE : *Convention culturelle Ville-Etat, année 1985*, Mairie de Petite-Ile, 1985, 15 p.

6-133   PORT (Le) : *Avenant à la convention culturelle Etat-Commune, signée le 25 août 1985*, Mairie du Port, 1985, 11 p.

6-134   REUNION (Région) : *Convention entre la Région Réunion et le Ministère de la culture*, 1985, 9 p.

6-135   REUNION. Conseil général : *Conseil général de la Réunion : 1985-1988*, 1985, 29 p.

6-136   REUNION. Conseil général : *Convention de développement culturel Etat-Département*, 1985, 12 p.

6-137   REUNION. Conseil général : *Pour une charte de la décentralisation dans les DOM : propositions pour un programme de gouvernement*, 1985, 98 p.

6-138   REUNION. Conseil général : *Trois ans de décentralisation au Conseil général : un contrat bien rempli pour le président et son bureau*, 1985, 49 p.

6-139   ROEDERER Patrice, TURENNE : "L'Organisation administrative de la recherche", *Les Dossiers de l'outre-mer,* n°80, 1985, p. 5-9.

6-140   SAINT-PAUL : *Convention culturelle entre l'Etat et la commune de Saint-Paul pour l'année 1985*, Maire de Saint-Paul, 1985, 32 p.

6-141   SAINTE-SUZANNE : *Convention culturelle Ville-Etat, année 1985*, Mairie de Sainte-Suzanne, 1985, 16 p.

6-142   TROIS-BASSINS : *Convention entre l'Etat et la ville de Trois-Bassins relative à diverses actions culturelles : programme 1985*, Mairie de Trois-Bassins, 1985, 9 p.

6-143 CADOUX Charles : "Les Institutions décentralisées : région et département", p. 163-196, in *La Réunion dans l'océan Indien* (colloque organisé par le Centre des hautes études sur l'Afrique et l'Asie modernes, 24-25 octobre 1985), CHEAM (Paris), 1986, 239 p. (Publications du CHEAM).

6-144 CHATEAUVIEUX (de) Marie-Thérèse : "Un Pionnier dans la vie politique réunionnaise : Marie-Thérèse de Chateauvieux", *Les Dossiers de l'outre-mer*, n°82,1986, p.71-76.

6-145 DAMBREVILLE Suzy : "L'Allocation parent isolé, une alternative ?", *Les Dossiers de l'outre-mer*, n°82, 1986, p. 104-106.

6-146 FAVOREU Louis : "La Réunion dans la République", p. 197-205, in *La Réunion dans l'océan Indien* (colloque organisé par le Centre des hautes études sur l'Afrique et l'Asie modernes, 24-25 octobre 1985), CHEAM (Paris), 1986, 239 p. (Publications du CHEAM).

6-147 FRANCE. Départements et territoires d'outre-mer (Secrétariat d'Etat) : *Les Elections du 16 mars 1986 outre-mer (législatives, régionales, territoriales)*, SEDETOM (Paris), 1986, 81 p.

6-148 FRANCE. Départements et territoires d'outre-mer (Secrétariat d'Etat) : *Résultats des élections législatives et régionales du 16 mars 1986 dans les DOM*, SEDETOM (Paris), 1986, 42 p.

6-149 LEMESLE Raymond : "Le Niveau de protection sociale outre-mer : comparaison avec les pays voisins", *Les Dossiers de l'outre-mer*, n°83, 1986, p. 96-102.

6-150 LEVALLOIS Michel : "L'Application des lois et décrets dans les DOM-TOM", *Les Dossiers de l'outre-mer*, n°83, 1986, p. 84-87.

6-151 LEVALLOIS Michel : "Démocratie et paix civile", *Les Dossiers de l'outre-mer*, n°83, 1986, p. 81-83.

6-152 NOEL Camille : "La Gendarmerie des départements et territoires d'outre-mer", *Les Dossiers de l'outre-mer*, n°83, 1986, p. 78-80.

6-153 PAOLI : "Le Régime douanier du département de la Réunion", *Annuaire des pays de l'océan Indien*, 9, 1982-1983 (paru en 1986), p. 79-82. (Actes du colloque "Développement et coopération régionale dans l'océan Indien occidental", 1-4 octobre 1984, Saint-Denis de la Réunion.)

6-154 REUNION. Comité économique et social : *L'Octroi de mer*, C.E.S. (Saint-Denis), 1986, 16 p.

6-155   REUNION. Conseil général : *Historique, fonction, budget, actions prioritaires*, 1986, 43 p., ill.

6-156   REUNION. Conseil régional : *Trois ans de régionalisation : 1983-1986*, 1986, 76 p.

6-157   REUNION. Trésorerie générale : *La Situation financière des communes de la Réunion : comparaison avec la métropole (1980-1984)*, 1986, 62 p.

6-158   UNIVERSITE DE LA REUNION. Assises. 1986. Saint-Denis : *Quelle université pour la Réunion ?*, Conseil régional (Réunion) ; Université de la Réunion, 1986, 67 p.

1987

6-159   ALLEN Philip M. : *Security and nationalism in the Indian Ocean : lessons from the Latin Quarter Islands,* Westview Press (Boulder ; London), 1987, X-260 p., bibliogr., index. (Westview special studies in international relations.) [Comores-Madagascar-Maurice-Réunion-Seychelles. Pour la Réunion voir particulièrement p. 48-66.]

6-160   RAMASSAMY Albert : *La Réunion, décolonisation et intégration*, [s.n.] (Impr. A.G.M., Saint-Denis), 1987, 80 p., ill.

6-161   TABUTEAU Jacques : *La Balance et le Capricorne : histoire de la justice dans les Mascareignes*, Océan Ed. (Saint-André, Réunion), 1987, 317 p., ill. [Traite essentiellement de la Réunion.]

1988

6-162   BOUDINE Joël : "Les Finances publiques des collectivités territoriales, des DOM et de la décentralisation", 662 p.
(Th. : Financ. publ. : Paris 1 : 1988.)

6-163   HINTJENS Helen M. : "Decolonisation through integration into France : Réunion, Martinique & Guadeloupe", 18-5 p. multigr. (Communication présentée au colloque "France and the Third World", 12-14 avril 1988, Plymouth.)

6-164   MATHIEU Jean-Luc : *Les DOM-TOM*, Presses universitaires de France (Paris), 1988, 269 p. (Politique d'aujourd'hui). [Pour la Réunion voir p. 129-139 et *passim.*]

6-165   PAYET Serge : *L'Octroi de mer : réformer ou périr*, High Tech (Saint-Denis, Réunion), 1988, 120 p. (Rapport présenté au COLIER pour servir de base de réflexion à la réforme de l'octroi de mer.)

6-166   REUNION. Trésorerie générale : *Etude de la situation financière de l'ensemble des communes de la Réunion : évolution globale et comparaison avec la métropole (période 1982-1986)*, 1988.

6-167   *Secours-cabinet (Les)*, Observatoire départemental de la Réunion, 1988, [10]p. (La Note d'information de l'O.D.R., septembre 1988 [n°0]).

1989

6-168   *Aide (L') judiciaire*, Observatoire départemental de la Réunion, 1989, 14 p. (La Note d'information de l'O.D.R. ; 3).

6-169   *Aides (Les) directes aux étudiants : présentation du nouveau régime du Conseil général*, Observatoire départemental de la Réunion, 1989, 10 p. (La Note d'information de l'O.D.R. ; 5).

6-170   *Allocation L') compensatrice*, Observatoire départemental de la Réunion, 1989, 14 p. (La Note d'information de l'O.D.R. ; 7).

6-171   *ARAJUFA (L')*, Observatoire départemental de la Réunion, 1989, 14 p. (La Note d'information de l'O.D.R. ; 4). [ARAJUFA = Association réunionnaise d'aide judiciaire aux familles.]

6-172   ELUTHER Jean-Paul : "La Nouvelle fiscalité du développement dans les départements d'outre-mer", *Cahiers de l'administration outre-mer*, n°2, 1989, p. 67-74.

6-173   FRANCE. Comité national d'évaluation des établissements publics à caractère scientifique, culturel et professionnel : *L'Université de la Réunion : rapport d'évaluation*, 1989, 110 p.

6-174   MAZZAGGIO Huguette : *La Dotation globale d'équipement : enquête menée auprès des communes réunionnaises se trouvant dans une situation particulière au regard des communes métropolitaines*, Observatoire départemental de la Réunion, 1989, 23 p. (Document O.D.R.).

6-175   MAZZAGGIO Huguette : *Les Grandes ressources de fonctionnement des communes réunionnaises*, Observatoire départemental de la Réunion, 1989, 77 p., bibliogr. (Etudes et synthèses / O.D.R. ; 4).

6-176   *Questions sur l'administration des DOM : décentraliser outre-mer ?* (publié par le Centre de recherche sur les pouvoirs locaux dans la Caraïbe, Université des Antilles-Guyane ; sous la dir de Jean-Claude Fortier), Economica (Paris); Presses universitaires d'Aix-Marseille (Aix-en-Provence), 1989, 520 p. (Collectivités territoriales).

6-177   SQUARZONI René, HOAREAU Béatrice : *Le Revenu minimum d'insertion à la Réunion en fin 1989 : éléments pour un premier bilan*, Observatoire départemental de la Réunion, 1989, 27 p. (Etudes et synthèses / O.D.R. ; 5).

6-178   *20 [Vingt] décembre 1988, fête de la Liberté* (discours prononcés par M. Louis Le Pensec, M. Robert Gauvin, Mgr Gilbert Aubry, M. Eric Boyer), Conseil général (Réunion), 1989, 45 p.

6-179   *Visite de Monsieur le Premier ministre au Conseil général de la Réunion le 29 avril 1989* (discours de M. Eric Boyer, M. Wilfrid Bertile, M. Fred K/Bidy, M. Pierre Vergès, M. Michel Rocard), Conseil général (Réunion), 1989, 39 p.

6-180   *Volontaires (Les) de l'aide technique*, Observatoire départemental de la Réunion, 1989, 14 p. (La Note d'information de l'O.D.R. ; 8).

                                                                            1990

6-181   BOUDINE Joël : "Esquisse d'un bilan de l'aide fiscale à l'investissement dans les départements d'outre-mer", *Cahiers de l'administration outre-mer*, n°3, 1990, p. 58-68.

6-182   FRANCE. Départements et territoires d'outre-mer (Ministère) : *L'Egalité sociale et le développement économique dans les DOM* (rapport au ministre des DOM-TOM par une commission présidée par Jean Ripert), La Documentation française (Paris), 1990, 160 p. (Collection des rapports officiels).
            ⇒ Un extrait de ce rapport est publié par *Problèmes économiques*, n°2191 (19 sept. 1990), p. 7-12.

6-183   HOAREAU Béatrice : *Le FASSO à la Réunion*, Observatoire départemental de la Réunion, 1990, 14 p. (La Note d'information de l'O.D.R. ; 12).

6-184   HOAREAU Béatrice, LŒWENHAUPT Claudine : *Le RMI à la Réunion : une nouvelle allocation*, Observatoire départemental de la Réunion, 1990, 52 p. (Etudes et synthèses / O.D.R. ; 11).

6-185   LE PENSEC Louis : "Une Politique pour l'outre-mer français", *Défense nationale*, vol. 46, 1990, p. 9-23.

6-186   MAZZAGGIO Huguette : *La Dotation globale de fonctionnement (DGF) et les communes réunionnaises : l'intérêt d'assujettir les communes réunionnaises au régime métropolitain*, Observatoire départemental de la Réunion, 1990, 30 p. (Document O.D.R.).

6-187   MAZZAGGIO Huguette : *Le Fonds national de péréquation de la taxe professionnelle (FNPTP) et les communes réunionnaises : l'intérêt d'assujettir les communes réunionnaises au régime de la part principale métropolitaine*, Observatoire départemental de la Réunion, 1990, 22 p. (Document O.D.R.).

6-188   PARTI COMMUNISTE REUNIONNAIS : *La Réunion, égalité et développement*, P.C.R. (Saint-Denis), 1990, 175 p.

1991

6-189   CHANE KUNE Sonia : "Identité réunionnaise : analyse géopolitique".
(Th. nouv. rég. : Géogr. : Paris 8: 1991.)

6-190   MAZZAGGIO Huguette, POUZET Maurice : *L'Environnement à la Réunion : droit et politiques,* Observatoire départemental de la Réunion, 1991, 89 p., bibliogr. (Etudes et synthèses / O.D.R.. ; 13).

6-191   MAZZAGGIO Huguette : *Le Potentiel fiscal des communes réunionnaises*, Observatoire départemental de la Réunion, 1991, 14 p. (La Note d'information de l'O.D.R.. ; 15).

6-192   REUNION. Comité économique et social : *Université de la Réunion : les discours et la méthode*, C.E.S. (Saint-Denis), 1991, 36 p.

6-193   ZILLER Jacques : "L'Applicabilité du droit communautaire aux territoires d'outre-mer : à propos des arrêts de la Cour de justice des Communautés européennes du 12 décembre 1990", *Cahiers de l'administration outre-mer*, n°4, 1991, p. 78-91.

1992-(1993)

6-194   CAILLERE Alain : "Malgré le R.M.I. et l'aide départementale les cotisations restent la base du système de protection sociale", *L'Economie de la Réunion*, n°59, 1992, p. 9-13.

6-195   MAS Jean, PUTMAN Emmanuel : "Chronique juridique : île de la Réunion", *Annuaire des pays de l'océan Indien*, 12, 1990-1991 (paru en 1992), p. 513-521.

6-196   VERGES Paul : *D'une île au monde : entretiens avec Brigitte Croisier*, L'Harmattan, (Paris), 1993, 320 p.-[8] p. de pl. , ill., carte.

RELATIONS EXTERIEURES
coopération régionale
problèmes internationaux

1973

7-1   LEYMARIE Philippe : "La Réunion : une forteresse française", *Revue française d'études politiques africaines*, n°91, 1973 (7), p. 24-26 [signé Ph. L.].

1975

7-2   DEBRE Michel : "La Réunion, France de l'océan Indien", *La Pensée nationale*, vol. 2, n°7/8, 1975, p. 33-41.

7-3   GARRON Robert : "La Situation des départements d'outre-mer au sein de la Communauté économique européenne", *Cahiers du Centre universitaire de la Réunion*, n°5 (n° spécial "Droit"), 1975, p. 5-37.

7-4   LEYMARIE Philippe "Ile Maurice - la Réunion : la C.I.A. dans les îles ?", *Revue française d'études politiques africaines*, n°113, 1975, p. 20-21 [signé Ph. L.].

7-5   MAUGE Philippe, COLLET Pierre, *et al.* : "L'Agriculture des départements d'outre-mer et son insertion dans la Communauté économique européenne dans le cadre de l'élargissement de l'association avec certains Etats d'Afrique, des Caraïbes, des océan Indien et Pacifique et certains pays et territoires d'outre-mer des Etats membres", *Bulletin d'information du CENADDOM*, n°25, 1975, p. 5-7.

7-6   OSTHEIMER John M. : "Reunion : France's remaining bastion", p. 102-138, in *The Politics of the Western Indian Ocean Islands* (ed. John M. Ostheimer), Praeger (New York ; London), 1975, XI-260 p. (Praeger special studies in international politics and government).

7-7   VOLAIT André : "La Situation des départements d'outre-mer au sein de la Communuaté économique européenne", *Bulletin d'information du CENADDOM*, n°25, 1975, p. 8-11.

1976

7-8   BENEZRA René : "La Réunion, terre française de l'océan Indien", *Afrique contemporaine*, n°86, 1976, p. 1-11.

7-9   DEBRE Michel : "Océan Indien 1976 : présence de la France, gage de paix et d'espérance", *Défense nationale*, févr. 1976, p. 25 34. [Sur la Réunion, voir en particulier p. 31-32.]

7-10   MAILLOT Joseph Luçay : "L'Intégration du sucre des départements d'outre-mer dans la C.E.E.", *Cahiers du Centre universitaire de la Réunion*, n°7 (n°spécial "Economie"), 1976, p. 106-136.
           ⇒ Texte repris dans le *Bulletin d'information du CENADDOM,* n°38, juil.-août 1977, p. 24-53.]

7-11   MAURICE Pierre : "Le Cloisonnement des échanges extérieurs des pays de l'océan Indien", *Annuaire des pays de l'océan Indien*, vol. 1, 1974 (paru en 1976), p. 79-109. [Pour la Réunion voir *passim..*]

7-12   ORAISON André : "La Rénovation de l'Alliance touristique de l'océan Indien", *Annuaire des pays de l'océan Indien*, vol. 1, 1974 (paru en 1976), p. 265-287. [Pour la Réunion voir *passim.*]

7-13   PRATS Yves : "L'Océan Indien, zone stratégique", *Annuaire des pays de l'océan Indien*, vol. 1, 1974 (paru en 1976), p. 121-135. [Pour la Réunion voir *passim.*]

1977

7-14   CALLET Jean : "The French presence", p. 159-168, in *The Southern oceans and the security of the free world : new studies in global strategy* (ed. Patrick Wall), Stacey international (London), 1977, 256 p.-[8] p. de pl.

7-15   CHAMBRE DE COMMERCE ET D'INDUSTRIE DE LA REUNION : *L'Intégration des départements francais d'outre-mer à la Communauté économique européenne : le cas de la région Réunion*, Nouvelle Imprimerie Dionysienne (Saint-Denis), 1977, 227 p., ill.

7-16   FRANCE. Départements et territoires d'outre-mer (Secrétariat d'Etat). Affaires économiques et investissements (Service) : "L'Intégration économique des DOM dans la C.E.E., *Bulletin d'information du CENADDOM*, n°36, 1977, p.27-30.

7-17   FRANCE. Départements et territoires d'outre-mer (Secrétariat d'Etat). Affaires économiques et investissements (Service) : "Les Conséquences pour les départements d'outre-mer de l'application de la convention de Lomé", *Bulletin d'information du CENADDOM*, n°40, 1977, p. 18-20.

7-18   REUNION. Institut national de la statistique et des études économiques : *Les Echanges extérieurs de la Réunion : 1966-1976*, INSEE-Réunion, 1977, 118 p. (Etudes ; 9.)

1978

7-19   REUNION. Institut national de la statistique et des études économiques : *Le Commerce extérieur de la Réunion : 1966 à 1977*, INSEE-Réunion, 1978, 67 p. (Documents ; 24).

1979

7-20   CHATAIN Jean : "Le Marché commun amplificateur du colonialisme", *Les Cahiers du communisme*, vol. 55, n°3, mars 1979, p. 70-77.

7-21   DEGOIX G. : "La Réunion pôle de rayonnement de la culture française dans une zone d'affrontements entre les grandes puissances", *Bulletin d'information du CENADDOM*, n°48 ("Dossier Réunion"), 1979, p. 27-29.

7-22   FRANCE. Départements et territoires d'outre-mer (Secrétariat d'Etat) : "L'Intégration des départements d'outre-mer à la Communauté économique européenne", *Bulletin d'information du CENADDOM*, n°47, 1979, p. 4-10.

7-23   ONDIVIELA Denise : "L'Insertion des départements d'outre-mer dans la Communauté économique européenne", *Économie et finances agricoles*, mars 1979, p. 41-46.

7-24   REDDY N.B.K. : "The Emerging geopolitical pattern of the Indian Ocean countries", 20-[3] p. (Communication, International Conference on Indian Ocean Sudies "The Indian Ocean in focus", Perth, 15-22 August 1979.)

1980

7-25   FRANCE. Affaires étrangères (Ministère) : *Décret n° 80554 portant publication de la Convention entre le Gouvernement de la République Française et le Gouvernement de l'Ile Maurice sur la délimitation des zones économiques française et mauricienne entre l'Ile de la Réunion et l'Ile Maurice signée à Paris le 2 avril 1980.*

7-26   REUNION. Institut national de la statistique et des études économiques : *Annuaire statistique de la Réunion 1979. Fascicule*

7, *le commerce extérieur de la Réunion, 1966 à 1978*, INSEE-Réunion, 1980, 153 p. (Documents ; 29).

7-27   REUNION. Institut national de la statistique et des études économiques : *Le Commerce extérieur de la Réunion : fruits et légumes, 1976 à 1978*, INSEE-Réunion, 1980, 69 p.(Documents ; 30).

7-28   RODA Jean-Claude : "Le Rôle de la France dans la formation des bibliothécaires des îles créoles de l'océan Indien", *Annuaire des pays de l'océan Indien*, vol. 5, 1978 (paru en 1980), p. 473-476.

7-29   YIN SHING YUEN : "Pour une intégration régionale entre l'île Maurice et d'autres îles du Sud-Ouest de l'Ocean Indien : les Comores, Madagascar, la Réunion et les Seychelles", 325 p., bibl. (Th. 3e cycle : Sci. écon. et gest. : Lyon 2 : 1980.)

1981

7-30   GOMANE Jean-Pierre : "France and the Indian Ocean", p. 189-203, in *The Indian Ocean in global politics* (ed. Larry Bowman, Yan Clark), Westview Press (Boulder, Colorado), 1981, XI-260 p., index (Westview special studies in international relations).

7-31   LEYMARIE Philippe : *Océan Indien, le nouveau cœur du monde*, Ed. Karthala (Paris), 1981, 365 p., ill., cartes (Méridiens). [Pour la Réunion voir *passim*, notamment chap. 10, p. 217-238.]

7-32   REUNION. Institut de développement regional : *Dossier Europe : les relations entre la C.E.E. et la Région Réunion*, I.D.R., 1981, 2 vol., 64 p. et vol. d'annexes non paginé.

1982

7-33   BULLIER Antoine J. : "La Réunion, relais culturel français dans l'océan Indien", *L'Afrique littéraire*, n°65/66, 1982, p. 46 51.

7-34   "Départements (Les) d'outre mer et les relations internationales", *Bulletin d'information du CENADDOM*, n°64, janv./fév./mars 1982, p. 4-14. [Texte rédigé en 1979 par des élèves de l'Ecole nationale d'administration, promotion "Ligue des droits de l'Homme", groupe de travail DOM-TOM.]

7-35   VERIN Pierre : "Coopération et francophonie dans les pays de l'Océan Indien", *Mondes et cultures*, vol. 42, n°2, 1982, p. 163-172.

1983

7-36   BUGUET Jacques : " La France dans le sud-ouest de l'océan
        Indien", *Regards sur l'actualité*, n°98, mai 1983, p. 41-48, carte.

7-37   DELVAL Raymond : "Les Relations actuelles entre les îles de
        l'océan Indien occidental et les pays arabes", p. 44-92, <u>in</u> *Le Monde
        arabe et l'océan Indien, XlXe-XXe s.* (table ronde, IHPOM, CHEAM,
        CERSOI, Sénanque, 1982), Institut d'histoire des pays d'outre-mer
        (Aix-en Provence), 1983, 268 p. (Etudes et documents / IHPOM;
        17). [Concerne essentiellement les rapports entre pays souverains, la
        Réunion n'est donc évoquée que pour mémoire, p. 80-81.]

1984

7-38   DEBRE Michel : "La Réunion, France de l'océan Indien", *Mondes et
        cultures*, vol. 44, n°1, 1984, p. 3-6.

7-39   HOUBERT Jean : "France in the Indian Ocean," 41 p., notes
        bibliogr. (Communication, 2nd International Conference on Indian
        Ocean Studies, Perth, 5-12 December 1984.)

7-40   MAURICE Pierre : "Un Bilan des échanges commerciaux entre
        l'Europe et les pays de l'océan Indien", *Annuaire des pays de l'océan
        Indien*, vol. 8, 1981 (paru en 1984), p. 63-78. [Pour la Réunion voir
        passim.]
        ⇒ Egalement publié <u>in</u> *L'Europe et l'océan Indien : un cas
        particulier des relations Nord-Sud*, Ed. du CNRS. (Paris) ; Presses
        universitaires d'Aix-Marseille (Aix-en-Provence), 1984, 191 p.
        (Extraits de l'Annuaire des pays de l'océan Indien, vol. 7 et 8).

7-41   REUNION. Institut national de la statistique et des études écono-
        miques : *Le Commerce extérieur de la Réunion : 1975-1983*, INSEE-
        Réunion, 1984, 17 p. (Les Dossiers de l'économie réunionnaise ; 4).

7-42   VIRAHSAWMY Raj : "Vers de nouveaux rapports Sud-Sud pour
        l'océan Indien ?", *Annuaire des pays de l'océan Indien*, vol. 8, 1981
        (paru en 1984), p. 79-93. [Pour la Réunion voir *passim.*]
        ⇒ Egalement publié <u>in</u> *L'Europe et l'océan Indien : un cas
        particulier des relations Nord-Sud*, Ed. du C.N.R.S. (Paris) ; Presses
        universitaires d'Aix-Marseille (Aix-en-Provence), 1984, 191 p.
        (Extraits de l'Annuaire des pays de l'océan Indien, vol. 7 et 8).

1985

7-43   ROCHOUX Jean-Yves, RAPANOEL G. : *Echanges extérieurs et
        activité économique régionale : le cas de l'économie réunionnaise*,
        Université de la Réunion, 1985 (Les Cahiers de l'EREDI ; 1).

7-44   ROY Maurice-Pierre : "La Communauté économique européenne et les départements français d'outre-mer", *Revue française d'administration publique*, n°33, 1985, p. 115-133.

7-45   VALI Ferenc A. : "Western European interests in the Indian Ocean", p. 478-494, in *The Indian Ocean : perspectives on a strategic arena* (ed. William L. Dowdy, Russell B. Trood), Duke University Press (Durham), 1985, XVII-613 p. (Duke press policy studies). [Pour la Réunion voir p. 481-485.]

7-46   WANQUET Claude : "Recherche diffuse, développement technologique et coopération régionale à la Réunion", *Les Dossiers de l'outre-mer,* n°80, 1985, p. 101-105.

1986

7-47   BARON Catherine : "La Réunion, Europe de l'océan Indien", p. 147-161, in *La Réunion dans l'océan Indien* (colloque organisé par le Centre des hautes études sur l'Afrique et l'Asie modernes, 24-25 oct.1985), CHEAM (Paris), 1986, 239 p. (Publications du CHEAM).

7-48   BLANCHY Sixte : "La Coopération sanitaire dans l'océan Indien", *Les Dossiers de l'outre-mer,* n°84, 1986, p. 65-71. [Iles de l'océan Indien occidental, dont la Réunion.]

7-49   BLANGY Michel : "La Coopération régionale : une chance pour la Réunion, une reconaissance pour la France", *Les Dossiers de l'outre-mer,* n°84, 1986, p.3-5.

7-50   CAMPREDON Jean-Pierre, SCHWEITZER Jean-Jacques, [*et al.*] : *France, océan Indien, mer Rouge*, F.E.D.N. (Paris), 1986, 449 p, cartes (Collection Les Sept épées). [Contient : "Les Menaces pesant sur la libre circulation dans l'océan Indien et le rôle de la France dans la région" / Amiral Jean-Jacques Schweitzer, Pascal Chaigneau ; et "Les Incidences possibles d'une déstabilisation des Etats riverains de la mer Rouge sur les intérêts de la France" / Jean-Pierre Campredon [*et al.*] - Pour la Réunion voir particulièrement la première étude p. 117-121.]

7-51   CHARLES Jean-Claude : "Des Bases pour une présence française dans trois océans", *Les Dossiers de l'outre-mer,* n°83, 1986, p. 17-21.

7-52   CLARKE Tim : "Le Développement des pêcheries de thon dans le sud-ouest de l'océan Indien", *Courrier CEE-ACP,* n°98, juil./août 1986.
        ⇒ Article repris par *L'Economie de la Réunion*, n°28, 1987, p. 19-23.

7-53   *Développement et coopération régionale dans l'océan Indien occidental* (actes du colloque de Saint-Denis de la Réunion, 1er-4 octobre 1984), *Annuaire des pays de l'océan Indien*, 9, 1982-1983 (paru en 1986), p. 17-223.
⇒ Egalement publié en extrait de l'APOI, Presses universitaires d'Aix-Marseille ; Institut de développement régional (Saint-Denis, Réunion), 1986, 224 p.

7-54   DROUHET Yves : "Coopération régionale en matière culturelle dans l'océan Indien", *Les Dossiers de l'outre-mer,* n°84, 1986, p. 59-64.

7-55   FRANCE. Premier ministre : *La Politique de coopération régionale entre les DOM-TOM et les Etats A.C.P. : rapport au Premier ministre* (par Victor Sablé), La Documentation française (Paris), 1986, 237 p. (Collection des rapports officiels).

7-56   GOUTTES (de) Bernard : "Exemple de coopération régionale : l'adhésion de la France à la Commission de l'océan Indien", *Les Dossiers de l'outre-mer,* n°84, 1986, p. 6-10.

7-57   GOUVELLO (de) Philippe : "Le Développement de l'agriculture réunionnaise et la coopération régionale", *Les Dossiers de l'outre-mer,* n°84, 1986, p. 40-46.

7-58   HOUBERT Jean : "France in the Indian Ocean : decolonizing without disengaging", *The Round table*, n°298, 1986, p. 145-166.

7-59   HOUBERT Jean : "France in the islands of the South-West Indian Ocean", p. 97-123, <u>in</u> *The Indian Ocean as a zone of peace* (Workshop on the Indian Ocean as a zone of peace, Dhaka, November 23-25, 1985), International Peace academy (New York) ; M. Nijhoff (Dordrecht ; Boston ; Lancaster), 1986, XXIII-155 p. (IPA Report ; 24).

7-60   HOUBERT Jean : "La France et les îles créoles de l'océan Indien", *L'Afrique et l'Asie modernes*, n°149, 1986, p. 19-40.

7-61   LIVET Pierre : "L'Université de la Réunion et la coopération régionale dans l'océan Indien", *Les Dossiers de l'outre-mer,* n°84, 1986, p. 53-58.

7-62   LODIOT Bernard : "La Réunion et ses voisins", p. 141-146, <u>in</u> *La Réunion dans l'océan Indien* (colloque organisé par le Centre des hautes études sur l'Afrique et l'Asie modernes, 24-25 octobre 1985), CHEAM (Paris), 1986, 239 p. (Publications du CHEAM).

7-63   MARTIN Frédéric : "La Communauté européenne, la Convention de Lomé et la Commission de l'océan Indien", *Les Dossiers de l'outre-mer,* n°84, 1986, p. 11-22.

7-64   MAURICE Pierre : "Ressources insulaires, échanges inter-îles, coopération régionale", p. 81-91, in *La Réunion dans l'océan Indien* (colloque organisé par le Centre des hautes études sur l'Afrique et l'Asie modernes, 24-25 octobre 1985), CHEAM (Paris), 1986, 239 p. (Publications du CHEAM).

7-65   RAPANOEL G., ROCHOUX Jean-Yves : *Stratégies et rééquilibrage des échanges commerciaux régionaux : situations de conflit-coopération*, Université de la Réunion, 1986 (Les Cahiers de l'EREDI ; 2).

7-66   RAZAFINTSALAMA Honoré : "La C.O.I. sur les rails après l'adhésion de la Réunion", *Les Dossiers de l'outre-mer,* n°84, 1986, p. 23-31.

7-67   ROCHOUX Jean-Yves : *Industrie et coopération dans les îles du sud-ouest de l'océan Indien*, Université de la Réunion, 1986 (Les Cahiers de l'EREDI ; 4).

7-68   ROSSOLIN Pierre : "La Coopération régionale dans le sud-ouest de l'océan Indien", *Les Dossiers de l'outre-mer,* n°84, 1986, p. 47-52.

7-69   WANQUET Claude : "Recherche et transfert de technologie, un atout important pour la Réunion et pour la coopération régionale", p. 107-126, in *La Réunion dans l'océan Indien* (colloque organisé par le Centre des hautes études sur l'Afrique et l'Asie modernes, 24-25 octobre 1985), CHEAM (Paris), 1986, 239 p. (Publications du CHEAM).
⇒ Egalement publié par *Les Dossiers de l'outre-mer,* n°84, 1986, p. 76-93.

1987

7-70   BERRON Henri : "Organisation en marge des activités modernes à St-Denis de la Réunion : les coursiers malgaches", p. 307-309, in *Formes parallèles de régulations urbaines* (éd. B. Ganne, P. Haeringer), Université de Lyon 2, GLYSI (Bron), 1987, 344 p. multigr.(Programme citadinités ; dossier 3).

7-71   BERTILE Wilfrid : "La Réunion : développement, intégration européenne et coopération régionale", *Bulletin de l'Association de géographes français*, vol. 64, n°5, 1987, p. 395-406.

7-72   HINTJENS Helen M. : "Reunion, France and the E.E.C. : the State in North-South relations", XII-545 p., bibliogr.
(Ph. D. : Politics : Aberdeen : 1987.)

7-73   MAISON Bernadette : "Les Echanges clandestins entre Madagascar
            et la Réunion, p. 299-304, in *Formes parallèles de régulations
            urbaines* (éd. B. Ganne, P. Haeringer), Université de Lyon 2, GLYSI
            (Bron), 1987, 344 p. multigr.(Programme citadinités ; dossier 3).

7-74   RAHARINARIVONIRINA Renée : *Artisanat malgache et produits
            européens : le commerce informel entre la Réunion et Madagascar,*
            G.D.R. Océan Indien (Aix-en-Provence), 1987, 26 p. (Cahiers de
            l'océan Indien).
            ⇒ Egalement publié, p. 100-124, in INSTITUT D'AMENAGEMENT
            REGIONAL, Aix-en-Provence : *Expériences étrangères d'aména-
            gement : séminaire Aménagement comparé, 1986-1987,* [1987],
            145 p. ;
            ⇒ et repris, p. 37-61, in INSTITUT D'AMENAGEMENT REGIONAL,
            Aix-en-Provence : *L'I.A.R. dans l'océan Indien : 1982-1992,* 1992,
            143 p.

                                                                        1988

7-75   BERRON Henri : "Echanges commerciaux informels entre
            Madagascar et la Réunion : les *coursiers* à Saint-Denis", *Annuaire
            des pays de l'océan Indien*, vol. 10, 1984-1985 (publié en 1988), p.
            325-335.
            ⇒ Texte repris, p. 21-35, in INSTITUT D'AMENAGEMENT
            REGIONAL, Aix-en-Provence : *L'I.A.R dans l'océan Indien : 1982-
            1992,* 1992, 143 p.

7-76   MARTINEZ Emile : *Le Département français de la Réunion et la
            coopération internationale dans l'océan Indien*, L'Harmattan (Paris),
            1988, 109 p., bibliogr. (Espaces francophones).

7-77   MOUTOUSSAMY Ernest : *Les DOM-TOM : enjeu géopolitique,
            économique et stratégique,* Ed. L'Harmattan (Paris), 1988, 151 p.

7-78   MOUTOUSSAMY Ernest : *Un Danger pour les DOM : l'intégration
            au marché unique européen de 1992*, Ed. L'Harmattan (Paris), 1988,
            189 p.

7-79   ORAISON André : *Quelques réflexions critiques sur la Commission
            de l'océan Indien : les obstacles à la coopération régionale inter-
            îles dans la zone sud-ouest de l'océan Indien*, Université de la
            Réunion, 1988, 39 p. (Travaux et rapports / Université de la
            Réunion).

1989

7-80   ROCHOUX Jean-Yves : "Les Exportations non sucrières à la
        Réunion", p. 117-132, in *Les Economies insulaires : stratégies de
        développement des économies insulaires à pouvoir d'achat élevé*
        (actes du colloque de Saint-Denis de la Réunion, 7-10 novembre
        1989), Association pour la recherche et la technologie à la Réunion,
        1989, 236 p.

1990

7-81   LEBLOND Robert : *Les Accords de coopération régionale dans le
        sud-ouest de l'océan Indien : recherche documentaire*, R. Leblond
        (Ottawa), 1990, 23-[37] p. [Comporte des annexes de textes et
        documents.]

1991

7-82   BARRE Raymond : "La Présence de la France dans l'hémisphère
        Sud : réflexions prospectives", p. 555-664, in *Géopolitique et
        géostratégie dans l'hémisphère Sud* (actes du colloque international,
        Saint-Denis de la Réunion, 29-31 mai 1990, org. par le Centre
        d'études et de recherches en relations internationales et
        géopolitiques de l'océan Indien, sous la dir. de Pierre Maurice et
        Olivier Gohin), Université de la Réunion, [1991], 569 p., cartes.

7-83   GOHIN Olivier : "La Politique de défense de la France dans l'océan
        Indien Sud", p. 359-390, in *Géopolitique et géostratégie dans
        l'hémisphère Sud* (actes du colloque international, Saint-Denis de la
        Réunion, 29-31 mai 1990, org. par le Centre d'études et de
        recherches en relations internationales et géopolitiques de l'océan
        Indien, sous la dir. de Pierre Maurice et Olivier Gohin), Université
        de la Réunion, [1991], 569 p., cartes.

7-84   GOHIN Olivier : "La Réunion et la défense de la France dans
        l'océan Indien" (rapport du Comité n°1 de la 101ème session
        régionale de l'Institut des hautes études de défense nationale, Saint-
        Denis de la Réunion, 22 janvier - 3 février 1990), *Annuaire des pays
        de l'océan Indien*, vol. 11, 1986-1989 (publié en 1991), p. 405-419.

1992-(1993)

7-85   CALMARD Pierre : "La Réunion et les DOM, régions d'Europe",
        Economie de la Réunion, n°63, 1993, p. 12-16 (dossier "Spécial
        Europe").

7-86   HOUBERT Jean : "The Indian Ocean Creole islands : geo-politics
            and decolonisation", *The Journal of modern African studies*, vol. 30,
            n°3, 1992, p. 465-484

7-87   VELLAS François : "Le Développement économique des pays
            insulaires, les échanges extérieurs et la fécondité", p. 242-256, in
            Fécondité, insularité (actes du colloque international, Saint-Denis
            de la Réunion, 11-15 mai 1992), Conseil général de la Réunion ;
            diff. AFI (Saint-Denis), 1993, 2 vol., 1101 p. [Pour la Réunion voir
            passim.]

EXPRESSION
langues, littératures, arts

(1972)-1973

8-1   CARAYOL Michel, CHAUDENSON Robert : "Aperçu sur la situation linguistique à la Réunion", *Cahiers du Centre universitaire de la Réunion*, n°3, 1973, p. 1-44.

8-2   CARAYOL Michel : "Remarques à propos de l'emploi du subjonctif dans le français parlé à la Réunion", *Cahiers du Centre universitaire de la Réunion*, n°2, 1972, p. 9-26.

8-3   CHAUDENSON Robert : "Le Lexique du parler créole de la Réunion", 4 vol., XLIII-1388 p.
(Th. : Lett. : Paris 4 : 1972.)
⇒ Publié en 1974, H. Champion (Paris), 2 vol., XLIX-1249 p., bibliogr., index.
• C.R. de cet ouvrage et de celui de P. Baker *Kreol : a description of Mauritian Creole,* par Albert Valdman "On the structure and origin of Indian Ocean Creole", *Romance philology*, vol. 32, n°1, 1978, p. 65-94.

8-4   LEYMARIE Philippe : "La Presse de l'île Maurice et de l'île de la Réunion", *Revue française d'études politiques africaines*, n°88, 1973 (4), p. 74-89. [Pour la Réunion voir p. 86-89.]

8-5   TOUGAS Gérard : *Les Ecrivains d'expression française et la France : essai*, Denoël (Paris), 1973, 269 p., index. [Pour la Réunion voir *passim*.]

1974-1975

8-6   CORNE Chris : "Tense, aspect and the mysterious *i* in Seychelles and Reunion creole", *Te Reo* (Auckland), vol. 17/18, 1974/1975, p. 53-93.

8-7   VINTILA-RADULESCU loana : *Le Créole français*, Mouton (Paris ; New York ; La Haye), 1975, 210 p., bibliogr., index (Janua Linguarum. Series Critica ; 17).

1976

8-8   CARAYOL Michel : "Le Français parlé à la Réunion : phonétique et phonologie".
(Th. : Lett. : Toulouse 2 : 1976.)
⇒ Publié en 1977, Atelier reprod. th. Univ. Lille 3 ; diff. H. Champion (Paris), 633 p., bibliogr.

8-9   CHAUDENSON Robert : "La Situation linguistique dans les archipels créolophones de l'océan Indien", *Annuaire des pays de l'océan Indien*, vol. 1, 1974 (paru en 1976), p. 155-182, bibliogr. [Réunion : p. 175-180.]

8-10   CORNU Marie-Renée : "Les Poètes réunionnais du XXe siècle : vue d'ensemble", *Présence francophone*, 1976, p. 129-137.

1977

8-11   BAUDET N. : "Quelques remarques sur les dialectes créoles français", *Annales de la Faculté des lettres et sciences humaines de Nice*, vol. 28, 1977, p. 71-82.

8-12   BOLLEE Annegret : *Zur Entstehung der franzosischen Kreolendialekte in Indischen Ozean : Kreolisierung ohne Pidginisierung*, Droz (Genève), 1977, 148 p. (Kölner romanistische Arbeiten. Neue Folge ; 51).[Pour le créole réunionnais voir *passim.*]

8-13   CARAYOL Michel, CHAUDENSON Robert : "A study in the implicational analysis of a linguistic continuum : French Creole", *Journal of Creole studies*, vol. 1, n°2, 1977, p. 179-218, bibliogr.

8-14   GAUVIN Axel : *Du créole opprimé au créole libéré : défense de la langue réunionnaise*, L'Harmattan (Paris), 1977, 120 p.

8-15   RODA Jean-Claude : "Place de l'île de la Réunion dans l'histoire de la littérature française", *Annuaire des pays de l'océan Indien*, vol. 2, 1975 (paru en 1977), p. 141-153.

1978

8-16   CHAUDENSON Robert : "Lexicographie et lexicologie créoles", *Etudes créoles*, 1978 (1) [= n°1], p. 109-117. (Texte d'une communication présentée au Colloque international des créolistes, Nice, 14-18 nov. 1976.)

8-17   CORNE Chris : "Ile de France, Bourbon et la syntaxe des langues créoles", *Etudes créoles*, 1978 (1) [= n°1], p. 77-89, bibliogr. (Texte d'une communication présentée au Colloque international des créolistes, Nice, 14-18 nov. 1976.)

8-18   CORNE Chris, MOORGHEN P.M.J. : "Proto-créole et liens génétiques dans l'océan Indien", *Langue française*, n° 37 (n° spécial "Les Parlers créoles"), 1978, p. 60-75.

8-19   JOUBERT Jean-Louis : "Pour une exploration de la Lémurie : une mythologie littéraire de l'océan Indien", *Annuaire des pays de l'océan Indien*, vol. 3, 1976 (paru en 1978), p. 51-63.

8-20   LEIBOVICI Claudine : "Contes et légendes populaires de la Réunion : analyse structurale et interprétation, 303 p. (Th. 3 cycle : Lett. : Aix Marseille 1 : 1978.)

8-21   PAPEN Robert Antoine : "The French-based Creoles of the Indian Ocean : an analysis and comparison", 666 p. (Ph. D. : University of California, San Diego : 1978.)

8-22   RAUVILLE (de) Camille : "Sur les débuts des littératures francophones de l'océan Indien et les menaces de leur disparition", *Présence Francophone*, 1978, p. 131-140.

8-23   TABOURET-KELLER Andrée : "Bilinguisme et diglossie dans le domaine des créoles français", *Etudes créoles*, 1978 (1) [= n°1], p. 135-152. (Texte d'une communication présentée au Colloque international des créolistes, Nice, 14-18 nov. 1976.)

8-24   VALDMAN Albert : *Le Créole : structure, statut et origine*, Klincksieck (Paris), 1978, XVI-403 p. (Initiation à la linguistique. B, Problèmes et méthodes ; 7). [Pour la Réunion voir *passim.*]
         • C.R. comparé de cet ouvrage et de celui de Robert Chaudenson *Les Créoles français*, par G. Manessy, *Etudes créoles*, 1979, n°2, p. 115-123.

8-25   VALDMAN Albert : "On the structure and origin of Indian Ocean Creole", *Romance Philology*, vol. 32, n°1, 1978, p. 65-93.

                                                                          1979

8-26   CARAYOL Michel : "La Littérature orale narrative dans les îles et les archipels créolophones de l'océan Indien", 18 p. (Communication au colloque "Etudes créoles et développement", Seychelles, 20-27 mai 1979.)

8-27   CARAYOL Michel : "Phonétique et apprentissage de la prononciation française à la Réunion", *Cahiers du Centre universitaire de la Réunion*, n°10 ("Pédagogie du français"), 1979, p. 21-37.

8-28   CHAUDENSON Robert : *Les Créoles français*, F. Nathan (Paris), 1979, 173 p. (Coll. Langues en question). [Pour la Réunion voir *passim.*]
• C.R. comparé de cet ouvrage et de celui de Albert Valdman *Le Créole : structure, statut et origine* , par G. Manessy, *Etudes créoles*, 1979, n°2, p. 115-123.

8-29   CHAUDENSON Robert : "Le Français dans les îles de l'océan Indien (Mascareignes et Seychelles)", p. 543-617, in *Le Français hors de France* (dir. A. Valdman), H. Champion (Paris), 1979, 688 p. (Créoles et français régionaux). [Réunion p. 547-567.]

8-30   JOUBERT Jean-Louis : "Mythologies créoles : créole, tradition populaire et littérature écrite dans les îles de l'océan Indien", 20 p. (Communication au colloque "Etudes créoles et développement", Seychelles, 20-27 mai 1979.)

8-31   JOUBERT Jean-Louis : "Paul, Virginie, André, Kristian et quelques autres enfants littéraires de l'océan Indien", *Recherche, pédagogie et culture*, n°44, 1979, p. 81-88.

8-32   NEMO Jacques : *La Situation linguistique d'une minorité ethnique en milieu créolophone : les Gujarati de la Réunion*, 12 p. multigr. (Communication au colloque "Etudes créoles et développement", Seychelles, 1979.)

8-33   NEMO Jacques : "La Situation linguistique des minorités ethniques à l'ile de la Réunion", *Etudes créoles*, 1979 (1) [= vol. 2, n°1], p. 85-99.

8-34   POIRIER C. : "Créoles à base française, français régionaux et français québécois : éclairages réciproques", *Revue de linguistique romane*, vol. 43, n°171/172, 1979, p. 400-425, bibliogr.

8-35   SAM-LONG Jean-François, MANGLOU Tony [photos] : *Peintres de l'Ile de la Réunion*, UDIR (Saint-Denis), 1979, 89 p., ill. (Coll. Anchaing).

8-36   SCHUCHARDT Hugo : "On the Creole of Reunion ; Further remarks on Reunionnais", p. 1-6 et 15-17 in SCHUCHARDT Hugo : *The Ethnography of variation : selected writings on pidgins and creoles* (ed. and transl. by T.L. Markey), Karoma (Ann Arbor), 1979, 152 p.

8-37   TABOURET-KELLER Andrée : "Origine et simplicité : des langues créoles au langage des enfants", *Enfance*, n°3/4, juil.-nov.1979, p. 269-292.

1980

8-38   CORNU Marie-Renée : "Un Réunionnais oublié : FélicienVincent, poète et polémiste", *Présence francophone*, n°20, 1980, p. 147-162.

8-39   VIATTE Auguste : *Histoire comparée des littératures franco-phones*, Nathan (Paris), 1980, 215 p. (Nathan-Université. Littérature française). [Réunion p. 48-50, 102-104.]

1981

8-40   CHAUDENSON Robert : *Textes créoles anciens : la Réunion et île Maurice : comparaison et essai d'analyse*, H. Buske (Hamburg), 1981, VII-272 p. (Kreolische Bibliothek ; 1). [Textes en créole réunionnais p. 1-72, textes en créole mauricien p. 75-141, étude comparée p. 145-265.]

8-41   CORNE Chris : "Analyse contrastive du prédicat en réunionnais et en créole de l'Isle de France", *Bulletin de l'Observatoire du français contemporain en Afrique noire*, 1981, n°2, p. 46-78.

8-42   GUEUNIER Nicole : "Problèmes d'édition et d'analyse de textes oraux produits dans une communauté réunionnaise", *Etudes créoles*, vol. 3, n°1, 1980 (paru en 1981), p. 42-53, bibliogr. [Article rendant compte d'une mission de recherche effectuée dans le village réunionnais de la Plaine des Grègues en 1976.]

8-43   *Littératures de l'océan Indien. 2. Les Mascareignes : la Réunion*, 1981, 152 p., ill. (n°spécial de *Notre librairie*, n°57/58)

1982

8-44   CELLIER Pierre : "Variation et standardisation syntaxique du créole réunionnais", *Etudes créoles*, vol. 4, n°1 (n° spécial "Analyse de la variation des créoles : diglossies et continuums"), 1981 (paru en 1982), p. 78-96.

8-45   CHAUDENSON Robert : "Continuum intralinguistique et interlinguistique", *Etudes créoles*, vol. 4, n°1 (n° spécial "Analyse de la variation des créoles : diglossies et continuums"), 1981 (paru en 1982), p. 19-46. [Fait référence aux créoles de l'océan Indien.]

8-46   *Créole (Le) en question(s) : [débat]* (transcription par un groupe d'étudiants de l'U.V. de socio-linguistique, année 81/82 sous la dir. de D. Baggioni), Institut de linguistique et d'anthropologie (Saint-Denis), 1982, 51 p. [Emission de FR3 Réunion du 21 août à 20h30.]

8-47   GUEUNIER Nicole : "Langue maternelle et situation de conti-
        nuum : le cas d'un créole réunionnais", *Langue française*, n°54,
        1982, p. 68-84.

8-48   ROCHE Daniel-Rolland : *Lire la poésie réunionnaise contem-
        poraine*, Ed. de l'UFOI (Saint Denis), 1982, 144 p. (Collection des
        Travaux du Centre universitaire de la Réunion).

8-49   SAM-LONG Jean-François : "Théâtre de l'île de la Réunion",
        Culture française, 1982, n°3/4, 1983, n°1.

1983

8-50   ARMAND Alain : "Contribution à une glottopolitique créole : le
        dictionnaire bilingue créole/francais", *Sobatkoz* (Réunion), n°1, sept.
        1983, p. 11-22.

8-51   CARO Alix : "Leconte de Lisle, poète réunionnais", 291 p.,
        bibliogr.
        (Th. 3e cycle : Litt. : Toulouse 2 : 1983.)

8-52   CHAUDENSON Robert : "Langues africaines et créoles de l'océan
        Indien", *Notre librairie*, n°72, 1983, p. 15-19.

8-53   CORNE Chris : "A propos de l'ouvrage de Robert Chaudenson :
        *Textes créoles anciens (la Réunion et île Maurice) : comparaison et
        essai d'analyse*", *Etudes créoles*, vol. 5, n°1/2, 1982 (paru en 1983),
        p. 94-107, bibliogr. (suivi d'un commentaire de R. Chaudenson,
        p.107-108).

8-54   CORNU Marie-Renée : "Renouveau littéraire à l'ile de la Réunion,
        1960-1980", p. 111-118, in *Contemporary African literature*, Three
        continents Press (Washington), 1983.

8-55   *Exposition (1ère) numismatique de la Réunion* (org. par J.
        Ryckebusch), Azalées Ed. (Saint-Denis), 1983, [16] p.-30 p. de pl.

8-56   JOUBERT Jean-Louis : "Iles et exils : sur l'imaginaire littéraire aux
        Mascareignes", *Itinéraires et contacts de cultures*, n°3 ("Littératures
        insulaires : Caraïbes et Mascareignes"), 1983, p. 117-129. [N°
        contenant des communications présentées à la table ronde sur les littératures
        insulaires, org. par les universités de Paris 4 et Paris 13, 24-25 avril 1981,
        ainsi que des études et documents hors table ronde.]

8-57   Littératures (Les) de l'océan Indien : une exposition itinérante",
        Notre librairie, n°72, 1983, p. 104-106.

8-58   ROCHE Daniel-Rolland : "Les Littérateurs réunionnais et
        l'Afrique", *Notre librairie*, n° 72, 1983, p. 65-75.

8-59   ROCHE Daniel-Rolland : "*Rivages d'alizé*, de Gilbert Aubry", *Actualités réunionnaises* 1976 (paru en 1983), p. 155-158.

8-60   *Théâtre (Le) à la Réunion*, Ed. UDIR (Réunion), 1983, 30 p. (Omega).
⇒ Texte repris par *Bulletin d'information du CENADDOM*, n°73, 1984, p. 39-48.

1984

8-61   BAGGIONI Daniel : "Schuchardt l'incompris ou du Bon usage de la mixité des langues", *Etudes créoles*, vol. 6, n°1/2, 1983 (paru en 1984), p. 115-128, bibliogr.

8-62   CAZANAVE Caroline : "Chronique théâtrale : à propos des images féminines dans *Nina Segamour*", p. 177-206, in *Visages de la féminité*, Université de la Réunion, 1984, 283 p. [*Nina Ségamour ou la Vie passionnée d'une reine de beauté*, pièce d'Emmanuel Genvrin, Théâtre Vollard.]

8-63   CHAUDENSON Robert : " Où l'on reparle de la genèse et des structures des créoles de l'océan Indien" (suivi des commentaires de C. Corne et P. Baker), *Etudes créoles*, vol. 6, n°1/2, 1983 (paru en 1984), p. 157-238, bibliogr.

8-64   CHAUDENSON Robert : "Vers une politique linguistique et culturelle dans les DOM français", *Etudes créoles*, vol. 7, n°1/2 (n°spécial "Créole et éducation"), 1984, p. 126-141.

8-65   "*Créolie (La)*", *Actualités réunionnaises* 1978 (paru en 1984), p. 150-154.

8-66   HOARAU Isabelle : "La Littérature réunionnaise", *Bulletin d'information du CENADDOM*, n°73, 1984, p. 54-62.

8-67   LABONTE Jean-Max : "La Musique traditionnelle à la Réunion", *Bulletin d'information du CENADDOM*, n°73, 1984, p. 69-76.

8-68   LA SELVE Jean-Pierre : *Musiques traditionnelles de la Réunion*, Fondation pour la recherche et le développement dans l'océan Indien (Saint-Denis, Réunion), 1984, 181 p., ill. (Documents et recherches / F.R.D.O.I.).

8-69   *Littérature (La) réunionnaise d'expression créole, 1828-1982* (textes choisis et présentés par Alain Armand, Gérard Chopinet, préf. de Daniel Baggioni), L'Harmattan (Paris), 1984, 439 p., bibliogr.

8-70   MATHIEU Martine : "Le Discours créole dans le roman réunionnais d'expression française", 324 p.
(Th. 3e cycle : Lett. : Aix-Marseille 1 : 1984.)

8-71   "Musiques d'Afrique et de l'océan Indien", *Recherche, pédagogie et culture*, n°65/66, 1984.

8-72   ROCHE Daniel-Rolland : "Alain Lorraine : militant ou poète?", *Actualités réunionnaises* 1977 (paru en 1984), p. 138-140.

8-73   ROCHE Daniel-Rolland : "L'Ile-femme(s)", p. 165-175, in *Visages de la féminité*, Université de la Réunion, 1984, 283 p.

8-74   ROCHE Daniel-Rolland : "Jean-Henri Azéma : *Le Testament de l'exilé*", *Actualités réunionnaises* 1978 (paru en 1984), p. 154-158.

8-75   ROCHE Daniel-Rolland : "Riel Debars : *Sirène de fin d'alerte*", *Actualités réunionnaises* 1979 (paru en 1984), p. 149-152.

8-76   SAM-LONG Jean-François : "La Littérature réunionaise du XVIIIe siècle à nos jours", *Culture et pédagogie*, n°5, juin 1984, p.55-65.

8-77   STEIN Peter : *Kreolisch und Franzosisch*, Niemeyer (Tubingen), 1984, VIII-145 p.
     • C.R. par Glenn G. Gilbert, *Etudes créoles*, vol.8, n°1/2, 1985, p. 271-274.

1985

8-78   ARMAND Alain, BAGGIONI Daniel, VIRAHSAWMY Dev : "Problématiques différenciées pour l'élaboration parallèle d'un dictionnaire bilingue créole/français à la Réunion et à Maurice", *Lexique*, 1985, n°3, p. 147-158.

8-79   BAGGIONI Daniel : "Le Corps : son lexique, son langage et sa symbolique en créole réunionnais", p. 19-37, in *Culture(s) empirique(s) et identité(s) culturelle(s) à la Réunion* (éd. Daniel Baggioni, Martine Mathieu), Service des publications de l'Université de la Réunion, 1985, 132 p., ill., bibliogr.

8-80   BAGGIONI Daniel : "L'Elaboration d'un dictionnaire bilingue créole-français : réflexions sociolinguistiques, praxématiques et/ou pragmatiques d'un lexico-graphe désabusé", *Cahiers de praxématique*, n°5, 1985, p. 67-84.

8-81   BAGGIONI Daniel : "Marqueurs d'ethnicité et identité culturelle : problèmes de définition et d'application à la Réunion", p. 9-18, in *Culture(s) empirique(s) et identité(s) culturelle(s) à la Réunion* (éd. Daniel Baggioni, Martine Mathieu), Service des publications de l'Université de la Réunion, 1985, 132 p., ill., bibliogr.

8-82   BENIAMINO Michel : "L'Imaginaire réunionnais : recherches sur les déterminations constitutives du rapport entre le sujet et l'île",

2 vol., 871 p., bibliogr.
(Th. nouv. rég.: Lett. : Aix-Marseille 1 : 1985.)

8-83   CARAYOL Michel : *Particularités lexicales du français réunionnais : propositions pédagogiques,* Nathan (Paris), 1985, 389 p.

8-84   CARAYOL Michel : "La Représentation du temps dans *Quartier 3 lettres*", p. 91-99,.in *Culture(s) empirique(s) et identité(s) culturelle(s) à la Réunion* (éd. Daniel Baggioni, Martine Mathieu), Service des publications de l'Université de la Réunion, 1985, 132 p., ill., bibliogr.

8-85   CARAYOL Michel : "La Temporalité dans le conte créole réunionnais", *Etudes créoles*, vol. 8, n°1/2, 1985, p. 71-83, bibliogr.

8-86   CAZANAVE Caroline : "*Tempête* : mise en scène E. Genvrin, joué par le Théâtre Vollard", *Actualités réunionnaises* 1981 (paru en 1985), p. 154-156.

8-87   CAZANAVE Caroline : "Le Théâtre Vollard : *Ubu Roi*", *Actualités réunionnaises* 1980 (paru en 1985), p. 151-157.

8-88   CELLIER Pierre : *Comparaison syntaxique du créole réunionnais et du français : réflexions pré-pédagogiques*, Université de la Réunion, 1985, 205 p.

8-89   CELLIER Pierre : "Description syntaxique du créole réunionnais : essai de standardisation", 2 vol., 752, 270 p., bibliogr.
(Th. : Linguist. : Aix-Marseille 1 : 1985.)

8-90   CELLIER Pierre : "Dysglossie réunionnaise", *Cahiers de praxématique*, n°5, 1985, p.45-66.

8-91   CELLIER Pierre : "Production d'un système linguistique et identité : la situation réunionnaise : quelques directions de recherche", p. 79-88, in *Culture(s) empirique(s) et identité(s) culturelle(s) à la Réunion* (éd. Daniel Baggioni, Martine Mathieu), Service des publications de l'Université de la Réunion, 1985, 132 p., ill., bibliogr.

8-92   CELLIER Pierre : *Rapport sur le langage de l'enfant réunionnais*, Université de la Réunion, 1985, 42 p.

8-93   CELLIER Pierre : "Résumé des règles syntaxiques du créole réunionnais", *Te Reo*, n°28, 1985, p. 37-60.

8-94   GREFFET-KENDIG Suzanne : "La Collection Vollard : ombres et lumières", p. 129-138, in *Le Mouvement des idées dans l'océan Indien occidental* (actes de la table ronde de Saint-Denis, 23-28 juin 1982, Association historique internationale de l'océan Indien.), AHIOI, (Saint-Denis, Réunion), 1985, 436 p.

8-95   GUEUNIER Nicole : "Variation individuelle chez les locuteurs du Sud réunionnais", *Etudes créoles*, vol. 8, n°1/2, 1985, p. 161-174.

8-96   JARDEL Jean-Pierre : "De Quelques emprunts et analogies dans les fables créoles inspirées de La Fontaine : contribution à l'étude des parlers créoles du XIXe siècle", *Etudes créoles*, vol. 8, n°1/2, 1985, p. 213-225, bibliogr. [Pour la Réunion, fables de Lucien Héry.]

8-97   JOUBERT Jean-Louis : "Les Littératures en français des îles de l'océan Indien", *Présence francophone,* n°26, 1985, p.11-24.

8-98   LIONNET Guy : "Dispersion et valorisation de la langue créole dans l'océan Indien", p. 373-380, in *Le Mouvement des idées dans l'océan Indien occidental* (actes de la table ronde de Saint-Denis, 23-28 juin 1982, Association historique internationale de l'océan Indien.), AHIOI, (Saint-Denis, Réunion), 1985, 436 p.

8-99   MARIMOUTOU Jean-Claude Carpanin : "*Quartier 3 lettres / Kartyé trwa let* : la réécriture du sujet", p. 101-105, in *Culture(s) empirique(s) et identité(s) culturelle(s) à la Réunion* (éd. Daniel Baggioni, Martine Mathieu), Service des publications de l'Université de la Réunion, 1985, 132 p., ill., bibliogr.

8-100   MARIMOUTOU Jean-Claude Carpanin : "Texte et contre-texte en situation de diglossie", *Cahiers de praxématique*, n°5, 1985, p. 31-44.

8-101   MATHIEU Martine : "Espace romanesque et identité culturelle dans *Quartier 3 lettres*", p. 107-127, in *Culture(s) empirique(s) et identité(s) culturelle(s) à la Réunion* (éd. Daniel Baggioni, Martine Mathieu), Service des publications de l'Université de la Réunion, 1985, 132 p., ill., bibliogr.

8-102   PRUDHOMME Claude : "La Presse catholique à l'île Maurice et à la Réunion", p. 51-62, in *La Presse chrétienne du tiers-monde : études de cas* (actes du colloque du Centre de recherches et d'échanges sur la diffusion et l'inculturation du christianisme, Gazzada, septembre 1984), Université de Lyon 3, 1985, 193 p.

8-103   RAMASSAMY Ginette : "Syntaxe du créole réunionnais : analyse de corpus d'unilingues créolophones", 405 p. (Th. 3e cycle : Linguist. : Paris 5 : 1985.)

8-104   ROCHE Daniel-Rolland : "Agnès Gueneau : le silence et l'infini", *Actualités réunionnaises* 1980 (paru en 1985), p. 148-150.

8-105   ROCHE Daniel-Rolland : "Axel Gauvin : *Quartier trois lettres*", *Actualités réunionnaises* 1981 (paru en 1985), p. 150-153.

8-106   ROCHE Daniel-Rolland : "Jean-François Sam-Long : prolixité et sincérité", *Actualités réunionnaises* 1982 (paru en 1985), p. 153-156.

1986

8-107   ARMAND Alain : "Lexiques et glossaires réunionnais", *Sobatkoz*, n°4, 1986, p. 39-56.

8-108   BAGGIONI Daniel, NEU-ALTENHEIMER Irmela : "Recherches universitaires et idéologies glotto-politiques en Catalogne et en pays créolophones (océan Indien) à l'époque des néo-grammairiens (1880-1891)", *Lengas* (Université Paul Valéry, Montpellier), n°19, 1986, p. 63-90.

8-109   BAKER Philip, CORNE Chris : "Universals, substrata and the Indian Ocean creoles", p. 163-183, in *Substrata versus universals in Creole languages* (ed. Pieter Muysken, Norval Smith), J. Benjamins (Amsterdam ; Philadelphia), 1986. [Pour la Réunion voir *passim*.]

8-110   BENIAMINO Michel : "Boris Gamaleya, de la nostalgie des possibles manqués à l'exorcisme des exils", *Actualités réunionnaises* 1983 (paru en 1986), p. 144-148.

8-111   BENIAMINO Michel, ROCHE Daniel-Rolland : "L'Ero-exotisme de Charles Baudelaire et de Jean Albany : ou la configuration de l'île désirée", p. 91-110, in *Le Territoire : études sur l'espace humain : littérature, histoire, civilisation*, Publications de l'Université de la Réunion, diff. Didier-Erudition (Paris), 1986, 222 p. (Cahiers C.R.L.H.-CIRAOI ; 3).

8-112   CHAUDENSON Robert : "Unité et diversité des créoles de l'océan Indien", p. 57-66, in *La Réunion dans l'océan Indien* (colloque organisé par le Centre des hautes études sur l'Afrique et l'Asie modernes, 24-25 octobre 1985), CHEAM (Paris), 1986, 239 p. (Publications du CHEAM).

8-113   LOUISIA Eliane, FEREY Lucien : "La Langue et la culture : des pôles de diffusion de la francophonie", *Les Dossiers de l'outre-mer*, n°83, 1986, p. 57-60.

8-114   MARIMOUTOU Jean-Claude Carpanin : "La Dialectique de l'ancien et du nouveau dans *Vali pour une reine morte* ", *Sobatkoz*, n°4, 1986, p. 71-84.

8-115   MARIMOUTOU Jean-Claude Carpanin, BAGGIONI Daniel : "Le Roman créole réunionnais et le projet de dictionnaire", *Lengas* (Université Paul Valéry, Montpellier), n°19, 1986, p. 101-122.

8-116   MATHIEU Martine : "La Femme dans la littérature réunionnaise", *Les Dossiers de l'outre-mer*, n°82, 1986, p. 45-56, bibliogr.

8-117   NICOLE Rose-May : *La Légende de Grand-mère Kalle dans Eudora de Marguerite-Hélène Mahé*, Ed. Ziskakan (Saint-Denis, Réunion), 1986, 81 p., ill., bibliogr.

8-118   NICOLE Rose-May, SEVERIN Monique : "Pédagogie de la
          démarcation créole/français : un exemple, le lexique de la cuisine
          réunionnaise", *Sobatkoz,* n°4, 1986, p. 5-24.

8-119   RAMASSAMY Ginette : "Syntaxe du créole réunionnais : la
          fonction sujet et la fonction objet", *Sobatkoz,* n°4, 1986, p. 85-96.

8-120   ROUCH Alain, CLAVREUIL Gérard : *Littératures nationales
          d'écriture française : Afrique noire, Caraïbes, océan Indien :
          histoire littéraire et anthologie,* Bordas (Paris), 1986, 511 p.
          [Réunion p. 375-390.]

8-121   *Sculpture à la Réunion,* Impr. Graphica (Réunion), 1986, 62 p., ill.
          (Exposition org. en juin 1986 par le Conseil général de la Réunion et
          la Délégation aux arts plastiques du Ministère de la culture.)

                                                                        1987

8-122   BENIAMINO Michel, ROCHE Daniel-Rolland : "La Fondation du
          sujet et les mythes de filiation dans la poésie réunionnaise
          d'expression française", p. 179-190, in *Représentations de l'origine,*
          Publications de l'Université de la Réunion ; diff. Didier-Erudition
          (Paris), 1987, 268 p. (Cahiers C.R.L.H.-CIRAOI ; 4).

8-123   CARAYOL Michel : "La Mise en scène de la parole dans *le Miracle
          de la race* de Marius-Ary Leblond", *Itinéraires et contacts de
          cultures,* n°7 ("Le Roman colonial"), 1987, p. 133-161.

8-124   *Hommage à Jean Albany, peintre et chantre de son île,* Conseil
          général de la Réunion, 1987, 24 p., ill. (Exposition org. par la
          Fondation Jean Albany et le Musée Léon Dierx, 6 mai-8 juin 1987,
          Musée Léon Dierx.)

8-125   JARDEL Jean-Pierre : "Les Processus de créolisation et leur
          approche en milieu insulaire : Antilles - Mascareignes", p. 87-106,
          in *Iles tropicales : insularité, insularisme* (actes du colloque,
          Bordeaux-Talence, 23-25 octobre 1986), CRET (Talence), 1987,
          499 p., cartes, ill. (Iles et archipels ; 8).

8-126   KIEFFER Gilbert : *La Réunion, espace métaphorique,* Nouv. Impr.
          Dionysienne (Réunion), 1987, 25 p., ill. [Texte établi d'après la
          conférence du 4 juin 1986, avec présentation des toiles de l'auteur, à
          l'Université de la Réunion.]

8-127   MARIMOUTOU Jean-Claude Carpanin : "Quand le proche est plus
          lointain que le lointain : l'espace dans le *Miracle de la race* de
          Marius-Ary Leblond", *Itinéraires et contacts de cultures,* n°7 ("Le
          Roman colonial"), 1987, p. 163-188.

8-128 MATHIEU Martine : "Touche pas à ma race! : lecture du *Miracle de la race* de M.A. Leblond", *Itinéraires et contacts de cultures*, n°7 ("Le Roman colonial"), 1987, p. 99-131.

8-129 *Théâtre (Le) Fourcade*, O.M.T.L ; Ed. Lacaze (Saint-Denis, Réunion), 1987, 19 p., ill. (Les Cahiers de notre histoire ; 1).

8-130 WITTMANN Henri, FOURNIER Robert : "Interprétation diachronique de la morphologie verbale du créole réunionnais", *Revue québécoise de linguistique théorique et appliquée*, vol. 6, n°2, 1987, p. 137-150.

1988

8-131 BAGGIONI Daniel : "Evolution d'un genre littéraire récent : le livre de cuisine à la Réunion", p. 31-50, in *Cuisines/identités* (éd. Daniel Baggioni, Jean-Claude Carpanin Marimoutou), Université de la Réunion, 1988, 200 p., ill., bibliogr.

8-132 BAKER Philip : "Combien y a-t-il eu de genèses créoles à base lexicale française ?", *Etudes créoles*, vol. 10, n°2, 1987 (paru en 1988), p. 60-76. [Traite partiellement des créoles de l'océan Indien.]

8-133 BENIAMINO Michel, ROCHE Daniel-Rolland : "Quelques remarques sur le roman historique à la Réunion", *Etudes créoles*, vol. 10, n°1, 1987 (paru en 1988), p. 72-91.

8-134 BRASSEUR Patrice : "Hypothèses pour une géographie linguistique du créole de la Réunion", *Etudes créoles*, vol. 11, n°2, 1988, p. 7-16.

8-135 CELLIER Pierre : "Evolution et mutation linguistique : de la copule en français aux créoles de l'océan Indien", *Etudes créoles*, vol. 10, n°2, 1987 (paru en 1988), p. 39-59.

8-136 CELLIER Pierre : "Graphie du créole : identité visuelle de la langue écrite et langage de l'identité", p. 139-144, in *Cuisines/identités* (éd. Daniel Baggioni, Jean-Claude Carpanin Marimoutou), Université de la Réunion, 1988, 200 p., ill., bibliogr.

8-137 CHAUDENSON Robert : "Le Dictionnaire du créole mauricien : où l'on reparle (à nouveau mais pour la dernière fois !) de la genèse des créoles réunionnais et mauricien", *Etudes créoles*, vol. 11, n°2, 1988, p.73-127.

8-138 LINON Sophy-Jenny : "L'Exotique dans les techniques d'écritures de deux récits de voyages authentiques dans les Indes orientales : *Relation d'un voyage des Indes orientales*, Dellon (1685) et *Les Voyages aux Isles Dauphine et Mascareine*, Dubois (1674)", p. 89-99, in *L'Exotisme* (textes réunis par Alain Buisine et Norbert Dodille), diff. Didier-Erudition (Paris), 1988, 468 p.

8-139   MARIMOUTOU Jean-Claude Carpanin : "Créolisation, créolité, littérature", p. 99-101, in *Cuisines/identités* (éd. Daniel Baggioni, Jean-Claude Carpanin Marimoutou), Université de la Réunion, 1988, 200 p., ill., bibliogr.

8-140   MARIMOUTOU Jean-Claude Carpanin : "L'Exote exotique : entre *récit exotique* et *roman colonial*, le *roman réunionnais*", p. 259-266, in *L'Exotisme* (textes réunis par Alain Buisine et Norbert Dodille), diff. Didier-Erudition (Paris), 1988, 468 p.

8-141   MATHIEU Martine : "Créolisation et histoires de famille : remarques sur les conceptions littéraires réunionnaises", *Etudes créoles*, vol. 10, n°1, 1987 (paru en 1988), p. 62-72.

8-142   MEITINGER Serge : "Les *Chansons madécasses* d'Evariste Parny : exotisme et libération de la forme poétique", p. 295-304, in *L'Exotisme* (textes réunis par Alain Buisine et Norbert Dodille), diff. Didier-Erudition (Paris), 1988, 468 p.

8-143   NEU-ALTENHEIMER Irmela, MARIMOUTOU Jean-Claude Carpanin, BAGGIONI Daniel : "Névrose diglossique et choix graphiques : "ç" en catalan et "k" en créole de la Réunion", p. 159-177, in *Cuisines/identités* (éd. Daniel Baggioni, Jean-Claude Carpanin Marimoutou), Université de la Réunion, 1988, 200 p., ill., bibliogr.

8-144   PAYET J.V. : *Récits et traditions de la Réunion*, Ed. L'Harmattan (Paris), 1988, 210 p. (Collection Légende des mondes).

8-145   VIDOT Françoise : "Le Théâtre à la Réunion des origines à 1880", *Etudes créoles*, vol. 10, n°1, 1987 (paru en 1988), p. 92-108.

1989

8-146   BAGGIONI Daniel : "Problèmes de normalisation/standardisation du créole réunionnais à la lumière de deux expériences lexicographiques", p. 143-152, in *Les Créoles français entre l'oral et l'écrit* (dir. Ralph Ludwig), G. Narr Verlag (Tübingen), 1989 (coll. ScriptOralia ; 16).

8-147   BARQUISSAU Raphaël : *Le Poète Lacaussade et l'exotisme tropical,* ADER (Réunion), 1989, 173 p. (Voix dans l'Océan). [Reprod. en fac.-sim. de l'éd. de Paris, 1952.]

8-148   CELLIER Pierre : "Forme-sens et identité dans quelques poèmes réunionnais d'expression française", p. 133-149, in *Formes-sens / identités* (éd. Jean-Claude Carpanin Marimoutou, Daniel Baggioni), Université de la Réunion, 1989, 209 p., bibliogr.

8-149   CHAUDENSON Robert : "L'Apport d'une approche dialectologique à l'étude de la genèse des créoles de l'océan Indien", t. 2, p. 305-319, in *Espaces romans : études de dialectologie et de géolinguistique offertes à Gaston Tuaillon*, ELLUG (Grenoble), 1989.

8-150   MARIMOUTOU Jean-Claude Carpanin : "Oralité et écriture : les chansons créoles de Danyel Waro et de Ziskakan", p. 151-208, in *Formes-sens / identités* (éd. Jean-Claude Carpanin Marimoutou, Daniel Baggioni), Université de la Réunion, 1989, 209 p., bibliogr.

8-151   MARIMOUTOU Jean-Claude Carpanin : "Pour une poétique du cliché dans le roman réunionnais de langue créole : à propos de *Marceline Doub-Ker* de Daniel Honoré", p. 123-132, in *Formes-sens / identités* (éd. Jean-Claude Carpanin Marimoutou, Daniel Baggioni), Université de la Réunion, 1989, 209 p., bibliogr.

8-152   ROBERT Jean-Louis : "L'Ecriture de l'identité dans *Faims d'enfance* d'Axel Gauvin", p. 105-122, in *Formes-sens / identités* (éd. Jean-Claude Carpanin Marimoutou, Daniel Baggioni), Université de la Réunion, 1989, 209 p., bibliogr.

8-153   SAM-LONG Jean-François : *De l'élégie à la créolie*, Ed. UDIR (Réunion), 1989, 223 p. (Anchaing.)

8-154   STAUDACHER (née Valliamee) Ginette : "Phonologie du créole réunionnais : université et diversité", 292 p.
(Th. : Linguist. : Paris 5 : 1989.)

1990

8-155   ARMAND Alain : "Identité, altérité, pluralité ou de la *Réunionnité*", p. 83-92, bibliogr., in *Ile et fables : paroles de l'Autre, paroles du Même : linguistique, littérature, psychanalyse* (éd. Jean-François Reverzy, Jean-Claude Carpanin Marimoutou), INSERM ; Ed. L'Harmattan (Paris), 1990, 180 p. (*L'Espoir transculturel : actes du colloque de Saint-Gilles de la Réunion, juillet 1988* ; 2).

8-156   BARQUISSAU Raphaël : "Le Chevalier Bertin, le chevalier de Parny et l'Isle Bourbon", p. 61-95, in BARQUISSAU Raphaël : *Les Chevaliers des Isles*, Ed. du CRI (Sainte-Clotilde, Réunion), 1990, 159 p. [Publication posthume.]

8-157   *Festival (1er) du livre de l'océan Indien, du 2 au 7 avril 1990*, [brochure-annonce], Conseil général (Réunion), 1990, 8 p., ill.

8-158   LEGROS Nathalie : *"Pas besoin croire moin lé mort..." : Madoré 1928-1988*, Ed. Réunion, 1990, 197 p., ill. [Texte de chansons de Madoré p. 155-193.]

8-159   LODS Jean : "Ecriture et déracinement", p. 165-175, in *Ile et fables : paroles de l'Autre, paroles du Même : linguistique, littérature, psychanalyse* (éd. Jean-François Reverzy, Jean-Claude Carpanin Marimoutou), INSERM ; Ed. L'Harmattan (Paris), 1990, 180 p. (*L'Espoir transculturel : actes du colloque de Saint-Gilles de la Réunion, juillet 1988* ; 2).

8-160   MARIMOUTOU Jean-Claude Carpanin : "La Lémurie : un rêve, une langue", p. 121-132, in *Ailleurs imaginés : littérature, histoire, civilisations* (textes réunis par Jean-Michel Racault), Université de la Réunion (Saint-Denis) ; diff. Didier-Erudition (Paris), 1990, 256 p. (Cahiers C.R.L.H.-CIRAOI ; 6).

8-161   MARIMOUTOU Jean-Claude Carpanin : "La Littérature réunionnaise d'expression française et le soupçon", p. 143-146, in *Ile et fables : paroles de l'Autre, paroles du Même : linguistique, littérature, psychanalyse* (éd. Jean-François Reverzy, Jean-Claude Carpanin Marimoutou), INSERM ; Ed. L'Harmattan (Paris), 1990, 180 p. (*L'Espoir transculturel : actes du colloque de Saint-Gilles de la Réunion, juillet 1988* ; 2).

8-162   MARIMOUTOU Jean-Claude Carpanin : "Le Roman réunionnais : une problématique du Même et de l'Autre : essai sur la poétique du texte romanesque en situation de diglossie", 466 p. (Th. : Lett.: Montpellier 3 : 1990.)

8-163   MATHIEU Martine : "L'Image de l'indianité dans *La Croix du Sud* de M. et A. Leblond : la représentation de l'autre dans l'écriture coloniale", *Itinéraires et contacts de cultures*, n°12 ("Le Roman colonial (suite)", actes du colloque des 10 et 11 septembre 1987), 1990, p. 125-133.

8-164   MORVILLE Yolaine, SQUARZONI René : *Le Secteur de la littérature réunionaise*, Observatoire départemental de la Réunion, 1990, 37 p. (Etudes et synthèses / O.D.R. ; 10).

8-165   NICOLE Rose-May : "Quelques facettes de la représentation du Noir : 1822-1840", p. 147-154, bibliogr., in *Ile et fables : paroles de l'Autre, paroles du Même : linguistique, littérature, psychanalyse* (éd. Jean-François Reverzy, Jean-Claude Carpanin Marimoutou), INSERM ; Ed. L'Harmattan (Paris), 1990, 180 p. (*L'Espoir transculturel : actes du colloque de Saint-Gilles de la Réunion, juillet 1988* ; 2).

8-166   SAM-LONG Jean-François : *Le Roman du marronnage*, Ed. UDIR (Saint-Denis), 1990, 196 p. [Etude de *Les Marrons* de L.T. Houat et de *Bourbon pittoresque* d'E. Dayot.]

8-167   SCHULTZ Joachim : "*Ulysse cafre ou l'Histoire dorée d'un noir*, le roman de Marius et Ary Leblond dans le contexte de la littérature française des années vingt", *Itinéraires et contacts de cultures*, n°12 ("Le Roman colonial (suite)"), 1990, p.115-123.

8-168   SEVERIN Monique : "La Quête d'une harmonie culturelle dans le roman féminin réunionnais ou l'Indicible rencontre", p. 155-164, bibliogr., in *Ile et fables : paroles de l'Autre, paroles du Même : linguistique, littérature, psychanalyse* (éd. Jean-François Reverzy, Jean-Claude Carpanin Marimoutou), INSERM ; Ed. L'Harmattan (Paris), 1990, 180 p. (*L'Espoir transculturel : actes du colloque de Saint-Gilles de la Réunion, juillet 1988* ; 2).

1991

8-169   BAGGIONI Daniel : "Ethno- et sociotypes dans les créoles et français des îles de l'océan Indien", *Cahiers de praxématique*, n°17, 1991, p. 113-130.

8-170   "Dix ans de littératures, 1980-1990. II, Caraïbes - Océan Indien", *Notre librairie*, n°104, janv.-mars 1991.

8-171   JOUBERT Jean-Louis : *Littératures de l'océan Indien* (Jean-Louis Joubert , avec la collab. de Jean-Irénée Ramiandrasoa), EDICEF (Vanves), 1991, 303 p., cartes, notes bibliogr., index (Universités francophones / Université des réseaux d'expression française. Histoire littéraire de la francophonie). [Réunion : p. 191 à 261]

1992

8-172   BENIAMINO Michel : "Eléments pour une mythocritique du métissage", t. 1, p. 271-281, in *Métissages* (actes du colloque international de Saint-Denis de la Réunion, 2-7 avril 1990), L'Harmattan (Paris), 1992, 2 vol. [T. 1, *Littérature-histoire* (textes réunis par Jean-Claude Carpanin Marimoutou et Jean-Michel Racault), 304 p. (Cahiers C.R.L.H.-CIRAOI ; 7.). T. 2, *Linguistique et anthropologie* (textes réunis par Jean-Luc Alber, Claudine Bavoux et Michel Watin), 323 p.]

8-173   BENIAMINO Michel : *L'Imaginaire réunionnais,* Ed. du Tramail (Saint-Denis), 1992.

8-174   BENIAMINO Michel : *La Légende des cimes : lecture de* Vali pour une reine morte *de Boris Gamaleya,* Ed. ADER (Saint-Denis), 1992, 345 p.

8-175   MARIMOUTOU Jean-Claude Carpanin : "Ecrire métis", t. 1, p. 247-260, in *Métissages* (actes du colloque international de Saint-Denis de la Réunion, 2-7 avril 1990), L'Harmattan (Paris), 1992, 2 vol. [T. 1, *Littérature-histoire* (textes réunis par Jean-Claude Carpanin Marimoutou et Jean-Michel Racault), 304 p. (Cahiers C.R.L.H.-CIRAOI ; 7.). T. 2, *Linguistique et anthropologie* (textes réunis par Jean-Luc Alber, Claudine Bavoux et Michel Watin), 323 p.]

8-176   NICOLE Rose-May : "La Partenaire blanche des couples mixtes dans *Les Marrons* (1844) et dans *Eudora* (1955)", t. 1, p. 161-168, in *Métissages* (actes du colloque international de Saint-Denis de la Réunion, 2-7 avril 1990), L'Harmattan (Paris), 1992, 2 vol. [T. 1, *Littérature-histoire* (textes réunis par Jean-Claude Carpanin Marimoutou et Jean-Michel Racault), 304 p. (Cahiers C.R.L.H.-CIRAOI ; 7.). T. 2, *Linguistique et anthropologie* (textes réunis par Jean-Luc Alber, Claudine Bavoux et Michel Watin), 323 p.]

8-177   TESTA Bruno : *Jules Hermann, visionnaire*, Ed. C.N.H. (Saint-Denis), 1992, 27 p., ill. (Les Cahiers de notre histoire ; 30).

HISTOIRE

9-1   HIBON de FROHEN : *La Famille des Frohen à l'île Bourbon*, IHPOM (Aix-en-Provence), 1973 [Publication de la thèse soutenue en 1972.]

9-2   MAS Jean : "Droit de propriété et paysage rural de l'île Bourbon -la Réunion", 344-27 p.
(Th. : Droit : [1971 ?].)

9-3   PAQUIRY Roger Soupramanien : "L'Immigration indienne à la Réunion au XIXe siècle : son rôle dans l'économie de Bourbon", *Jeunesse marxiste*, suppl. au n°14, 1973, 43 p.

9-4   ROLE André : *Vie aventureuse d'un savant : Philibert Commerson, martyr de la botanique, 1727-1773* (publié par l'Académie de la Réunion), Impr. Cazal (Saint-Denis),1973,   27 p., ill. [Publié à l'occasion du bi-centenaire de la mort de Philibert Commerson.]

9-5   TOUSSAINT Auguste : *Histoire des îles Mascareignes*, Berger-Levrault (Paris), 1972, 351 p., ill., bibliogr., index (Mondes d'outre-mer. Histoire).

1974

9-6   FILLIOT Jean-Michel : *La Traite des esclaves vers les Mascareignes au XVIIIe siècle*, ORSTOM (Paris), 1974, 273 p., cartes, bibliogr., index (Mémoires ORSTOM : 72).
• C.R. par Guy Jacob, *Cahiers d'histoire*, vol. 22, n°3, 1977, p. 315-317.

9-7   LY-TIO-FANE Madeleine : "Le Séjour de Commerson à l'Isle de Bourbon, 1770-1771", *Cahiers du Centre universitaire de la Réunion*, n° spécial "Colloque Commerson", [1974], p. 111-115.

9-8   SCHERER André : *Histoire de la Réunion* (3e éd. mise à jour), Presses Universitaires de France (Paris), 1974, 125 p. (Que sais-je ?; 1164). [1ère éd. : 1965.]

9-9   TINKER Hugh : *A New system of slavery : the export of Indian labour overseas, 1830-1920*, Oxford University Press (London ; New York ; Bombay), 1974, XVI-432 p., bibliogr., index. [Pour la Réunion voir passim (consulter l'index).]

9-10   TOUSSAINT Auguste : *L'Océan Indien au XVIIIème siecle*, Flammarion (Paris), 1974, 338 p., cartes (Nouvelle bibliothèque scientifique). [Pour la Réunion, voir le chap. 3 "Madagascar et les îles françaises", p. 50-71.]

9-11   WANQUET Claude : "Bourbon dans les débuts de l'époque royale", *Cahiers du Centre universitaire de la Réunion*, n° spécial "Colloque Commerson", [1974], p. 14-75.

1975

9-12   "Origines provinciales des Français décédés aux Mascareignes et en Inde au XVIIIe siècle", *Population*, vol. 30, n°4/5, 1975, p. 917-920.

1976

9-13   BARASSIN Jean : "*Le Mémoire pour servir à la connaissance des habitants de l'Ile Bourbon* d'Antoine Boucher (1710)", 791-2 p., 7 pl., ill.
(Thèse univ.: Hist. : Aix-Marseille 1 : 1976.)

9-14   CORNU Henri : *Paris et Bourbon: la politique francaise dans l'océan Indien*, Académie des sciences d'outre-mer (Paris), 1976, 50 p (Travaux et mémoires de l'Académie des sciences d'outre-mer. Nouvelle série ; 4).

9-15   GERBEAU Hubert : "Le Rôle de l'agriculture dans le peuplement de la Réunion", *Cahiers du Centre universitaire de la Réunion*, n°8 ("Histoire"), 1976, p. 61-68. [Texte, revu et mis à jour, d'une communication présentée à une réunion d'experts de l'UNESCO, île Maurice, juillet 1974.]
⇒ Publié en 1980, p. 133-142, in *Relations historiques à travers l'océan Indien* (compte rendu et document de travail de la réunion d'experts sur les contacts historiques entre l'Afrique de l'Est d'une part et l'Asie du Sud-Est d'autre part, par les voies de l'océan Indien, org. par l'UNESCO, Maurice, 15-19 juillet 1974), UNESCO (Paris), 203 p. (Histoire générale de l'Afrique. Etudes et documents ; 3).

9-16   "Quelques repères historiques concernant l'hôtel du ministère, les secrétaires d'Etat et les ministres, les préfets et les parlementaires des DOM", *Bulletin d'information du CENADDOM*, n°32, 1976, p.5-14.

9-17   WANQUET Claude : "La Réunion et la guerre de course pendant l'époque révolutionnaire", *Cahiers du Centre universitaire de la Réunion*, n°8 ("Histoire"), 1976, p. 23-60.

1977

9-18   KUSSELING Maurice : "Historique du domaine militaire à la
        Réunion : XVlle - XXe siècle", 2 vol., V1-280, 59 p., ill.
        (Th. univ. : Hist. : Montpellier : 1977.)

9-19   LA RHODIERE (Petit de) Victor : *Les Affamés de Saint-Denis*,
        Impr. Chane-Pane (Saint-Pierre, Réunion), 1977, 68 p.
        ⇒ Rééd. en 1988.

9-20   TOUSSAINT Auguste : *Le Mirage des îles : le négoce français aux
        Mascareignes au XVIIIe siècle* ; (suivi de la) *Correspondance du
        négociant lyonnais Jean-Baptiste Pipon*, EDISUD (Aix-en-
        Provence), 1977, 331 p., cartes, bibliogr., index (Peuples et pays de
        l'océan Indien / IHPOM).
        • C.R. par Guy Jacob, *Cahiers d'histoire*, vol. 22, n°3, p. 313-315.

1978

9-21   BARASSIN Jean : *"Mémoire pour servir à la connoissance
        particulière de chacun des habitans de l'Isle Bourbon"*, *Antoine
        Boucher : l'île Bourbon et Antoine Boucher (1679-1725) au début
        du XVllle siècle*, Association des chercheurs de l'Océan Indien ;
        Institut d'histoire des pays d'outre-mer (Aix-en-Provence), 1978, 445
        p., cartes (Collection Peuples et pays de l'océan Indien). [Tiré de la
        thèse soutenue en 1976. Contient le texte du mémoire de Boucher (p. 55-
        209) accompagné d'une introd., de notes et index.]
        ⇒ Rééd. partielle (avec graphie modernisée du texte de A. Boucher)
        en 1989, Ed. ARS Terres Créoles (Sainte-Clotilde, Réunion), 335 p.
        (Collection Mascarin.)

9-22   BOYER Jérôme : *Le Passé réunionnais, un passé français : la vérité
        historique*, La Pensée universelle (Paris), 1978, 229 p.

9-23   CAILLON-FILET Claudine : "Jean Laborde et l'océan Indien", 483
        p, ill., bibliogr. [Concerne essentiellement Madagascar ; pour la Réunion
        voir *passim*.]
        (Th. 3e cycle : Hist. : Aix-Marseille 1 : 1978.)

9-24   GERBEAU Hubert : "Quelques enseignements tirés de la
        production vivrière de la Réunion dans le premier tiers du XIXe
        siècle", 14 p. (Communication présentée à la session de formation
        de l'ENDA, Maurice, 1978).

9-25   HELLY Denise : "Des Immigrants chinois dans les Mascareignes",
        Annuaire des pays de l'océan Indien, vol. 3, 1976 (paru en 1978),
        p. 103-124.

9-26   LA RHODIERE (Petit de) Victor : *La Vérité sur l'affaire Sitarane*, Impr. Chane-Pane (Saint-Pierre, Réunion), 1978, 60 p.

9-27   LY-TIO-FANE PINEO Huguette : "La Diaspora chinoise dans l'océan Indien occidental", 441 p.
(Th. univ. : Hist. : Aix-Marseille 1.).
• C.R. de la thèse. par Jean-Louis Miège, *Annuaire des pays de l'océan Indien*, vol. 5, 1978 (paru en 1980), p. 578-579.

9-28   REYDELLET Dureau : *Bourbon et ses gouverneurs* ; (suivi d'une) *Histoire de la commune de Sainte-Marie*, Impr. Cazal (Saint-Denis), 1978, 96 p.

9-29   TOUSSAINT Auguste : "La Course aux Mascareignes pendant la guerre d'Amérique", *Annuaire des pays de l'océan Indien*, vol. 3, 1976 (paru en 1978), p. 81-101.

9-30   WANQUET Claude : "Histoire d'une révolution : La Réunion 1789-1803", 3 vol. Vlll - 2105-[12]-106 p., ill., 30 cm.
(Th. : Hist. : Aix-Marseille 1 : 1978.).
• C.R. de la thèse. par Hubert Gerbeau, *Annuaire des pays de l'océan Indien*, vol. 6, 1979 (paru en 1981), p. 613-614.

                                                                                1979

9-31   BARASSIN Jean : "Aperçu général sur l'évolution des groupes ethniques à l'île Bourbon depuis les origines jusqu'en 1848", p. 245-258, in *Mouvements de population dans l'océan Indien* (actes du 4e congrès de l'Association historique internationale de l'océan Indien et du 14e colloque de la Commission internationale d'histoire maritime, tenu à Saint-Denis de la Réunion du 4 au 9 septembre 1972), H. Champion (Paris), 1979, 459 p. (Bibliothèque de l'Ecole pratique des Hautes Etudes, IVe section ; 327).

9-32   BARASSIN Jean : "La Révolte des esclaves à l'île Bourbon (Réunion) au XVIIIe siècle", p. 357-391, in *Mouvements de population dans l'océan Indien* (actes du 4e congrès de l'Association historique internationale de l'océan Indien et du 14e colloque de la Commission internationale d'histoire maritime, tenu à Saint-Denis de la Réunion du 4 au 9 septembre 1972), H. Champion (Paris), 1979, 459 p. (Bibliothèque de l'Ecole pratique des Hautes Etudes, IVe section ; 327).

9-33   BARASSIN Jean : "Traits de la vie quotidienne des colons de Bourbon au début du XVIIIe siècle", p. 13-23, in *Mouvements de population dans l'océan Indien* (actes du 4e congrès de l'Association historique internationale de l'océan Indien et du 14e colloque de la Commission internationale d'histoire maritime, tenu à Saint-Denis de la Réunion du 4 au 9 septembre 1972), H. Champion (Paris),

1979, 459 p. (Bibliothèque de l'Ecole pratique des Hautes Etudes, IVe section ; 327).

9-34   CADORET (de) Olivier : *Descendance de Henri Paulin Panon Desbassayns et de Marie Anne Thérèse Ombline Gonneau de Montbrun* (publié par l'Association des chercheurs de l'océan Indien), ACOI ; IHPOM (Aix-en-Provence), [25] p. (Recherches et documents / ACOI ; 1).

9-35   CHABIN Michel : "Les Archives départementales de la Réunion et l'histoire maritime de l'océan Indien : un fonds d'archives privées, les papiers Pipon-Adam, 2ème moitié du XIXe siècle", 7 p. (Communication, International Conference on Indian Ocean Sudies "The Indian Ocean in focus", Perth, 15-22 August 1979.)

9-36   FILLIOT Jean-Michel : "La Traite africaine vers les Mascareignes", p. 235-244, in *Mouvements de population dans l'océan Indien* (actes du 4e congrès de l'Association historique internationale de l'océan Indien et du 14e colloque de la Commission internationale d'histoire maritime, tenu à Saint-Denis de la Réunion du 4 au 9 septembre 1972), H. Champion (Paris), 1979, 459 p. (Bibliothèque de l'Ecole pratique des Hautes Etudes, IVe section ; 327).

9-37   FUMA Sudel : *Esclaves et citoyens, le destin de 62 000 Réunionnais : histoire de l'insertion des affranchis de 1848 dans la société réunionnaise*, Fondation pour la recherche et le développement dans l'océan Indien (Saint-Denis), 1979, 176 p., ill., bibliogr. (Documents et recherches / F.R.D.O.I. ; 6).

9-38   GERBEAU Hubert : "Brèves réflexions sur le sort de la femme esclave à l'île de la Réunion au XIXe siècle", 19 p. (Communication présentée à la session de formation de l'ENDA, Réunion, 1979).

9-39   GERBEAU Hubert : "Des Minorités mal-connues : esclaves indiens et malais des Mascareignes au XIXe siècle", p. 160-242, in : *Migrations, minorités et échanges en océan Indien, XIXe-XXe siècles* (table ronde 1978, IHPOM, CHEAM, ACOI), Institut d'histoire des pays d'outre-mer (Aix-en Provence), [1979], 272 p. (Etudes et documents / IHPOM ; 11).
⇒ Un extrait de ce texte a été publié, p. 44-53, par *Les Cahiers de la Réunion et de l'Océan Indien*, nouv. série, n°3.

9-40   GERBEAU Hubert : "La Traite esclavagiste dans l'océan Indien : problèmes posés à l'historien, recherches à entreprendre", p. 200-223, in *La Traite négrière du XVe au XIXe siècle* (compte rendu et document de travail de la réunion d'experts org. par l'UNESCO à Port-au-Prince, Haïti, 31 janvier - 4 février 1978), UNESCO (Paris), 1979, 341 p. (Histoire générale de l'Afrique. Etudes et documents ; 2).

9-41   GERBEAU Hubert : "Quelques aspects de la traite illégale des esclaves à l'île Bourbon au XIXe siècle", p. 273-308, in *Mouvements de population dans l'océan Indien* (actes du 4e congrès de l'Association historique internationale de l'océan Indien et du 14e colloque de la Commission internationale d'histoire maritime, tenu à Saint-Denis de la Réunion du 4 au 9 septembre 1972), H. Champion (Paris), 1979, 459 p. (Bibliothèque de l'Ecole pratique des Hautes Etudes, IVe section ; 327).

9-42   GERBEAU Hubert : "Quelques réflexions sur les moyens d'étudier les mouvements de population à travers l'océan Indien : application aux Asiatiques amenés comme esclaves à la Réunion et à Maurice au XIXe siècle", 32 p. (Communication, International Conference on Indian Ocean Sudies "The Indian Ocean in focus", Perth, 15-22 August 1979.).
⇒ Version revue et mise à jour, sous le titre "Les Esclaves asiatiques des Mascareignes au XIXe siècle : enquêtes et hypothèses", publiée par *Annuaire des pays de l'océan Indien*, vol. 7, 1980 (paru en 1982), p. 169-196.

9-43   HIBON de FROHEN : *Descendance de Pierre Hibon et Jeanne de la Croix et des familles Baillif, Ricquebourg, Collet* (publié par l'Association des chercheurs de l'océan Indien), ACOI ; IHPOM (Aix-en-Provence), 1979, 28 p. (Recherches et documents / ACOI ; 2).

9-44   LEGUEN Marcel : *Histoire de l'Ile de la Réunion,* L'Harmattan (Paris), 263 p.
• C.R. par Hubert Gerbeau, *Etudes créoles*, 1979, n°2, p. 125-126.

9-45   NORTH-COOMBES Alfred : *La Découverte des Mascareignes par les Arabes et les Portugais*, Service Bureau (Port-Louis), 1979, X-151 p.-14 f. de cartes. [Pour la Réunion voir *passim* (consulter la table des matières détaillée).]

9-46   PAILLARD Yvan-George : "La Communauté française de Tamatave à la veille de la colonisation", p. 111-132, in *Migrations, minorités et échanges en océan Indien, XIXe-XXe siècles* (table ronde 1978, IHPOM, CHEAM, ACOI), Institut d'histoire des pays d'outre-mer (Aix-en Provence), [1979], 272 p. (Etudes et documents / IHPOM ; 11). [Pour les Réunionnais voir particulièrement p. 120-124.]

9-47   RODA Jean-Claude : "Le Mouvement intellectuel à la Réunion au XIXe siècle", *Annuaire des pays de l'océan Indien*, vol. 4, 1977 (paru en 1979), p. 113-129. [En annexe, p. 127-129, liste chronologique des périodiques publiés à la Réunion au XIXe siècle.]

9-48   TOUSSAINT Auguste : *Les Frères Surcouf*, Flammarion (Paris), 1979, 292 p.

9-49   TOUSSAINT Auguste : "Le Rôle des femmes dans les migrations",
            p. 259-272, in *Mouvements de population dans l'océan Indien* (actes
            du 4e congrès de l'Association historique internationale de l'océan
            Indien et du 14e colloque de la Commission internationale d'histoire
            maritime, tenu à Saint-Denis de la Réunion du 4 au 9 septembre
            1972), H. Champion (Paris), 1979, 459 p. (Bibliothèque de l'Ecole
            pratique des Hautes Etudes, IVe section ; 327). [Pour la Réunion voir
            passim.]

9-50   *Transports (Les) et les échanges dans l'ouest de l'océan Indien de
            l'Antiquité à nos jours*, Saint-Denis, Réunion, Centre départemental
            de documentation pédagogique de la Réunion, 1979-1980, 2 vol.,
            272, 297 p., cartes. [Pour la Réunion voir passim.]

9-51   WANQUET Claude : "Aperçu sur l'affranchissement des esclaves à
            Bourbon à la fin du XVIIIe siècle", *Annuaire des pays de l'océan
            Indien*, vol. 4, 1977 (paru en 1979), p. 131-148.

9-52   WEBER Jacques : "L'Emigration indienne des comptoirs, 1828-
            1861", p. 133-159, in *Migrations, minorités et échanges en océan
            Indien, XIXe-XXe siècles* (table ronde 1978, IHPOM, CHEAM,
            ACOI), Institut d'histoire des pays d'outre-mer (Aix-en-Provence),
            [1979], 272 p. (Etudes et documents / IHPOM ; 11).

                                                                            1980

9-53   ESOAVELOMANDROSO Manassé : "Les *Créoles malgaches* de
            Tamatave au XIXe siècle", *Diogène*, n°111 ("Carrefours de
            cultures"), 1980, p. 55-69.

9-54   GERARD Gabriel : "Evolution du commerce et du négoce à la
            Réunion des origines à la départementalisation", *Revue de la
            Chambre de commerce et d'industrie de la Réunion*, n°39 (n°
            spécial), 1980, p. 19-89.

9-55   GERBEAU Hubert : "Les Esclaves et la mer à Bourbon au XIXe
            siècle", p. 10-51, in *Minorités et gens de mer en océan Indien, XIXe-
            XXe siècles* (table ronde IHPOM, CHEAM, CERSOI, ACOI,
            Sénanque, 1979), Institut d'histoire des pays d'outre-mer (Aix-en
            Provence), [1980], 180 p. (Etudes et documents / IHPOM ; 12).

9-56   GERBEAU Hubert : "Mutations agricoles et transformations
            sociales à l'île de la Réunion du XVIIIe siècle : essai de
            comparaison avec l'île Maurice", *Journal of the University of
            Mauritius*, n°6, 1980, p. 55-73.

9-57   LE BOURDIEC Paul : "L'Implantation des minorités étrangères à Madagascar avant 1972", *Annuaire des pays de l'océan Indien*, vol. 5, 1978 (paru en 1980), p. 37-66. [Pour la Réunion voir *passim.*]

9-58   LY-TIO-FANE PINEO Huguette : "Aperçu d'une immigration forcée : l'importation d'Africains libérés aux Mascareignes et aux Seychelles, 1840-1880", p. 73-84, in : *Minorités et gens de mer en océan Indien, XIXe-XXe siècles* (table ronde IHPOM, CHEAM, CERSOI, ACOI, Sénanque, 1979), Institut d'histoire des pays d'outre-mer (Aix-en Provence), [1980], 180 p. (Etudes et documents / IHPOM ; 12).

9-59   MOLLAT Michel : "Voies maritimes des contacts culturels dans l'océan Indien", *Diogène*, n°111 ("Carrefours de cultures"), p. 5-22.

9-60   PAILLARD Yvan-Georges : "Les Echanges de population entre la Réunion et Madagascar à la fin du XIXe siècle : un marché de dupes ?", p. 119-146, in *Minorités et gens de mer en océan Indien, XIXe-XXe siècles* (table ronde IHPOM, CHEAM, CERSOI, ACOI, Sénanque, 1979), Institut d'histoire des pays d'outre-mer (Aix-en Provence), [1980], 180 p. (Etudes et documents / IHPOM ; 12).

9-61   PRUD'HOMME Claude : "La Réunion, 1815-1871 : un essai de chrétienté", VII-616 p.
        (Th. 3e cycle : Hist. : Lyon 3 : 1980.)

9-62   SCHERER André : *La Réunion*, Presses Universitaires de France (Paris), 127 p. (Que sais-je ? ; 1846). [Reprend le texte de l'*Histoire de la Réunion*, avec quelques suppressions, compensées par un chapitre initial sur le milieu naturel et le prolongement de l'étude jusqu'à 1979 (au lieu de 1964).]

9-63   TOUSSAINT Auguste : *Histoire de l'océan Indien*, Presses Universitaires de France (Paris), 1980, 127 p. (Que sais-je ? ; 1886). [Pour la Réunion voir passim.]

9-64   WANQUET Claude : *Histoire d'une Révolution : la Réunion 1789-1803*, J. Laffitte (Marseille), 1980-1985, 3 vol., 779, 514, 622 p., ill., bibliogr. [Texte remanié de la thèse soutenue en 1978.]
        • C.R. par Hubert Gerbeau, *Etudes créoles*, vol. 3, n°2, p. 142-145.

1981

9-65   GERBEAU Hubert : "L'Eglise et les esclaves à Bourbon : une expérience ambiguë", *Académie de l'Ile de la Réunion, bulletin,* n° 25, 1981, p. 37-61.

9-66   GERBEAU Hubert : "La Liberté des enfants de Dieu : quelques aspects des relations des esclaves et de l'Eglise à la Réunion", p. 45-95, in *Problèmes religieux et minorités en océan Indien* (table ronde IHPOM, CHEAM, CERSOI, Sénanque, mai 1980), Institut d'histoire d'outre-mer (Aix-en-Provence), 1981, 130 p. (Etudes et documents / IHPOM ; 14).

9-67   LY-TIO-FANE PINEO Huguette *La Diaspora chinoise dans l'océan Indien occidental*, Association des chercheurs de l'océan Indien ; Institut d'histoire des pays d'outre-mer (Aix-en-Provence), 1981, 408 p., ill., cartes, bibliogr. (Peuples et pays de l'océan Indien). [Texte remanié de la thèse soutenue en 1978. - Réunion : p. 125-166.]
        ⇒ Réédité en langue anglaise à Maurice en 1985, Ed. de l'Océan Indien ; Mission catholique chinoise.

9-68   MIEGE Jean-Louis : "Le Café de l'océan Indien au XIXe siècle et la Méditerranée", p. 115-172, in *Le Café en Méditerranée : histoire, anthropologie, économie, XVIIe-XXe siècle* (actes de la table ronde du Groupement d'intérêt scientifique sciences humaines sur l'aire méditerranéenne et de la Chambre de commerce et d'industrie de Marseille, Aix-Marseille, octobre 1980), Institut de recherches méditerranéennes (Aix-en-Provence), 1981, 194 p., ill.

9-69   WANQUET Claude : "Les Débuts de la franc-maçonnerie à la Réunion", p. 30-44, in *Problèmes religieux et minorités en océan Indien* (table ronde IHPOM, CHEAM, CERSOI, Sénanque, mai 1980), Institut d'histoire d'outre-mer (Aix-en-Provence), 1981, 130 p. (Etudes et documents / IHPOM ; 14).

1982

9-70   BOULANGER Patrick : "L'Océan Indien de 1864 à 1914 d'après les rapports des capitaines des Messageries Maritimes", p. 1-31, in *Les Ports de l'océan Indien, XlXe et XXe s* (table ronde IHPOM, CHEAM, CERSOI, Sénanque, juin 1981), Institut d'histoire des pays d'outre-mer (Aix-en Provence), 1982, 159 p. (Etudes et documents / IHPOM ; 15).

9-71   GERBEAU Hubert : "Engagés et coolies à l'île de la Réunion: masques de la servitude et contrainte de la liberté", 45 p. (Communication présentée au colloque "Colonialism and labour migration" org. par le Centre for the history of European expansion, Leiden, 21-23 avril 1982).
        ⇒ Texte abrégé publié dans une trad. anglaise sous le titre "Engagees and coolies on Reunion island : slavery's masks and freedom's constraints", p. 209-236 in *Colonialism and migration : indentured labour before and after slavery* (P.C. Emmer, ed.), M. Nijhoff (Dordrecht ; Boston ; Lancaster), 1986, VI-303 p.

9-72   HAMON Christine : "La Population de Cilaos (Réunion) de 1850 à 1974 : étude de démographie historique", 376-[16] p. (Th. : Hist. : Paris 5 : 1982.)

9-73   LACPATIA Firmin : *Les Indiens de la Réunion*, Nouvelle Imprimeric Dionysienne (Saint-Denis), 1982-1983, 2 vol., cartes.
1 - *Origine et recrutement*, 1982, 104 p.
2 - *La Vie sociale: 1826-1848*, 1983, 99 p.

9-74   MIEGE Jean-Louis : *L'Indenture labour dans l'océan Indien et le cas particulier de l'île Maurice*, Institut d'histoire des pays d'outre-mer (Aix-en-Provence), [1982], 35-XX-[12] p. (Communication au colloque du Centre for the history of European expansion, Leiden, 21-23 avril 1982). [Pour la Réunion voir *passim.*]
⇒ Publié en anglais, sous le titre "Indentured labour in the Indian Ocean and the particular case of Mauritius", *Intercontinenta*, 1986, n°5, p. 1-62.

9-75   WANQUET Claude : "Les Premiers projets portuaires à la Réunion", p. 136-159, in *Les Ports de l'océan Indien, XlXe et XXe s* (table ronde IHPOM, CHEAM, CERSOI, Sénanque, juin 1981), Institut d'histoire des pays d'outre-mer (Aix-en Provence), 1982, 159 p. (Etudes et documents / IHPOM ; 15).
⇒ Publié ensuite, p. 46-65 in *Des marines au port de la Pointe des Galets : 1886-1986, centenaire,* Océan Ed. (Saint-André, Réunion), 1987, 202 p., ill.

9-76   WANQUET Claude : "Quelques remarques sur les relations des Mascareignes avec les autres pays de l'océan Indien à l'époque de la Révolution française", *Annuaire des pays de l'océan Indien*, vol. 7, 1980 (paru en 1982), p. 199-243.[Version revue et mise à jour d'une communication, International Conference on Indian Ocean Sudies "The Indian Ocean in focus", Perth, 15-22 August 1979.]

                                                                        1983

9-77   BARASSIN Jean : *Histoire des établissements religieux de Bourbon au temps de la Compagnie des Indes : 1664-1767*, Fondation pour la recherche et le développement dans l'océan Indien (Saint-Denis), 1983, 218 p., ill. (Documents et Recherches ; 9).

9-78   BARRET Danielle : "Les Iles de l'océan Indien occidental et l'Afrique : une histoire enfouie", *Notre librairie*, n°72, 1983, p. 7-14.

9-79   BARRET Danielle : "Les Messageries Maritimes et les îles de l'océan Indien, 1865-1920 : la création d'un nouvel espace", *Etudes créoles*, vol. 5, n°1/2, 1982 [publié en 1983], p. 82-93.

9-80   CARLOZ Louis : "Mœurs et société à Bourbon au XIXe siècle à travers les lithographies de l'époque" (Th. 3e cycle : Ethnol. : Paris, E.H.E.S.S. : 1983.)

9-81   *Colbert et Bourbon* (catalogue de l'exposition org. par les Archives de la Réunion, Saint-Denis, 1983), 70 p., ill.

9-82   EVE Prosper : "La Mort à la Réunion de la période moderne à la période contemporaine", 3 vol., 930 p., 262 p., ill., bibliogr. (Th. 3e cycle : Hist. : Aix-Marseille 1 : 1983.)

9-83   FUMA Sudel : "L'Homme et le sucre à la Réunion : 1827-1862", 2 vol., 642 p. (Th. 3e cycle : Hist. : Aix Marseille 1 : 1983.)

9-84   GERBEAU Hubert : "Les Recherches historiques sur la Réunion", *Bulletin d'information du CENADDOM*, n°72 ("Dossier Réunion"), 1983, p. 70-71.

9-85   RYCKEBUSCH Jacky : "Essai d'histoire monétaire de l'île de la Réunion", *Bulletin de liaison et d'information, Association historique internationale de l'océan indien*, n.s., n°5, 1983, p. 227-244.

1984

9-86   BALDUCCHI Jean-Claude : "La Vie politique et sociale à la Réunion, 1932-1939". (Th. 3e cycle : Hist. : Aix-Marseille 1 : 1984.)

9-87   BARRET Danielle : "Les Messageries Maritimes dans le sud-ouest de l'océan Indien : 1864-1920", *Recherche, pédagogie et culture*, n°67, 1984, p. 32-37. [Pour la Réunion voir *passim*.]

9-88   EVE Prosper : "Les Premières réflexions sur le mouvement spirite moderne à la Réunion au milieu du XIXe", *Bulletin de liaison et d'information, Association historique internationale de l'océan indien*, n.s., n°6, 1984, p. 269-283.

9-89   GERARD Gabriel : *Histoire résumée de la Réunion*, Association pour la sauvegarde du patrimoine réunionnais (Saint-Denis, Réunion), 1984, 717 p., ill.

9-90   GERBEAU Hubert : "Alimentation servile et cultures vivrières à l'île de la Réunion," 26 p. (Communication, 2nd International Conference on Indian Ocean Studies, Perth, 5-12 December 1984.)

9-91   GERBEAU Hubert : "Esquisses sur la vie des femmes dans la
        société de plantation des Mascareignes au XIXe siècle", p. 108-121,
        in La Femme dans les sociétés coloniales (table ronde C.H.E.E.
        [Centre d'histoire de l'expansion européenne, Université de Leiden],
        C.R.H.S.E. [Centre de recherche d'histoire socio-économique,
        Université de Groningen], IHPOM, septembre 1982, Groningen-
        Amsterdam), Institut d'histoire des pays d'outre-mer (Aix-en
        Provence), 1984, 332 p. (Etudes et documents / IHPOM ;
        19).[Communication préparée avec la collab. d'Huguette Ly-Tio-Fane
        Pineo pour les aspects concernant les esclaves de l'île Maurice ; publiée
        dans une version abrégée.]

9-92   GERBEAU Hubert :   "L'Océan Indien et les esclaves de la
        Réunion", Recherche, pédagogie et culture, n°67, 1984, p. 57-63.

9-93   GERBEAU Hubert : "Pour une approche des complots du Vent : la
        révolte servile de Saint-Benoît en 1832" (Communication présentée
        à la table ronde de Saint-Benoît, Réunion, 1984.)

9-94   HELLY Denise (Trad.) : "La Réunion vue de Taiwan : le Hua Qiao
        Zhi, Liu Ni Wang Dao", Annuaire des pays de l'océan Indien, vol. 8,
        1981 (paru en 1984), p. 243-263. [Trad. partielle d'une brochure publiée
        en 1966 par la Commission de compilation de l'histoire des Chinois d'outre-
        mer (Taiwan).]

9-95   *LEGUAT François : Aventures aux Mascareignes : voyage et
        aventures de François Leguat et de ses compagnons en deux îles
        désertes des Indes orientales, 1707 (introd. et notes de Jean-Michel
        Racault). (Suivi de) : Recueil de quelques mémoires servant
        d'instruction pour l'établissement de l'île d'Eden, par Henri
        Duquesne, La Découverte (Paris), 1984, 243 p., ill. (La Découverte
        illustrée).

9-96   MILOCHE-BATY Danielle : "De la Liberté légale et illégale des
        esclaves à Bourbon au XIXe siècle ou le Problème des
        affranchissements et le phénomène du marronnage dans la société
        réunionnaise entre 1815 et 1848".
        (Th. 3e cycle : Hist. : Aix-Marseille 1 : 1984.)

9-97   PLUCHON Philippe : "Histoire d'une production alimentaire, le
        maïs, à la Réunion, des origines au XXe siècle", 23 p.
        (Communication, ICIOS II, Perth, 5-12 décembre 1984.)

9-98   PRUDHOMME Claude : Histoire religieuse de la Réunion, Ed.
        Karthala (Paris), 1984, 369 p., ill., cartes, bibliogr. (Hommes et
        sociétés).

9-99   PRUDHOMME Claude : "L'Ile de la Réunion et le réveil
        missionnaire au début du XIXe siècle", p. 235-247, in Les Réveils
        missionnaires en France du Moyen Age à nos jours : XIIe-XXe

siècles (actes du colloque de Lyon, 19-31 mai 1980, org. par la Société d'histoire ecclésiastique de la France), Beauchesne (Paris), 1984, 423 p.

9-100 PRUDHOMME Claude : "Les Premières missions des Noirs aux Antilles françaises et aux Mascareignes : milieu du XIXe siècle", *Comité des travaux historiques et scientifiques*, 1984, 1.

9-101 SAM-LONG Jean-François : "Des Malgaches à la Réunion de la traite aux premiers engagés", *Académie de l'île de la Réunion : bulletin*, 27, 1982/1983 (publié en 1984), p. 71-82.

9-102 WANQUET Claude : "Aperçu sur la population féminine libre de la Réunion au début du XVIIIe siècle", p. 70-94, in *La Femme dans les sociétés coloniales* (table ronde C.H.E.E. [Centre d'histoire de l'expansion européenne, Université de Leiden], C.R.H.S.E. [Centre de recherche d'histoire socio-économique, Université de Groningen], IHPOM, septembre 1982, Groningen-Amsterdam), Institut d'histoire des pays d'outre-mer (Aix-en Provence), 1984, 332 p. (Etudes et documents / IHPOM ; 19).
⇒ Egalement publié sous le titre "La Gent féminine libre à la Réunion au début du XVIIIe siècle", p. 113-135, in *Visages de la féminité*, Université de la Réunion, 1984, 283 p.

9-103 WANQUET Claude : "Société de plantation à la Réunion", *Recherche, pédagogie et culture*, n°67, 1984, p. 71-74.

1985

9-104 BELROSE-HUYGHUES Vincent : "Religion et esclavage aux Mascareignes sous le gouvernement de Farquhar", p. 317-330, in *Le Mouvement des idées dans l'océan Indien occidental* (actes de la table ronde de Saint-Denis, 23-28 juin 1982, Association historique internationale de l'océan Indien.), AHIOI, (Saint-Denis, Réunion), 1985, 436 p.

9-105 BENARD Paul J. : *Saint-Paul de la Réunion, berceau d'un peuplement*, Presses des typographes de France, 1985, 102 p., ill.

9-106 BENOIT Gaëtan : "First newspapers in Mauritius : *Annonces, affiches et avis divers* and *Gazettes et affiches des Isles de France et de Bourbon* : 1773-1790", p. 241-270, in *Le Mouvement des idées dans l'océan Indien occidental* (actes de la table ronde de Saint-Denis, 23-28 juin 1982, Association historique internationale de l'océan Indien.), AHIOI, (Saint-Denis, Réunion), 1985, 436 p.

9-107   *De l'Inde merveilleuse... à Bourbon* (avant-propos Yves Drouhet, préf. de Madeleine Ly-Tio-Fane, postf. de Raoul Lucas), C.R.I.. (Saint-Denis, Réunion), 1985. (Réimpr. des planches extraites du *Voyage aux Indes orientales et à la Chine*, de Pierre Sonnerat, 1806.)

9-108   EVE Prosper : "Le Testament et la pratique religieuse aux XVIIIe et XIXe siècles à la Réunion", p. 41-74, in *Le Mouvement des idées dans l'océan Indien occidental* (actes de la table ronde de Saint-Denis, 23-28 juin 1982, Association historique internationale de l'océan Indien.), AHIOI, (Saint-Denis, Réunion), 1985, 436 p.

9-109   FERMET André : *Jean-Bernard Rousseau, frère Scubilion, 1797-1867 : à l'île de la Réunion, un Evangile de liberté*, Desclée de Brouwer (Paris), 1985, 265 p., ill.

9-110   FIERAIN Jacques : "La Fortune de l'armateur nantais Alexandre Viot (1803-1888)", *Enquêtes et documents* (Centre de recherches sur l'histoire du monde atlantique, Université de Nantes), vol. 10, 1985, p. 43-100. [Pour la Réunion voir *passim.*]

9-111   FUMA Sudel : "Un Conflit de civilisations : immigrants indiens et société coloniale de l'île Bourbon, 1828-1848", p. 331-362, in *Le Mouvement des idées dans l'océan Indien occidental* (actes de la table ronde de Saint-Denis, 23-28 juin 1982, Association historique internationale de l'océan Indien.), AHIOI, (Saint-Denis, Réunion), 1985, 436 p.

9-112   *PANON-DESBASSYNS Henry-Paulin : *Voyage à Paris pendant la Révolution, 1790-1792 : journal inédit d'un habitant de l'île Bourbon* (documentation rassemblée et textes étudiés par Jean-Claude Guillermin des Sagettes, transcription, présentation et notes de Marie-Hélène Bourquin-Simonin), Librairie Académique Perrin (Paris), 1985, 414 p., ill. (Collection historique).

9-113   PRUDHOMME Claude : "Le Catholicisme à la Réunion : histoire et mécanisme d'une implantation", p. 5-39, in *Le Mouvement des idées dans l'océan Indien occidental* (actes de la table ronde de Saint-Denis, 23-28 juin 1982, Association historique internationale de l'océan Indien.), AHIOI, (Saint-Denis, Réunion), 1985, 436 p.

9-114   RYCKEBUSCH Jacky : "Les Débuts de l'imprimerie à l'île Bourbon", p. 189-217, in *Le Mouvement des idées dans l'océan Indien occidental* (actes de la table ronde de Saint-Denis, 23-28 juin 1982, Association historique internationale de l'océan Indien.), AHIOI, (Saint-Denis, Réunion), 1985, 436 p.

9-115   TOUSSAINT Auguste : "La Diffusion de l'imprimerie dans l'océan Indien", p. 219-239, in *Le Mouvement des idées dans l'océan Indien occidental* (actes de la table ronde de Saint-Denis, 23-28 juin 1982,

Association historique internationale de l'océan Indien.), AHIOI, (Saint-Denis, Réunion), 1985, 436 p. [Réunion : p. 229-231.]

9-116 WANQUET Claude : "Aspects culturels de la société réunionnaise au XVIIIe siècle", p. 399-433, in *Le Mouvement des idées dans l'océan Indien occidental* (actes de la table ronde de Saint-Denis, 23-28 juin 1982, Association historique internationale de l'océan Indien.), AHIOI, (Saint-Denis, Réunion), 1985, 436 p.

1986

9-117 BARASSIN Jean : "L'Exploration de l'île Bourbon par les premiers colons et quelques voyageurs (XVIe-XVIIIe s.)", *Académie de l'île de la Réunion : bulletin*, n°28, 1984 (publié en 1986 ?), p.15-36.

9-118 FERMET André : "A l'île de la Réunion, l'esclave des esclaves, Jean-Bernard Rousseau, dit frère Scubillon (1797-1867)", *Académie de l'île de la Réunion : bulletin*, 28, 1984 (publié en 1986 ?), p.157-168.

9-119 GERBEAU Hubert : "La Réunion et le temps : une respiration insulaire", p. 19-41, in *La Réunion dans l'océan Indien* (colloque organisé par le Centre des hautes études sur l'Afrique et l'Asie modernes, 24-25 octobre 1985), CHEAM (Paris), 1986, 239 p. (Publications du CHEAM).

9-120 *Inde (L') et la Réunion*, Comité de la culture, de l'éducation et de l'environnement, Région Réunion, 1986, 16 p., ill.

9-121 LAVAL Jean-Claude : *La Justice répressive à la Réunion, de 1848 à 1870*, Université Populaire (Saint-Denis de la Réunion), 1986, II-264-XXVII p., ill.

9-122 LUCAS Raoul : *L'Engagisme indien à la Réunion*, Centre de recherche indian-océanique (Sainte-Clotilde, Réunion),1986, 40 p., ill. (Les Cahiers du CRI).

9-123 MARIMOUTOU Michèle : *Immigrants indiens, engagements et habitations sucrières : la Réunion 1860-1882*, Université Populaire (Saint-Denis de la Réunion), 1986, 283 p., ill.

9-124 MARIMOUTOU Michèle : "Planteurs réunionnais et engagés indiens de 1860 à 1877", p. 95-115, in *Indian labour immigration* (ed. Uttam Bissoondoyal, S.B.C. Servansing), Mahatma Gandhi Institute (Maurice), 1986, [24]-328 p. (Communications, International conference "Indian labour immigration", 23-27 October 1984, Mahatma Gandhi Institute.)

9-125   PRUDHOMME Claude : "La Réunion, île de toutes les croyances",
          Notre histoire, n°23, 1986, p. 12-17.

9-126   ROMIEUX Yannick : *De la hune au mortier ou l'Histoire des
          Compagnies des Indes, leurs apothicaires et leurs remèdes* , Ed.
          ACL (Nantes), 1986, 440 p., ill. [Pour la Réunion voir *passim.*]

9-127   SERVIABLE Mario : *St Denis de Bourbon, la clef du beau pays*,
          Ed. et Impr. Réunionnaises (Saint-Benoît, Réunion), 1986, 26 p., ill.
          (T.3 de *La France de l'océan Indien*).

9-128   *Voyages, commerce, comptoirs et colonies : Bourbon sur la route
          des Indes au XVIIIe sècle*, Archives départementales (Réunion),
          1986, dossier à pagination multiple, ill. (Exposition.)

9-129   WANQUET Claude : "Fondements historiques de la coopération
          régionale", *Annuaire des pays de l'océan Indien*, vol. 9, 1982-1983
          (paru en 1986), p. 21-45.
          ⇒ Egalement publié in *Développement et coopération régionale
          dans l'océan Indien occidental*, Presses universitaires d'Aix-
          Marseille; Institut de développement régional (Saint-Denis,
          Réunion), 224 p. (Extraits de l'*Annuaire des pays de l'océan Indien*,
          vol. 9).

1987

9-130   AHMED Mamode : "Chemin de fer de la Réunion : les faits
          marquants", p. 102-123 in *Des marines au port de la Pointe des
          Galets : 1886-1986, centenaire*, Océan Ed. (Saint-André, Réunion),
          1987, 202 p., ill.

9-131   *Aquarelles au vent : la Réunion, 1798-1818 : Jean-Joseph et
          Amédée Patu de Rosemont*, Conseil général de la Réunion ;
          Archives départementales de la Réunion, 1987, 87 p., ill. [Contient
          divers articles sur la famille Patu de Rosemont, les reproductions
          d'aquarelles, dessins et lithographies de Jean-Joseph et Amédée, et six letres
          de Jean-Joseph à Amédée.]

9-132   BARRET Danielle : "La Réunion dans le réseau des Messageries
          maritimes dans le sud-ouest de l'océan Indien : 1864-1920", p. 134-
          155 in *Des marines au port de la Pointe des Galets : 1886-1986,
          centenaire*, Océan Ed. (Saint-André, Réunion), 1987, 202 p., ill.

9-133   BUXTORF Marie-Claude : "Colonie, comptoirs et Compagnie :
          Bourbon et l'Inde française (1720-1767)", t.II, p.165-185, in *Les
          Relations historiques et culturelles entre la France et l'Inde, XVIIe-
          XXe siècles* (actes de la Conférence internationale France-Inde,
          Saint-Denis de la Réunion, 1986), Association historique

internationale de l'océan Indien (Sainte-Clotilde, Réunion), 1987, 2 vol., 426, 435 p., ill.

9-134   BUXTORF Marie-Claude : "Marine et commerce à Bourbon au temps de la Compagnie des Indes", p. 173-196 in *Des marines au port de la Pointe des Galets : 1886-1986, centenaire,* Océan Ed. (Saint-André, Réunion), 1987, 202 p., ill.

9-135   CAPELA José, MEDEIROS Eduardo : *O Trafico de escravos de Moçambique para as ilhas do Indico, 1702-1902,* Nucleo editorial da Universidade Eduardo (Maputo), 1987, 128 p., cartes, bibliogr. (Colecçao Moçambique e sa historia). [Pour la Réunion voir passim.]

9-136   *Cathédrale de Saint-Denis,* O.M.T.L ; Ed. Lacaze (Saint-Denis, Réunion), 1987, 19 p., ill. (Les Cahiers de notre histoire ; 3).

9-137   CHABIN Michel : "Les Panon-Desbassayns ou les Relations franco-indiennes vécues par une famille créole de Bourbon aux XVIIIe et XIXe siècles", t. I, p. 413-417, in *Les Relations historiques et culturelles entre la France et l'Inde, XVIIe-XXe siècles* (actes de la Conférence internationale France-Inde, Saint-Denis de la Réunion, 1986), Association historique internationale de l'océan Indien (Sainte-Clotilde, Réunion), 1987, 2 vol., 426, 435 p., ill.

9-138   CHRISTOPHE-TCHAKALOFF Thierry-Nicolas : "L'Apport de l'Inde comme foyer iconographique dans les arts décoratifs réunionnais aux XVIIIe et XIXe siècle", t. I, p. 213-226, in *Les Relations historiques et culturelles entre la France et l'Inde, XVIIe-XXe siècles* (actes de la Conférence internationale France-Inde, Saint-Denis de la Réunion, 1986), Association historique internationale de l'océan Indien (Sainte-Clotilde, Réunion), 1987, 2 vol., 426, 435 p., ill.

9-139   EVE Prosper : "Les Péripéties d'une insertion : les Indo-musulmans à la Réunion de la fin du XIXe siècle à 1939", t. II, p. 333-360, in *Les Relations historiques et culturelles entre la France et l'Inde, XVIIe-XXe siècles* (actes de la Conférence internationale France-Inde, Saint-Denis de la Réunion, 1986), Association historique internationale de l'océan Indien (Sainte-Clotilde, Réunion), 1987, 2 vol., 426, 435 p., ill.

9-140   EVE : Prosper : "Le 25 janvier 1937 Le Port à deux doigts du *grand soir*", p. 156-173 in *Des marines au port de la Pointe des Galets : 1886-1986, centenaire,* Océan Ed. (Saint-André, Réunion), 1987, 202 p., ill.

9-141   FERMET André : *Frère Scubilion qui es-tu ?,* Nouv. Impr. Dionysienne (Réunion), 1987, 87 p., ill. [Signé : Frère André.]

9-142   FIERAIN Jacques : "L'Armement Viot et le déclin de l'économie de plantation", *Enquêtes et documents* (Centre de recherches sur le l'histoire du monde atlantique, Université de Nantes), vol. 13, 1987, p. 99-179. [Pour la Réunion voir *passim.*]

9-143   FONTAINE Elie : "Des marines au port de la Pointe des Galets", p. 66-77 in *Des marines au port de la Pointe des Galets : 1886-1986, centenaire,* Océan Ed. (Saint-André, Réunion), 1987, 202 p., ill.

9-144   FUMA Sudel : "La Naissance du port de la Pointe des Galets en 1886 : l'aboutissement d'un vieux rêve", p. 90-101 in *Des marines au port de la Pointe des Galets : 1886-1986, centenaire,* Océan Ed. (Saint-André, Réunion), 1987, 202 p., ill.

9-145   FUMA Sudel : "La Suppression de l'immigration indienne à destination de la Réunion en 1882", t.II, p. 257-268, in *Les Relations historiques et culturelles entre la France et l'Inde, XVIIe-XXe siècles* (actes de la Conférence internationale France-Inde, Saint-Denis de la Réunion, 1986), Association historique internationale de l'océan Indien (Sainte-Clotilde, Réunion), 1987, 2 vol., 426, 435 p., ill.

9-146   FUMA Sudel : "Mutations sociologiques et économiques dans une île à sucre : la Réunion au XIXe siècle", 5 vol., 1345 p., ill., bibliogr.
         (Th. : Hist. : Aix-Marseille 1 : 1987.)

9-147   GAUTAM Mohan : "Immigration and identity : the French contribution to the formation of an Indo-French identity within the Indian culture of the Indian Ocean territories", t. II, p. 91-106, in *Les Relations historiques et culturelles entre la France et l'Inde, XVIIe-XXe siècles* (actes de la Conférence internationale France-Inde, Saint-Denis de la Réunion, 1986), Association historique internationale de l'océan Indien (Sainte-Clotilde, Réunion), 1987, 2 vol., 426, 435 p., ill.

9-148   GERBEAU Hubert : "Approche historique du fait créole à la Réunion", p. 125-156, in *Iles tropicales : insularité, insularisme* (actes du colloque, Bordeaux-Talence, 23-25 octobre 1986), CRET (Talence), 1987, 499 p., cartes, ill. (Iles et archipels ; 8).

9-149   HAUDRERE Philippe : "La Compagnie française des Indes au XVIIIe siècle : 1719-1795".
         (Th. : Hist. : Paris 4 : 1987.)
         ⇒ Publié en 1989, Librairie de l'Inde (Paris), 4 vol., 1428 p., ill., cartes, bibliogr. [Pour la Réunion voir *passim* (consulter la table des matières, vol. 4).]

9-150   JHA J.C. : "Indian labour emigration to the French colonies in the
         XIXth century", t. II, p. 269-284, in *Les Relations historiques et
         culturelles entre la France et l'Inde, XVIIe-XXe siècles* (actes de la
         Conférence internationale France-Inde, Saint-Denis de la Réunion,
         1986), Association historique internationale de l'océan Indien
         (Sainte-Clotilde, Réunion), 1987, 2 vol., 426, 435 p., ill.

9-151   LACPATIA Firmin : "Quelques aspects de l'insertion des Indiens à
         la Réunion au XIXe siècle", t.II, p. 317-332, in *Les Relations
         historiques et culturelles entre la France et l'Inde, XVIIe-XXe
         siècles* (actes de la Conférence internationale France-Inde, Saint-
         Denis de la Réunion, 1986), Association historique internationale de
         l'océan Indien (Sainte-Clotilde, Réunion), 1987, 2 vol., 426, 435 p.,
         ill.

9-152   LARTIN Urbain : "Les Indiens dans la société bourbonnaise depuis
         les débuts du peuplement jusqu'en 1815", t. II, p. 187-199, in *Les
         Relations historiques et culturelles entre la France et l'Inde, XVIIe-
         XXe siècles* (actes de la Conférence internationale France-Inde,
         Saint-Denis de la Réunion, 1986), Association historique
         internationale de l'océan Indien (Sainte-Clotilde, Réunion), 1987, 2
         vol., 426, 435 p., ill.

9-153   LAVAL Jean-Claude : "Les Problèmes liés à la *criminalité indienne*
         pendant la période de l'engagisme à la Réunion", t.II, p. 301-316, in
         *Les Relations historiques et culturelles entre la France et l'Inde,
         XVIIe-XXe siècles* (actes de la Conférence internationale France-
         Inde, Saint-Denis de la Réunion, 1986), Association historique
         internationale de l'océan Indien (Sainte-Clotilde, Réunion), 1987, 2
         vol., 426, 435 p., ill.

9-154   LIONNET Guy : "Le Sort des petites îles de l'océan Indien
         occidental dans le conflit franco-anglais pour l'Inde", t. I, p. 363-
         370, in *Les Relations historiques et culturelles entre la France et
         l'Inde, XVIIe-XXe siècles* (actes de la Conférence internationale
         France-Inde, Saint-Denis de la Réunion, 1986), Association
         historique internationale de l'océan Indien (Sainte-Clotilde,
         Réunion), 1987, 2 vol., 426, 435 p., ill.

9-155   LUCAS Raoul, SERVIABLE Mario : *Les Gouverneurs de la
         Réunion, ancienne île Bourbon,* Ed. du CRI (Sainte-Clotilde,
         Réunion), 1987, 187 p., ill.

9-156   MAESTRI Edmond : "Le Chemin de fer de la Réunion de 1858 à
         1888", p. 79-89 in *Des marines au port de la Pointe des Galets :
         1886-1986, centenaire,* Océan Ed. (Saint-André, Réunion), 1987,
         202 p., ill.

9-157   *Mahé de la Bourdonnais,* dossier pédagogique d'accompagnement à l'exposition org. par les Archives départementales de la Réunion, 1987.

9-158   MARIMOUTOU Michèle : "Femmes indiennes et engagement au XIXe siècle à la Réunion", t. II, p. 285-297, in *Les Relations historiques et culturelles entre la France et l'Inde, XVIIe-XXe siècles* (actes de la Conférence internationale France-Inde, Saint-Denis de la Réunion, 1986), Association historique internationale de l'océan Indien (Sainte-Clotilde, Réunion), 1987, 2 vol., 426, 435 p., ill.

9-159   MARTIN Jean : *L'Empire renaissant : 1789-1871*, Denoël (Paris), 1987, 330 p.-[16] p. de pl., ill., cartes (L'Aventure coloniale de la France). [Voir index pour Réunion.]

9-160   MAYAUD Bernard : "Le Peuplement libre de l'île Bourbon au XVIIe siècle", *Histoire et généalogie*, n°11, 1987, p. 11-53.

9-161   PITOEFF Patrick : "Yanaon et les engagés de la Réunion : trois expériences d'émigration au XIXe siècle", t.II, p. 227-241, in *Les Relations historiques et culturelles entre la France et l'Inde, XVIIe-XXe siècles* (actes de la Conférence internationale France-Inde, Saint-Denis de la Réunion, 1986), Association historique internationale de l'océan Indien (Sainte-Clotilde, Réunion), 1987, 2 vol., 426, 435 p., ill.

9-162   PRUDHOMME Claude : "L'Immigration indienne à la Réunion : un modèle d'assimilation réussie ?", *Omaly sy anio*, n°21/22, 1985 (paru en 1987), p. 361-378. (Actes du Colloque de Toamasina, avril 1983 : Histoire et civilisation de l'Est malgache.)

9-163   PRUDHOMME Claude : "Les Indiens de la Réunion entre hindouisme et catholicisme", t.I, p. 249-266, in *Les Relations historiques et culturelles entre la France et l'Inde, XVIIe-XXe siècles* (actes de la Conférence internationale France-Inde, Saint-Denis de la Réunion, 1986), Association historique internationale de l'océan Indien (Sainte-Clotilde, Réunion), 1987, 2 vol., 426, 435 p., ill.

9-164   RYCKEBUSCH Jacky : "La Bourdonnais entre l'Inde et les Mascareignes", t. I, p. 293-299, in *Les Relations historiques et culturelles entre la France et l'Inde, XVIIe-XXe siècles* (actes de la Conférence internationale France-Inde, Saint-Denis de la Réunion, 1986), Association historique internationale de l'océan Indien (Sainte-Clotilde, Réunion), 1987, 2 vol., 426, 435 p., ill.

9-165   SAINTE-ROSE Monique : "La Réunion, 1946-1983 : de la
         départementalisation à la régionalisation", 2 vol. 383,169 p.,
         bibliogr.
         (Th. 3e cycle : Hist. : Aix-Marseille : 1987.)

9-166   SCHERER André : "La Convention franco-britannique du 25 juillet
         1860 sur le recrutement de travailleurs indiens pour la Réunion",
         t.II, p. 243-255, in *Les Relations historiques et culturelles entre la
         France et l'Inde, XVIIe-XXe siècles* (actes de la Conférence
         internationale France-Inde, Saint-Denis de la Réunion, 1986),
         Association historique internationale de l'océan Indien (Sainte-
         Clotilde, Réunion), 1987, 2 vol., 426, 435 p., ill.

9-167   SQUARZONI Angèle : "Avant le port de la Pointe des Galets, le
         batelage de 1850 à 1860 : une durable solution de fortune", p. 30-45
         in *Des marines au port de la Pointe des Galets : 1886-1986,
         centenaire,* Océan Ed. (Saint-André, Réunion), 1987, 202 p., ill.

9-168   WEBER Jacques : "Les Etablissements français en Inde au XIXe
         siècle : 1816-1914".
         (Th. : Hist. : Aix-Marseille 1: 1987.)
         ⇒ Publié en 1988, Librairie de l'Inde (Paris), 5 vol., 3004 p.,
         bibliogr. [Pour la Réunion voir *passim.*]

9-169   WEBER Jacques : "Les Relations commerciales entre les
         établissements français de l'Inde et l'île de la Réunion dans la
         première moitié du XIXe siècle, au temps de l'exclusif", t. II, p. 203-
         226, in *Les Relations historiques et culturelles entre la France et
         l'Inde, XVIIe-XXe siècles* (actes de la Conférence internationale
         France-Inde, Saint-Denis de la Réunion, 1986), Association
         historique internationale de l'océan Indien (Sainte-Clotilde,
         Réunion), 1987, 2 vol., 426, 435 p., ill.

1988

9-170   CAUDRON Olivier : "Des Institutions de lecture de l'île Bourbon
         sous la monarchie de Juillet : bibliothèque des bons livres et
         cabinets de lecture", *Bulletin de liaison et d'information, Association
         historique internationale de l'océan Indien*, n.s., n°9, 1988, p. 11-63.

9-171   CROUIN A. : "A propos des Normands de la Réunion : [XVIIe-
         XVIIIe siècles]", *Revue généalogique normande*, vol. 7, n°26, 1988,
         p. 107-108.

9-172   DESPORT Jean-Marie : *De la servitude à la liberté : Bourbon des
         origines à 1848,* Comité de la culture, de l'éducation et de
         l'environnement, Région Réunion, 1988, 95 p., ill.

9-173   FIERAIN Jacques : "L'Armement Viot de Nantes, 1827-1879 : les
           contraintes de la conjoncture", t. II, p. 659-694, in De la traite à
           l'esclavage, Centre de recherche sur l'histoire du monde atlantique
           (Nantes) ; Société française d'histoire d'outre-mer (Paris) ; diff.
           L'Harmattan (Paris), 1988, 2 vol., XXX--551, 733 p. (Bibliothèque
           d'histoire d'outre-mer. Nouv. série ; 7/8). [Pour la Réunion voir
           passim.]

9-174   GERBEAU Hubert : "Fabulée, fabuleuse, la traite des Noirs à
           Bourbon au XIXe siècle", t. 2, p. 467-486, in De la traite à
           l'esclavage, Centre de recherche sur l'histoire du monde atlantique
           (Nantes) ; Société française d'histoire d'outre-mer (Paris) ; diff.
           L'Harmattan (Paris), 1988, 2 vol., XXX--551, 733 p. (Bibliothèque
           d'histoire d'outre-mer. Nouv. série ; 7/8).

9-175   GERBEAU Hubert : "Les Minorités chinoises de la Réunion des
           origines au début du XXe siècle", in Minorités et sociétés
           coloniales, XIXe-XXe siècles, Institut d'histoire des pays d'outre-mer
           (Aix-en-Provence), 1988, p. 173-192.

9-176   GERBEAU Hubert : "Presse et esclavage à l'île de la Réunion au
           temps de l'émancipation", p. 41-49, in Hommes, idées, journaux :
           mélanges en l'honneur de Pierre Guiral, Publications de la
           Sorbonne (Paris), 1988.

9-177   LE COURT A. : "Une Page d'histoire : le théâtre de marionnettes à
           l'île de la Réunion au XIXe siècle", UNIMA informations
           (Charleville-Mézières), 1988 (n°spécial).

9-178   POUILLEVET Eric : "Les Réunionnais originaires de Normandie :
           [XVIe-XVIIIe siècles]", Revue généalogique normande, vol. 7,
           n°26, 1988, p. 103-105.

9-179   Toujours plus haut : Roland Garros, O.M.T.L ; Ed. Lacaze (Saint-
           Denis, Réunion), 1988, 20 p., ill. (Les Cahiers de notre histoire ; 6).

                                                                            1989

9-180   "Abd-el-Krim", Clepsydre, n°2, février 1989, p. 1-23. [Divers textes
           contemporains au séjour d'Abd-el-Krim à la Réunion, 1926-1947.]

9-181   ADERIBIGBE A.B. : "Slavery in South-West of Indian Ocean", p.
           320-329, in Slavery in South West Indian Ocean (ed. Uttam
           Bissoondoyal, S.B.C. Servansing), Mahatma Gandhi Institute
           (Moka, Maurice), 1989, 406 p.

9-182   ALBY Jean, SERVIABLE Mario : *Bourbon anglaise ou la Correspondance d'Abercromby*, Ed. ARS Terres Créoles (Sainte-Clotilde, Réunion), 1989, 151 p., index. (Collection Mascarin.)

9-183   ASGARALLY Issa : "Les Révoltes d'esclaves dans les Mascareignes ou *l'Histoire du silence*", p. 176-188, in *Slavery in South West Indian Ocean* (ed. Uttam Bissoondoyal, S.B.C. Servansing), Mahatma Gandhi Institute (Moka, Maurice), 1989, 406 p.

9-184   BARASSIN Jean : *La Vie quotidienne des colons de l'île Bourbon à la fin du règne de Louis XIV : 1700-1715*, Académie de la Réunion, 1989, 274 p., ill., bibliogr., index.

9-185   BIONDI Jean-Pierre, ZUCCARELLI François : *16 pluviôse an II : les colonies de la Révolution*, Denoël (Paris), 1989, 204 p.-[16] p. de pl., ill., bibliogr., index. (L'Aventure coloniale de la France. Destins croisés). [Pour la Réunion voir *passim.*]

9-186   CAPELA José, MEDEIROS Eduardo : "La Traite au départ du Mozambique vers les îles françaises de l'océan Indien : 1720-1904", p. 247-309, in *Slavery in South West Indian Ocean* (ed. Uttam Bissoondoyal, S.B.C. Servansing), Mahatma Gandhi Institute (Moka, Maurice), 1989, 406 p.

9-187   CARTER Marina, GERBEAU Hubert : "Covert slaves and coveted coolies in the early 19th century Mascareignes" (communication au colloque "The long distance trade in slaves across the Indian Ocean and the Red Sea in the 19th century", London, School of Oriental and African studies, 17-19 déc. 1987), p. 194-208, in *The Economics of the Indian Ocean slave trade in the nineteenth century* (ed. W.G. Clarence-Smith), F. Cass (London), 1989, 222 p, cartes, notes bibliogr. [Textes précédemment publiés in : *Slavery and abolition*, n°spécial, vol. 9, n°3.]

9-188   CLARENCE-SMITH William Gervase : "The Economics of the Indian Ocean and Red Sea slave trade in the 19th century : an overview", p.1-20, in *The Economics of the Indian Ocean slave trade in the nineteenth century* (ed. W.G. Clarence-Smith), F. Cass (London), 1989, 222 p, cartes, notes bibliogr. [Textes précédemment publiés in : *Slavery and abolition*, n°spécial, vol. 9, n°3.]

9-189   *DU QUESNE Henri : *L'Ile d'Eden : recueil de quelques mémoires servant d'instruction pour l'établissement de l'Isle d'Eden*, ARS Terres Créoles (Sainte-Clotilde, Réunion), 1989, 81 p., ill. (Collection Mascarin.)
         1ère éd. 1689. Contient la préf. de l'éd. 1877 par Théodore Sauzier.

9-190   EVE Prosper : "Le Syndicalisme à la Réunion", IV-1547 p., ill., cartes, bibliogr., index.
         (Th. : Hist. : Aix-Marseille 1 : 1989.)

9-191   EVE Prosper : "Perceptions de la mort par le propriétaire d'une
            plantation moyenne au début du XIXe siècle", p. 95-108, in
            *Fragments pour une histoire des économies et sociétés de plantation
            à la Réunion* (éd. Claude Wanquet), Publications de l'Université de
            la Réunion, 1989, 351 p.

9-192   FUMA Sudel : "L'Abolition de l'esclavage à la Réunion en 1848 : de
            l'homme-objet à l'homme-rejeté", p. 383-393, in *Slavery in South
            West Indian Ocean* (ed. Uttam Bissoondoyal, S.B.C. Servansing),
            Mahatma Gandhi Institute (Moka, Maurice), 1989, 406 p.

9-193   FUMA Sudel : "Le Rôle de la dépendance dans le processus de crise
            d'une société de plantation : la Réunion, 1863-1870", p. 305-316, in
            *Fragments pour une histoire des économies et sociétés de plantation
            à la Réunion* (éd. Claude Wanquet), Publications de l'Université de
            la Réunion, 1989, 351 p.

9-194   FUMA Sudel : *Une Colonie île à sucre : l'économie de la Réunion
            au XIXe siècle*, Océan Ed. (Saint-André), 1989, 413 p., ill.[Version
            remaniée de la thèse soutenue en 1987.]

9-195   GERBEAU Hubert : "La Liberté et les *trois jours* de Bourbon : un
            itinéraire haïtien", 31 p., dactyl.(Communication présentée au
            colloque org. par le Comité haïtien du Bicentenaire de la Révolution
            française et de la Déclaration des droits de l'homme et du citoyen, 5-
            8 décembre 1989, Port-au-Prince.)
            ⇒ Publication en cours en Haïti.

9-196   GERBEAU Hubert : "Le Cyclone et la liberté", p. 159-224, in
            *Fragments pour une histoire des économies et sociétés de plantation
            à la Réunion* (éd. Claude Wanquet), Publications de l'Université de
            la Réunion, 1989, 351 p.

9-197   GERBEAU Hubert : "Les Traces de l'esclavage dans la mémoire
            collective des Mascareignes", p. 6-44, in *Slavery in South West
            Indian Ocean* (ed. Uttam Bissoondoyal, S.B.C. Servansing),
            Mahatma Gandhi Institute (Moka, Maurice), 1989, 406 p.

9-198   GERBEAU Hubert : "The Indians of the Mascarenes : a success in
            diaspora : Mauritius and Réunion (17th-20th centuries)", 49 p.
            dactyl. (Communication présentée au Colloque international de
            l'Indian Council of Historical Research, Bicentenaire de la
            Révolution Française, New Delhi, 27 février-1er mars 1989.)
            ⇒ Publication en cours à Calcutta.

9-199   GOVINDIN Sully Santa : "Quelques aspects de la répression à
            l'encontre des engagés malbars dans la plantation réunionnaise au
            XIXe siècle", *Revue Carbet*, n°9, 1989, p. 157-161.

9-200   HUGUES Laurent : "Les Débuts de l'industrie sucrière à Bourbon d'après le mémoire d'un ingénieur des Ponts et chaussées rédigé en 1822, *Bulletin de liaison et d'information, Association historique internationale de l'océan indien*, n.s., n°10, 1989, p. 27-42. [Contient le texte du mémoire.]

9-201   LAUTRET-STAUB François : "Une Famille de *gens de couleur* dans les Hauts de Saint-Paul : pénurie, survie et adaptation sur une île miséreuse du bout du monde durant le XIXe siècle", p.75-93, <u>in</u> *Fragments pour une histoire des économies et sociétés de plantation à la Réunion* (éd. Claude Wanquet), Publications de l'Université de la Réunion, 1989, 351 p.

9-202   MAESTRI Edmond : "Naissance et premiers développements d'un outil économique : le chemin de fer de la Réunion", p. 285-303, <u>in</u> *Fragments pour une histoire des économies et sociétés de plantation à la Réunion* (éd. Claude Wanquet), Publications de l'Université de la Réunion, 1989, 351 p.

9-203   MARIMOUTOU Michèle : "Cabanons et danse du feu : la vie privée des engagés indiens dans les «camps» réunionnais du XIXe siècle", p. 225-250, <u>in</u> *Fragments pour une histoire des économies et sociétés de plantation à la Réunion* (éd. Claude Wanquet), Publications de l'Université de la Réunion, 1989, 351 p.

9-204   MARIMOUTOU Michèle : *Les Engagés du sucre*, Ed. du Tramail (Saint-Denis, Réunion), 1989, 261 p., ill.

9-205   MAS Jean : "Scolies et hypothèses sur l'émergence de l'esclavage à Bourbon", p. 109-158, <u>in</u> *Fragments pour une histoire des économies et sociétés de plantation à la Réunion* (éd. Claude Wanquet), Publications de l'Université de la Réunion, 1989, 351 p.

9-206   MATHIEU Jean-Luc : *Petite histoire de la Grande France : les origines de l'outre-mer français*, Ed. Caribéennes (Paris), 1989, 142 p. [Réunion p. 77-90.]

9-207   MAZET Claude : "L'Ile Bourbon en 1735 : les hommes, la terre, le café et les vivres", p. 17-54, <u>in</u> *Fragments pour une histoire des économies et sociétés de plantation à la Réunion* (éd. Claude Wanquet), Publications de l'Université de la Réunion, 1989, 351 p.

9-208   NIRINA Rasoarifetra Bako : "L'Esclavage dans le sud-ouest de l'océan Indien", p. 330-340, <u>in</u> *Slavery in South West Indian Ocean* (ed. Uttam Bissoondoyal, S.B.C. Servansing), Mahatma Gandhi Institute (Moka, Maurice), 1989, 406 p.

9-209   PLUCHON Philippe : "Le Maïs à la Réunion, des origines au XXe
          siècle", p. 251-267, in *Fragments pour une histoire des économies et
          sociétés de plantation à la Réunion* (éd. Claude Wanquet),
          Publications de l'Université de la Réunion, 1989, 351 p.

9-210   RABEARIMANANA Lucile : "Les Réunionnais à Madagascar :
          histoire d'une colonisation", *Bulletin de liaison et d'information,
          Association historique internationale de l'océan indien*, n.s., n°10,
          1989, p. 9-22.

9-211   "Rapport (Le) E. Villemain, 1840 : abolition de l'esclavage", 35 p.,
          Clepsydre, n°1, janvier 1989. [Texte du rapport publié par la *Gazette de
          l'Ile Bourbon* du 15 juillet 1840 à la demande du Conseil colonial.]

9-212   RYCKEBUSCH Jacky : *Bertrand-François Mahé de la Bourdon-
          nais : entre les Indes et les Mascareignes,* Ed. du CRI (Sainte-
          Clotilde, Réunion), 1989, 172 p., ill.

9-213   SQUARZONI Angèle "Le Batelage, durant l'essor de la canne à
          sucre, de 1850 à 1860 : une durable solution de fortune", p. 269-283,
          in *Fragments pour une histoire des économies et sociétés de
          plantation à la Réunion* (éd. Claude Wanquet), Publications de
          l'Université de la Réunion, 1989, 351 p.

9-214   TOUSSAINT Auguste : *«Avant-Surcouf» : corsaires en océan
          Indien au 18e siècle* (publié par l'Institut d'histoire des pays d'outre-
          mer et l'Association des chercheurs de l'océan Indien, préf. de Jean-
          Louis Miège), Publications de l'Université de Provence (Aix-en-
          Provence), 1989, XXII-313 p., ill., bibliogr., index, bibliogr. de
          l'œuvre de A. Toussaint (Peuples et pays de l'océan Indien ; 8). [Pour
          la Réunion voir *passim.*]

9-215   "Traité de Paris, 30 mai 1814", 25 p.,*Clepsydre,* n°4, mai 1989.
          [Texte du traité.]

9-216   "38 [Trente-huit] à Saint-Denis", 51 p., *Clepsydre,* n°3, mars 1989.
          [Textes parus dans la brochure éditée en 1938 à l'occasion de la
          foire exposition de Saint-Denis.]

9-217   WANQUET Claude : "Le Café à la Réunion, une *civilisation*
          disparue", p. 55-73, in *Fragments pour une histoire des économies
          et sociétés de plantation à la Réunion* (éd. Claude Wanquet),
          Publications de l'Université de la Réunion, 1989, 351 p.

9-218   WANQUET Claude : "Pas de «Spartacus noir» aux Mascareignes
          ou Pourquoi et comment l'abolition de l'esclavage y fut-elle esquivée
          de 1794 à 1802", p. 355-365, in *Slavery in South West Indian Ocean*
          (ed. Uttam Bissoondoyal, S.B.C. Servansing), Mahatma Gandhi
          Institute (Moka, Maurice), 1989, 406 p.

1990

9-219   "Affaire (L') Juliette Dodu", 30 p., *Clepsydre,* n°14, décembre 1990.

9-220   AKHOUN Martine (Martine Engles-Akhoun), PASCAUD Valérie :
           *La Possession pittoresque : du batelage à une économie de
           plantation,* Images Ed., 1990, 115 p., nombreuses ill.

9-221   BENARD Jules : *Saint-Pierre : des origines à 1970,* Ed. C.N.H.
           (Saint-Denis), 1990, 27 p., ill. (Les Cahiers de notre histoire ; 17).

9-222   BOUSQUET Robert : "Etude de démographie historique de la
           population blanche de Saint-Paul de la Réunion, d'après les registres
           paroissiaux et d'état civil (1667-1810)", *Bulletin de liaison et
           d'information, Association historique internationale de l'océan
           indien,* n.s., n°11, 1990, p. 19-49.

9-223   DEMANGEON Marc : "Histoire du paludisme à l'île de la
           Réunion".
           (Th. : Méd. : Caen : 1990.)

9-224   DENIZET Jacques : *Sarda Garriga,* Ed. C.N.H. ; Académie de la
           Réunion, 1990, 192 p., ill. (Les Cahiers de notre histoire ; 18/19).

9-225   "Emeutes (Les) dans la ville, 1868, ou l'Anticléricalisme tropical"
           (documents présentés par Bernard Marek), 28 p., *Clepsydre,* n°9,
           avril 1990.

9-226   EVE Prosper : *Histoire abrégée de l'enseignement à la Réunion,*
           Comité de la culture, de l'éducation et de l'environnement, Région
           Réunion, 1990, 40 p., ill.

9-227   GERBEAU Hubert : "Les Libertés de Bourbon : d'une Révolution à
           l'autre", 15 p. dactyl. (Communication présentée au colloque de
           l'Association Historique Internationale de l'Océan Indien, Saint-
           Pierre, Réunion, 22-27 octobre 1990.)
           ⇒ Publication en cours à la Réunion.

9-228   *Histoire de la France coloniale,* A. Colin (Paris), 1990, 2 vol., 846,
           654 p. [Pour la Réunion voir *passim* (consulter les index).]

9-229   LACPATIA Firmin : *Les Indiens de la Réunion : la vie religieuse,*
           ADER (Réunion), 1990, 81 p., ill.

9-230   *LESCOUBLE (Renoyal de) Jean-Baptiste : *Journal d'un colon de
           l'île Bourbon* (texte établi par Norbert Dodille), L'Harmattan
           (Paris) ; Ed. du Tramail (Saint-Denis, Réunion), 1990, 3 vol., XL-
           1501 p.-[24] p. de pl., chronol., glossaire, index thématique, index
           des noms.

9-231   MARTIN Jean : *L'Empire triomphant : 1971-1936*. T. 2, *Maghreb, Indochine, Madagascar, îles et comptoirs*, Denoël (Paris), 1990, 569 p.-[24] p. de pl., ill., cartes (L'Aventure coloniale de la France). [Voir index pour Réunion.]

9-232   PAYET J.V. : *Histoire de l'esclavage à l'île Bourbon*, Ed. L'Harmattan (Paris), 1990, 127 p.

9-233   "Rapport (Le) Greslan ou le Droit de représentation aux colonies", 23 p., *Clepsydre*, n°8, avril 1990.

9-234   SIMON Thierry : "La Santé à la Réunion de 1900 à nos jours : d'une colonie cachectique à un département presque comblé".
         (Th. : Méd. : Tours : 1990.)

9-235   WANQUET Claude : "Apports et limites de la Révolution aux Mascareignes", p. 1-22, in *L'Ile Maurice et la Révolution française : actes du colloque, Mahatma Gandhi Institute, 4-8 août 1989* (textes réunis par U. Bissoondoyak et A.L. Sibartie), Mahatma Gandhi Institute (Moka), 1990, 263 p.

9-236   WANQUET Claude : *La Révolution à la Réunion : 1789-1803*, CCEE ; Musée de Villèle ; Conseil général (Réunion), 1990, 24 p., ill.

                                                                              1991

9-237   AKHOUN Martine, PASCAUD Valérie : *La Possession : des origines à 1976*, Ed. C.N.H. (Saint-Denis), 1991, 35 p., ill. (Les Cahiers de notre histoire ; 21).

9-238   BENARD Jules : *Les Grandes catastrophes à la Réunion*, Ed. C.N.H. (Saint-Denis), 1991, 27 p., ill. (Les Cahiers de notre histoire ; 25).

9-239   BENARD Jules : *Saint-Pierre aujourd'hui : de 1970 à nos jours*, Ed. C.N.H. (Saint-Denis), 1991, 27 p., ill. (Les Cahiers de notre histoire ; 22). [La couv. porte : "des origines à nos jours".]

9-240   BENARD Jules : *Sitarane : réalités et légendes*, Ed. C.N.H. (Saint-Denis), 1991, 31 p., ill. (Les Cahiers de notre histoire ; 20).

9-241   EVE Prosper : *Tableau du syndicalisme à la Réunion de 1912 à 1968*, Ed. C.N.H. (Saint-Denis), 1991, 151 p., ill. (Les Cahiers de notre histoire ; 23/24).

9-242   GUEBOURG Jean-Louis : "La Représentation cartographique de l'île de la Réunion du XVIIe au XIXe siècle", *Mappemonde* (Montpellier), 1991, n°2, p. 1-7.

9-243   MARIMOUTOU Michèle : *Malbars/tamouls de l'Inde à la Réunion*, Ed. C.N.H. (Saint-Denis), 1991, 27 p., ill. (Les Cahiers de notre histoire ; 26).

9-244   TECHER Karine, SERVIALBE Mario : *Histoire de la presse à la Réunion*, Ed. ARS Terres Créoles, [1991 ?], 121 p. , ill., index (Collection Indigotier).

9-245   VIRE François, HEBERT Jean-Claude : "Madagascar, Comores et Mascareignes à travers la *Hawiya* d'Ibn Mâgid, 866 H.- 1462", *Omaly sy anio*, n°25/26, 1987 (paru en 1991 ?), p. 55-79. [Pour la Réunion voir p. 59, 71.]

9-246   WANQUET Claude : "Les Iles Mascareignes, l'Inde et les Indiens pendant la Révolution française", p. 29-57, in *Compagnies et comptoirs : l'Inde des Français, XVIIe-XXe siècle* (éd. Jacques Weber), Société française d'histoire d'outre-mer ; diff. L'Harmattan (Paris), 1991, 131 p. (Bibliothèque d'histoire d'outre-mer. Etudes ; 12). [Textes publiés dans la *Revue française d'histoire d'outre-mer*, t. LXXVIII, n°290. - La contribution de C. Wanquet est le texte d'une communication présentée au colloque "L'Inde et la Révolution française", Delhi, 27 février - 1er mars 1989.]

1992-(1993)

9-247   BENOT Yves : *La Démence coloniale sous Napoléon*, Ed. La Découverte (Paris), 1992, 408 p.(Textes à l'appui. Série Histoire contemporaine). [Pour la Réunion voir *passim* (consulter la table des matières).]

9-248   BINOCHE-GUEDRA Jacques : *La France d'outre-mer, 1815-1962*, Masson (Paris ;...), 1992, 246 p., cartes. [Pour la Réunion voir *passim* (consulter l'index).]

9-249   BOULOGNE Eric : *Le Petit train longtemps*, Ed. Cenomane (Le Mans) ; La Vie du Rail (Paris), 1992, 192 p., ill. (Le Siècle des petits trains.)

9-250   CHANE KUNE Sonia : *Aux origines de l'identité réunionnaise*, L'Harmattan (Paris), 1993, 206 p.

9-251   DUBOIS Colette : "Réunion - Afrique orientale et mer Rouge : un mariage contrarié, 1814-1870", p. 423-446, in *Histoires d'outre-mer : mélanges en l'honneur de Jean-Louis Miège*, Publications de l'Université de Provence (Aix-en-Provence), 1992, 2 vol., 714 p.

9-252   EVE Prosper : "La Fête à Bourbon au XVIIIe siècle", p. 569-586, in *Histoires d'outre-mer : mélanges en l'honneur de Jean-Louis Miège*, Publications de l'Université de Provence (Aix-en-Provence), 1992, 2 vol., 714 p.

9-253   EVE Prosper : *La Peur redoutée ou récupérée à la Réunion des origines à nos jours*, Océan Ed. (Saint-André), 1992, 431 p., ill., cartes (Collection Société).

9-254   EVE Prosper : *La Première guerre mondiale vue par les poilus réunionnais*, Ed. C.N.H. (Saint-Denis), 1992, 213 p. (Les Cahiers de notre histoire ; 27/28/29).

9-255   FUMA Sudel : *L'Esclavagisme à la Réunion, 1794-1848*, L'Harmattan (Paris) ; Université de la Réunion, 1992, 191 p.

9-256   GERBEAU Hubert, MAESTRI Edmond : "Colonie décolonisée et *colonie colonisatrice* : les échos de l'indépendance de Madagascar à la Réunion", p. 609-622, in *L'Afrique noire française : l'heure des Indépendances* (dir. C.-R. Ageron et M. Michel), C.N.R.S. Ed. (Paris), 1992, 731 p. (Colloque, org. par l'Institut d'Histoire du temps présent et l'IHPOM, "la France et les indépendances des pays d'Afrique noire et de Madagascar", Aix-en-Provence, 26-29 avril 1990).

9-257   GERBEAU Hubert : "Les Indiens des Mascareignes : simples jalons pour l'histoire d'une réussite (XVIIe-XXe siècle)", *Annuaire des pays de l'océan Indien*, 12, 1990-1991 (paru en 1992), p. 15-45.

9-258   GERBEAU Hubert : "Mythes et stratégie : le sud-ouest de l'océan Indien du XVIIIe au XXe siècles : un espace français ?", p. 447-491, in *Histoires d'outre-mer : mélanges en l'honneur de Jean-Louis Miège*, Publications de l'Université de Provence (Aix-en-Provence), 1992, 2 vol., 714 p.

9-259   GERBEAU Hubert : "La Réunion : émeutes du mal-vivre ou escarmouche pour l'indépendance ?", p. 264-267, in *Universalia 1992*, Encyclopædia Universalis (Paris), 1992.

9-260   GRONDIN Dominique Chantal : *Joseph Hubert, naturaliste*, Ed. C.N.H. (Saint-Denis), 1992, 26 p., ill. (Les Cahiers de notre histoire ; 36).

9-261   GRONDIN Dominique Chantal : *Saint-Joseph des origines à nos jours*, Ed. C.N.H. (Saint-Denis), 1992, 31 p., ill. (Les Cahiers de notre histoire ; 34).

9-262   HAUDRERE Philippe : *La Bourdonnais, marin et aventurier*, Ed. Desjonquères (Paris) ; diff. P.U.F., 1992, 217 p. , ill., cartes.

9-263   MAESTRI Edmond : "De la société de plantation à la société industrielle ? : le chemin de fer réunionnais comme instrument de métissage", t. 1, p. 221-232, in *Métissages* (actes du colloque inter-national de Saint-Denis de la Réunion, 2-7 avril 1990), L'Harmattan (Paris), 1992, 2 vol. [T. 1, *Littérature-histoire* (textes réunis par Jean-

Claude Carpanin Marimoutou et Jean-Michel Racault), 304 p. (Cahiers CRLH-CIRAOI ; 7.). T. 2, *Linguistique et anthropologie* (textes réunis par Jean-Luc Alber, Claudine Bavoux et Michel Watin), 323 p.]

9-264 TESTA Bruno : *Histoire de l'agriculture à la Réunion, des origines à 1914*, Ed. C.N.H. (Saint-Denis), 1992, 28 p. (Les Cahiers de notre histoire).

9-265 VAXELAIRE Daniel : *Vingt-et-un jours d'histoire*, Azalées Ed. (Saint-Denis), 1992, 182 p.

9-266 WANQUET Claude : "Les Députés de la Réunion aux Assemblées nationales révolutionnaires et la question de l'abolition de l'esclavage", p. 587-607, in *Histoires d'outre-mer : mélanges en l'honneur de Jean-Louis Miège*, Publications de l'Université de Provence (Aix-en-Provence), 1992, 2 vol., 714 p.

9-267 WANQUET Claude : *Les Premiers députés de la Réunion à l'Assemblée nationale : quatre insulaires en Révolution, 1790-1798*, Ed. Karthala (Paris), 1992, 237 p.
• C.R. par Hubert Gerbeau, *Ultramarines*, n°7 (juin 1993), p. 23-24.

9-268 WANQUET Claude : "Le Suicide à la Réunion : approche histo-rique, p. 75-86 in *Suicides et tentatives de suicide à la Réunion : épidémiologie, anthropologie, abord socio-culturel, essai de prévention*, INSERM ; Lémuria (Réunion), 1992, 352 p.

9-269 ZORN Jean-François : *Le Grand siècle d'une mission protestante : la mission de Paris de 1822 à 1914* , Les Bergers et les Mages ; Karthala (Paris), 1993, 791 p. - [16] p. de pl., ill., cartes, bibliogr., index.. [Ed. partielle de : Th. : Paris 4 : 1992. Pour la Réunion voir index.]

INDEX

noms de personnes

noms de collectivités et titres

INDEX

noms de personnes

INDEX
collectivités-auteurs
titres
(des ouvrages anonymes ou collectifs et des ouvrages des collectivités-auteurs)

PUBLICATIONS DU CERSOI

ANNUAIRE DES PAYS DE L'OCEAN INDIEN
Presses universitaires d'Aix-Marseille pour les vol. 1 à 4
Ed. du C.N.R.S. et Presses universitaires d'Aix-Marseille, à partir du vol.5

Tome 1 1974	Tome 5 1978	Tome 9 1982/1983
Tome 2 1975	Tome 6 1979	Tome 10 1984/1985
Tome 3 1976	Tome 7 1980	Tome 11 1986/1989
Tome 4 1977	Tome 8 1981	Tome 12 1990/1991

Extraits de *l'Annuaire des pays de l'océan Indien*
Presses universitaires d'Aix-Marseille

Islam contemporain dans l'océan Indien, avec une préface de Maxime Rodinson, 1981.
(extraits du vol. 6)

L'Europe et l'océan Indien, 1984.
(extraits des vol. 7 et 8)

L'Ile Maurice sociale, économique et politique : 1974-1981 , 1984.
(extraits des vol. 1 à 6)

Paysans de la Réunion, par Jean Benoist, 1984 (co-éd. Fondation pour la recherche et le développement dans l'océan Indien, Réunion).
(extrait du vol.8)

Développement et coopération régionale dans l'océan Indien occidental, 1986 (co-éd. Institut de développement régional, Réunion).
(extraits du vol.9)

La Deuxième République malgache , sous la dir. de Charles Cadoux, 1989 (co-éd. CEGET).
(extraits des vol. 1 à 9))

FLOBERT Thierry : *Les Comores : évolution juridique et socio-politique*, Presses universitaires d'Aix-Marseille, 1976.

MARON Claude : *L'Hebdomadaire "Lumière" à Madagascar de 1935 à 1972*, Presses universitaires d'Aix-Marseille, 1977.

Guide des sources documentaires sur l'océan Indien, Presses universitaires d'Aix-Marseille, 1985

La Formation du droit national dans les pays de droit mixte : les systèmes juridiques de Common Law et de Droit civil, Presses universitaires d'Aix-Marseille, 1989.

Presses universitaires d'Aix-Marseille
3, av. R. Schuman, 13628 Aix-en-Provence Cedex 1 FRANCE

QUELQUES PUBLICATIONS DES MEMBRES DU GDR CHEZ D'AUTRES EDITEURS

BENOIST Jean : *Anthropologie médicale en société créole*, Paris, Presses universitaires de France, 1993 (Les Champs de la santé).

DAUDET Yves (dir.) : *Actualités des conflits internationaux*, Rencontres internationales de l'I.E.P. d'Aix, Paris, Pédone, 1993.

DUBOIS Colette, GERBEAU Hubert, PAILLARD Yvan G., SOUMILLE Pierre (Textes réunis par) : *Histoires d'Outre-Mer. Mélanges en l'honneur de Jean-Louis Miège*, IHPOM, Aix-en-Provence, Publications de l'Université de Provence, 2 t., 1992.

CADOUX Charles : *Droit international public* (en collab. avec R. Ranjeva), Vanves, EDICEF/AUPELF, 1992.

FAVOREU Louis : *La Constitution de la République de Maurice*, Port-Louis, Ile Maurice, Best Graphics Ltd, 1993.

GERBEAU Hubert et SAUGERA Eric (Textes présentés par) : *La dernière traite. Fragments d'histoire en hommage à Serge Daget* Paris, Société française d'histoire d'outre-mer, 1994.

JAFFRELOT Christophe : *Les nationalistes hindous*, Paris, Presses de la Fondation nationale des sciences politiques, 1993.

JOUBERT Jean-Louis : *Littératures de l'océan Indien*, (avec la collab. de J.-I. Ramiandrasoa), Vanves, EDICEF/AUPELF, 1991.

LY-TIO-FANE PINEO Huguette : *Ile de France (1715-1746)*, Moka, Ile Maurice, Mahatma Gandhi Institute, 1993.

MAURICE Pierre et GOHIN Olivier (dir.) : *Géopolitique et géostratégie de l'hémisphère Sud*, Saint-Denis, CERIGOI, Université de la Réunion, s.d. (1991).

MICHEL Marc : *Décolonisations et émergence du tiers monde*, Paris, Hachette, 1993 (Carré Histoire).

PARATIAN Rajendra : *De la canne à sucre au chandail (Ile Maurice)*, Paris, L'Harmattan, 1994.

VERIN Pierre : *Madagascar*, Paris, Karthala, 1990.

WANQUET Claude : *Les premiers députés de La Réunion à l'Assemblée nationale. Quatre insulaires en Révolution (1790-1798)*, Paris, Karthala, 1992.

WEBER Jacques : *Les Etablissements français en Inde au XIXe siècle (1816-1914)*, Paris, Librairie de l'Inde, 1988.

ZINS Max Jean : *Histoire politique de l'Inde indépendante*, Paris, Presses universitaires de France, 1992.

Imprimé en France. - JOUVE, 18, rue Saint-Denis, 75001 PARIS
N° 217586U. - Dépôt légal : Avril 1994